Женские судьбы.
Уютная проза
Марии Метлицкой

Мария Метлицкая

Самые родные, самые близкие

Москва

2018

УДК 821.161.1-31
ББК 84(2Рос=Рус)6-44
М54

Оформление серии и картинка
на первой сторонке переплета *П. Петрова*

Метлицкая, Мария.

М54   Самые родные, самые близкие / Мария Метлицкая. — Москва : Издательство «Э», 2018. — 384 с.

ISBN 978-5-04-092445-5

Три девочки смотрят со старой фотографии: ситцевые
сарафаны, пыльные ноги в разбитых сандалиях. Они веселы
и беззаботны — так, как бывает лишь в детстве, когда еще не
знаешь, что ждет впереди.

Годы летят быстро — и вот уже не очень молодая женщина
разглядывает это фото, тоскуя по юности, по несбывшимся на-
деждам, по искренней дружбе, когда верили в горячие клятвы,
когда не сомневались, что готовы друг за друга в огонь и в воду,
когда ради любви совершали безумства, за которые расплачи-
вались всю жизнь, а иногда — самой жизнью.

Каждая из трех девчонок на фото страстно мечтала о счастье. И все три по-своему распорядились своей судьбой, потому
что счастье у каждого свое.

УДК 821.161.1-31
ББК 84(2Рос=Рус)6-44

ISBN 978-5-04-092445-5

Самые родные, самые близкие

«**С**онька, родная! Вот, пишу тебе. Занялась этим глупым делом оттого, что окончательно потеряла надежду тебе дозвониться. Представляю сейчас твое раздражение и вижу твое недовольное лицо. Дада, я, конечно, знаю, что долгие телефонные разговоры ты ненавидишь. Что у тебя «устает ухо, начинает болеть голова, и вообще!». Что все это, по-твоему, потеря времени и ты лучше — а это и вправду лучше! — почитаешь что-нибудь или прошвырнешься по улице.

Ты не берешь трубку неделю. Нет, даже две! Вот я и решилась.

Я решилась на это от большой тоски и печали и от огромного моего «скучания» по тебе. Подсчитала — мы не виделись ровно три года. Три года я не обнимала тебя, не заглядывала тебе в глаза, не прислушивалась к тебе, не ловила жадно твои «штучки» — твой морок, разящий наповал, твою жесткую иронию, твой сарказм. И не любовалась твоим прекрасным лицом.

Грусть. Ну и самое главное — я не разговаривала с тобой. А для меня это как воздух, как хлеб. Как сама жизнь. Ну вот я и решилась.

Да и потом — ну, ты все знаешь сама — поговорить и поделиться мне больше не с кем. Совсем. Мама — ну, ты понимаешь. Она уже давно, лет пять, между небом и землей, в своем странном мире. Наверное, это нормально. Линка — это вообще за пределами. Она и сама по себе штучка та еще, а уж сейчас, в этом ужасном возрасте! А Ася... Ася вообще не хочет общаться. Ни с кем. Смотреть на это невыносимо. Ася, моя добрая и прекрасная девочка!.. И еще — я очень скучаю по Ганке. Очень. Как без нее тяжело! Знаешь, я вот как-то подумала: вы, ты и Ганка, — это и есть лучшее, что было в моей жизни. Самые родные, самые близкие, ты и она. Нет, правда. Не родители, не мужья, не любовники, ха-ха! Мои жалкие любовники числом два. Ты засмеялась? Ну слава богу, я тебя развеселила. Даже не дети. Потому что все они приносили мне одни страдания, печали и головную боль. Нет, были, конечно, и радости. Но как-то мелко. Растворились они, разлились, утекли мелким ручейком в океане всего остального дерьма. Вот так.

Самые лучшие и дорогие воспоминания — лето, наш двор и мы. Ты, Ганка и я. Нам лет по восемь. Мы сидим на краю песочницы и, как всегда, болтаем — делимся секретиками и мечтами, планами на ближайшее время — например, на два часа, — и на всю остальную, такую длинную, жизнь. Наши секреты смешные и незначительные. Наши мечты наивные. Наши планы — сплошные фантазии. Мы в почти одинаковых сарафанах — обычных сатиновых сарафанах довольно мерзкой расцветки — советский легпром. Мы в дурацких и страшных сандалиях, помнишь? Ох, эти «испанские сапожки»! Три первых дня пытка, оскорбление вкуса, а потом ничего, разнашивали и привыкали. И через пару недель они уже слетали с наших загорелых, ободранных ног.

Мы мечтаем. Знаешь, у меня эта картинка перед глазами. Такая грусть! Мы, маленькие и глупенькие девочки, почти уверенные в том, что за углом нас ожидает волшебная и прекрасная жизнь! Топчется в нетерпеливом ожидании — когда же, когда? Когда эти дурочки подрастут? И уж тогда вывалю на них все свои подарки, все сюрпризы! Все заготовки свои. Осыплю счастьем, как новогодним конфетти. Слава богу, мы пока ничего не понимаем. Иначе — кранты.

Ганка водит ободранным носом босоножки по земле, вычерчивая какие-то загогулины. Молчит. Она всегда поначалу молчит. Но мы-то знаем: она самая смелая и самая шкодливая из нас троих. Вот она-то точно ничего не боится. «Оторва», называет ее моя бабушка. Ганка за любой кипиш, лишь бы не было скучно.

Она еще и самая хорошенькая из нас — прости! Нежное тонкое лицо, изящные скулы. Какой абрис, а? Изумленные глаза фиалкового цвета, пять веснушек на носу — помнишь, мы сосчитали? И волосы — в медь, искрящиеся на солнце, крупными завитками падающие ей на глаза. Как они ее раздражали, помнишь? Как она завидовала тебе — твоим гладким, прямым, ослепительно-черным. Индейским, как она говорила.

Ганка молчит — болтаем ты и я, две болтухи. Учителя нас ругали за это: «Матвеева и Литовченко! Хватит болтать!» Эх, замечания в дневники мы ловили, по-моему, через день.

Мы бежим за мороженым к метро. Выскребаем из карманов, полных песка, фантиков от конфет, раскрошенного печенья, каких-то подобранных бусин, мелочь, копейки. Иногда хватало на три пачки. Иногда на две. Ну и ничего, разделим две на троих! А если уж мы оказывались «страшно богаты», то тогда хватало еще и на три пирожка — с повидлом, самых дешевых, по пять копеек.

Ах, какой у нас праздник! Мы облизываем грязные, сладкие от повидла пальцы, запиваем все это газировкой из автомата — три копейки с сиропом, щекотно в носу и в горле, — и мы счастливы!

Нам по четырнадцать, и мы снова сидим во дворе. Правда, теперь уже не в песочнице — там нам неловко, там малышня. Сидим мы на лавочке. Нашей любимой лавочке на «заднем» дворе. И снова мечтаем. Нам уже нравятся мальчики, мы влюблены. Ты — в Алешу Фролова, жуткая судьба, да? Такая ранняя и нелепая смерть. Я в Гришку Рабиновича. А Ганка, поросенок, молчит! Но мы пытаем ее, укоряем, стыдим, что подруги так себя не ведут, что это нечестно. А она мотает красивой рыжей башкой:

— Да отстаньте вы, дуры! На фиг мне эти ваши любови? На фиг эти идиоты? Нет, вы вглядитесь! Вот твой Фролов, — говорит она тебе с возмущением, — и что в нем хорошего? Коротышка и тупица! Ах, синие глазки, ах, мускулатура! Баран. Сонька! Ты не видишь, что он тупой? Дура ты, Сонька!

Ты обижаешься — я бы тоже обиделась. Потому что Лешка Фролов вполне себе ничего — мачо такой, как бы сказали сейчас.

Потом она берется за меня и бедного Гришку:

— Ну а твой Рабинович! Нет, он умный, конечно. А уж по сравнению с Фроловым, — и осуждающий взгляд на тебя, — так просто Спиноза! Но тощий такой, носатый, неловкий и несовременный. Вот как ты с ним пойдешь в ресторан? Он же одет как чучело!

Я вздрагиваю от неожиданности.

— В какой ресторан? — испуганно спрашиваю я.

— В обыкновенный! — презрительно бросает Ганка. — В «Арагви», например.

Мы с тобой переглядываемся. Нет, про этот «Арагви» мы знаем — сто раз проходили мимо по Горького. Оттуда выходили черноволосые, носатые, шумные солидные мужчины и пышнотелые нарядные женщины. Но при чем тут Гришка и я?

А Ганка продолжает свои фантазии:

— А что тут такого? Куда ходят приличные люди? Конечно же, в ресторан.

Мы пытаемся возразить, что приличные люди ходят на выставки, в театры и в кино. В крайнем случае в кафе-мороженое.

Ганка презрительно усмехается:

— Ага, вы еще забыли упомянуть библиотэку! Мужчина водит свою даму в рестораны, покупает ей цветы и духи. Возит ее на курорты, — продолжает ликбез наша Ганка. А мы растерянно хлопаем глазами и молчим, ни минуты не соглашаясь.

Ганка, Ганка! Она всегда мечтала о красивой жизни — так, как себе ее представляла. А что получилось?

Но после этого я немного задумываюсь: мой объект и вправду слегка нелеп — и внешне, и вообще. Гришка Рабинович из очень интеллигентной и нищей семьи — я видела его родителей. Мама преподает в медучилище, кажется, биологию, а папа служит в оркестре не самого знаменитого театра и вечно болеет — астматик. Плюс еще бабка и дед — в общем, им сложно. «Нищая советская интеллигенция», — грустно вздыхает Гришка, явно повторяя слова кого-то из взрослых. Он носит коротковатые брюки с пузырями на коленях и довольно страшную курточку с короткими рукавами. Но как он умен, мой герой! А сколько он знает стихов! Это он, Гришка Рабинович, открыл мне Ахматову и Пастернака, Бродского и Рейна. Но в ресторан? С Гришкой Рабиновичем в ресторан? С нелепым, неуклюжим и неловким Гришкой?

От этих мыслей мне становится дурно. Да и откуда у Гришки деньги? Смешно.

И вот жизнь, да? Помнишь Гришку на нашем слете одноклассников на двадцатилетие школы? Помнишь, как никто, даже я, его не узнал? Как зашел в актовый зал невозможно элегантный и роскошный мужик — высокий, стройный, красивый. В шикарном твидовом пиджаке и умопомрачительных мокасинах, с дорогими часами на запястье, пахнувший неземным одеколоном? Еще бы — профессор Лос-Анджелесского университета! Мистер Рабин, ага! Мистер Грегори Рабин. Неплохо?

А на улице его ждало такси.

Ничего не осталось от прежнего смешного и нелепого Гришки. Ничего. Наверное, только мозги. И его добрая, бескорыстная душа. Помнишь, как он всем старался помочь? Дал денег Ганкиному отцу, дяде Боре. Ты тогда спросила, не жалею ли я. Он ведь и вправду был «тепленьким» — раз, и попался. Да, поймать его было несложно. Но жалею ли я? Знаешь, мне сложно представить свою жизнь там, в Америке, с мужем-профессором. Даже почти невозможно. Вот эти его фотографии, помнишь? Трехэтажный дом из розового кирпича, ровнехонькая лужайка перед парадным входом. Кусты синей гортензии у крыльца. Дорогущая машина. Он даже смущался, показывая все это, — Гришка есть Гришка.

Нет, не жалею, Сонь! А не жалею потому, что никогда не представляла себе ту, другую жизнь и не мечтала о ней. Я про нее не знаю. Вот мне и легче, ага.

А ведь Гришка звонил мне еще года четыре, почти до самого своего отъезда, когда уже был Понаевский.

А твой герой, твой Фролов... Тоже личность, ха-ха! Глава ОПГ, каково? Что ж, вполне предсказуемо, а? Ну и итог его жизни — тоже можно было представить с самого начала.

Наш двор. Наши и только наши липы и тополя. Наша сирень, помнишь? Белая, фиолетовая, розовая. Как мы ее ждали! Помнишь, как ломали охапки и растаскивали по домам? Мама ругалась — куда? Ваз не хватало, ставили в банки. И запах сирени, невозможный запах сирени расползался по нашим убогим комнатухам, заползая в душные кухни, пытаясь забить, заглушить невыносимые запахи коммуналки — щей, жареного лука, бельевой выварки и всего остального.

Кому помешали наши липы, тополя, наша сирень? Варварство просто. Вам легче — вы уехали из нашего двора гораздо раньше, чем я. А мне пришлось наблюдать.

Наши семьи. Родители. Твои тетка и мама. Мои — мама, отец, бабуля.

И Ганкин отец.

Осталась одна моя мама. Все остальные, увы, ушли. Знаешь, я часто думаю о них — например, о твоих. Обе красавицы — и тетка Рая, и мать. И такие вот судьбы. И все-таки зря тетя Рая отвергла Ганкиного отца! Мы никогда не говорили с тобой на эту тему. А вот сейчас я решилась, прости. Тебе так не кажется? По-моему, он был не самым плохим мужиком? Ну да, поддавал. Но при его-то судьбе — похоронить любимую жену, остаться вдвоем с пятилетней дочерью. Кошмар. Он ведь и не женился ни на ком из-за Ганки! А тетя Рая ведь была своя, почти родная. Она бы Ганку точно не обидела. Зря она, зря. Чего испугалась? Уж точно не Ганки — она ее любила. Может, все вообще сложилось бы по-другому? Впрочем, история не знает сослагательного наклонения.

Помнишь, как после ухода Ганки дядя Боря страшно запил. Страшно, по-черному. Все повторял: «За что меня бог наказывает? Сначала жена в двадцать семь, потом дочь в двадцать пять. За что? За какие грехи и так страшно?» Бедный, одинокий старик.

Говорили, что дядя Боря никого не пускал — открывал только медсестре из поликлиники. Был у них какой-то пароль. А она потом разносила по двору — тараканы, клопы, смертный ужас. Он и мне не открывал — ну, ты знаешь. Я пару раз попробовала и поставила точку. А что я еще могла? А вообще-то кошмар.

Сколько этих кошмаров за жизнь, да? И ничего, пережили. Мы пережили. А Ганка нет.

Я стараюсь не смотреть фотографии, где мы все вместе. Невыносимо. Но иногда рука тянется сама, и я подолгу разглядываю наши славные детские мордочки, милые, лучистые, наивные. Прекрасные наши мордахи.

Это сейчас я шарахаюсь от зеркал, как от чумы. Нет, правда! Смотреть на себя не могу. А ведь была ничего, а, Сонь? Куда все делось! Да растащили! Первым был Понаевский. Уж он постарался. Вторым — первый мой, Галкин. Первый законный. Следующим — второй законный, Васильев. Ну а потом — все остальные. Все растащили, разграбили, уничтожили, как не было. Точнее, это я оказалась такой идиоткой, что позволила все растащить по кусочкам, по крошкам, по каплям. И ничего не осталось. И вот теперь я одинокая и ущербная, по мнению моей собственной младшей дочери Линки, всеми брошенная разведенка, почти старуха. Неухоженная и запущенная. Да-да, старуха — именно так Линка и считает. Для нее наши пятьдесят два — глубокая старость, Сонь! Хотя... Мы в ее годы, помнишь, и сорокалетних считали старухами, что говорить.

Моя дочь меня презирает за многое, почти за все — за суетность мою, за тревожность, за вечное пустое беспокойство, за постоянную усталость. И правильно делает, кстати. Я себя тоже за все это презираю. Все я в жизни делала неправильно, все не так. Всё. И со всеми себя вела не так. Ты правильно говорила — я себя не любила. Вот оно, главное! Всех любила, кроме себя.

13

Дура, чего уж там. Моя дочь права. Но все равно от этого горько.

А у тебя получилось — в смысле, любить себя получилось. Твои слова: «Здоровая доза эгоизма еще никому не вредила!» Ты права. Поверь, говорю это с огромным восхищением — никакого сарказма. Я всегда мечтала научиться быть эгоисткой, тем более что рядом имелся учитель — ты. Но, как я ни старалась, не получалось. Думаю, с этим нужно родиться — с чувством собственного достоинства, которого у меня никогда не было. Всегда, всегда лучший кусок мужьям, детям, родителям. На себе сплошная экономия. Главный слоган, рефрен моей жизни — «Я перебьюсь». Маме нужно пальто, Линке — ролики, Асе — новые туфли. Первый муж копил на машину, второй мечтал о морском круизе. И у всех получилось — один купил машину, второй отправился в путешествие. Правда, без меня, ха-ха! На две путевки денег не нашлось.

Вот жалуюсь, жалуюсь. Ты уж прости — знаю, как ты этого не любишь. Жалею себя, жалею. Реву. А ведь виноватых нет и искать не надо. Вернее, есть. Я. Только я одна, всё. Но жизнь-то прожита, и поэтому очень обидно. Знаю, ты сейчас усмехаешься, и ты снова права, как всегда. Жизнь, разумеется, в пятьдесят два не кончается. Но это у нормальных людей, к коим я себя давно не отношу. Поверь, это не пессимизм — это всего лишь горький реализм, констатация фактов. Я отлично понимаю, что у меня впереди, и иллюзий не строю.

Можно коротко. Неудачный брак Аси. Это уже всем понятно, только не ей, кажется, она все надеется. Дурочка, в мать. Двое внуков, которых еще нужно поднять. Линкины гадости — ничего хорошего я от этой стервы не жду. Это тоже понятно. Замуж она не выйдет — кто будет ее терпеть, с ее невыносимым характером, вечными претензиями ко всему свету, капризами, алчностью, нетерпимостью, даже злостью? И даже если найдется — случайно, конечно, — такой дурачок, то глаза у него откроются быстро, поверь. Сущность свою ведь не скроешь. Я ничего не преувеличиваю — даже кое-что опускаю. Матери сказать *такое* непросто, поверь. Но что я буду перед тобой валять дурака? В смысле — дурочку? И перед собой, кстати, тоже.

Мама. Здесь все понятно. Но и мои силы на исходе. А там все новые капризы, все новые претензии. Невыносимо. Мне ее очень жаль, безумно жаль! Но и себя мне жаль тоже. Вот, прорыв, Сонька! Я, кажется, научилась себя жалеть. Но все это от безысходности, только от нее. Чуть бы пораньше научиться бы жалеть себя, а? Когда еще все не так плотно сели тебе на голову. Ладно, хватит. Это уже перегруз для тебя, подруга. Я понимаю.

Давай лучше о прошлом — куда веселее. Правда, до определенного момента. Ну вот, опять сплошной пессимизм. Снова прости.

Почему-то я очень ярко помню несколько моментов из нашей юности. Например, Парк культуры — ты помнишь? Это было, кажется, второе мая, праздники. Да-да, точно — везде продавались воздушные шарики и гремела веселая музычка — праздник трудящихся, как же.

И вот мы, втроем. Рыжая бестия Ганка с шальными глазами и шальной же улыбкой. Я ловлю встречные взгляды. Мужики столбенеют, сбиваются с шагу, спотыкаются, краснеют и бледнеют. Еще бы! Вся она, наша Рыжая, сама не ведая того, всем своим отчаянным видом обещает райские кущи. Но такие опасные райские кущи! Ее яркая весенняя красота бьет в глаза, ошеломляет и немного пугает. К тому же она горда и независима, а это притягивает еще сильнее. На ее лице написано: «А мне на все наплевать!» Помнишь, как кто-то назвал ее Лесной колдуньей? Кто — убей не помню. Кстати, а какие еще бывают колдуньи? Может, морские?

Потом взгляды переводят на тебя. И тут еще хлеще! Я вижу их лица — восторженные, но перепуганные до смерти. Еще бы! Твои гладкие, блестящие, черные, до талии волосы переливаются на солнце, сверкают, как антрацит. А глаза! «Твои зеленые глаза» — помнишь такую песню? Так вот, твои зеленые глаза тоже покоя не обещают, куда там! И добротой они, увы, не полны. Они яростно и возмущенно сверкают, обещая сплошные тревоги и неудобство. Но от этого и пробирает дрожь — я видела, как мужики замирали и не могли оторвать от тебя глаз. И твои строго, поучительски поджатые губы и сведенные к переносице брови — твои соболиные, с отливом, длинные четкие брови, — обманка!

Ты их презирала — всех подряд, без исключения. И они это чувствовали и боялись тебя. Но еще и желали — больше всего на свете! Черт с ним, что потом — смерть, виселица, гильотина, вечная каторга. Ты заманивала, расставляла силки, одним взмахом ресниц рыла могилу. И все они, глупые и смешные, мечтали туда попасть.

Но была еще третья — я. И вот тогда-то, разглядев вас двоих, после паралича и остановки дыхания, они переводили взгляд на меня. И вырывался облегченный выдох: мы, кажется, живы. Я, обычная, вполне заурядная и такая понятная, тут же приводила их в чувство. Милая блондиночка, ничего особенного, но все-таки милая, да. Хвост на затылке, пара непослушных завитков, заложенных за ухо. Серые глаза, нос, рот — все такое знакомое, среднерусское, как говорил Понаевский, помнишь? А я обижалась. Вот дура! Я всем была понятна, как дважды два. Я не пугала — таких девчонок море, оглянись вокруг: глуповатых, прыскающих в кулак от смущения, легко краснеющих, вечно хихикающих — своих. С этими дурочками можно целоваться в подъезде, пороть всякую чушь — которую ты бы, например, никогда не простила. С ними можно сидеть на последнем ряду в кинотеатре и мять их потную ладонь своей, не менее потной, класть им руку на колено. Они, эти дурочки, как бы им ни было тревожно и муторно, эту ладонь никогда не оттолкнут. Попробуй взять за руку тебя или Ганку! Даже представить страшно. Ганка укусит, а ты — ты обольешь таким презрением, как ошпаришь.

Так вот, глядя на меня, мужики тут же выдыхают, моментально успокаиваются, перестают чувствовать дрожь в ногах и холодный пот на спине. Они быстро приходят в себя и начинают нести свои глупости: «Девушки, девушки, ах, какие красавицы! А пойдемте в кино! Там такая комедия с Луи де Фюнесом, просто шикарная!»

От слова «шикарная» тебя мутит, а Ганку воротит. А вот меня — нет! Что тут такого? Кстати, я бы пошла с удовольствием! А вы, ты и Ганка, презрительно фыркаете им в лицо, снова вводя их в анабиоз.

Вы гордо и быстро идете прочь. «Подальше от этих идиотов», — говорите вы. А что в них плохого? Лично я не заметила. Парни и парни. Обычные. Студенты. Лично я бы с ними и в кино пошла, и куда б ни позвали. Но я фыркаю вместе с вами, подпеваю вам, подыгрываю, словно я такая же, как вы: красивая, умная, гордая, неприступная.

Но я точно знаю — я не такая. И еще точно знаю — мне надо стремиться к идеалу. А идеал — мои лучшие подруги.

Мы ели мороженое, катались на каруселях, толкались в комнате смеха у кривых зеркал и помирали от смеха. Кривые, косые, толстые, худые, перекошенные. Как же мы ржали, помнишь?

А потом сели в шашлычной. Конечно, деньги, как всегда, были у Ганки, потому что дядя Боря ей ни в чем не отказывал. Она небрежно махала рукой:

— Это все от комплексов, девочки! Снова бабу завел, дома три дня не ночует. И слава богу!

Итак, мы сели в шашлычной. Стеснялись. Даже вы с Ганкой стеснялись — ведь мы играли во взрослых. А взрослыми не были — соплячки. Ну и заказали три шашлыка, три салата и бутылку вина. Ох! Шашлык был жестким, салат безвкусным, а вино кислым. Но мы не сознались в этом. Мы ели и пили с таким удовольствием! Мы так вошли в эту роль — в роль бывалых, искушенных, взрослых.

А потом закурили. Какие же дуры — высмолили всю пачку, и нас затошнило. Ганку вырвало сразу, в кусты. Повезло. А мы с тобой шли и качались. Бледные как полотно, с синяками под глазами, кошмар. И все-таки мы были довольны собой. Нет, даже горды!

А помнишь наш выпускной? Ганка, как всегда, отличилась — пришла в брючном костюме. Все обалдели, еще бы! Кто бы еще мог себе такое позволить? Уж точно не я. Как она была хороша, правда, Сонь? Узкая, длинненькая, невозможно стройная. А костюм? Югославский, да? Да, югославский, кримпленовый. Брюки-клеш и пиджак, фиолетовые. Достала Ганке этот костюм папашина любовница — выпрашивала ее расположение. А блузку под пиджак Ганка не надела — ну кто бы на такое осмелился в те годы-то, а? Все обалдели — пиджак на голое тело! Глубокий вырез, а там — дорожка. Невинная такая, полупрозрачная ложбинка, ведущая в рай или в ад. Ну и все дружно, как крысы за дудочкой, обреченно и радостно туда поплелись — на свою же погибель.

Что там наши мальчишки, придурки и сопляки, — фигня. А вот приглашенные музыканты... Кажется, это называлось ВИА — вокально-инструментальный ансамбль. Взрослые дядьки с волосами до плеч в модных джинсах и батниках. Недосягаемые! Для меня точно боги. А боги эти моментально сбились с нот, едва завидев нашу красотку. Стали переглядываться, перешептываться, чуть не побросали свои электрогитары, тарелки и барабаны.

И ты в своем красном платье. Немыслимом красном платье, шелковом, с открытой спиной. Всё. Здесь можно остановиться. И какой хитрый ход, Сонь! Под твоими длиннющими, до попы, волосами этого никто вначале не заметил. А потом ты волосы забрала. Легко так: раз — и заколка. И всё, всем кранты. Всем нам кранты — учителям, родителям, девчонкам, стонущим в голос от зависти. И мужикам. Конечно, речь не о наших одноклассниках. Что о них говорить — много чести, напыщенные, прыщавые и тупые индюки. Хотя было парочку нормальных — Кротов и Тазетдинов. Всё. Кротов даже присвистнул. Тазик, Тазедтинов, тогда уже сильно нажрался и дрых в раздевалке.

А вот музыканты вообще выпали в осадок — сначала Ганка, потом ты. Ты еще опоздала, помнишь? Мне кажется — уж прости! — это был ход, чтобы ошарашить. Музыканты и ошалели — такие девочки! А никуда не денешься — все оплачено. Пилите, Шура, пилите. Со сцены не спрыгнешь — попробуй! Директриса, наша Бомба, их бы разорвала в ту же минуту.

Бомба, кстати, Ганкин брючный и пиджак без «поддевки» — как она выразилась — пережила. Только строго велела «на сиськах заколоть булавку».

А вот твою голую спину... Я помню, как все забегали — наша классная, завуч, чьи-то мамашки. Поджимали губки, кривили ротики, закатывали глазки, возмущались, всплескивали ручками: «Ох, Литовченко! Ох, и зараза! Провокаторша, шлюха! Ну, с ней все понятно — шалава. Пропадет ведь! Быстро пропадет — с такими задатками!» А тебе было на всех наплевать. Как всегда. Прости, Сонь, это не осуждение — восхищение! Мне бы так научиться поплевывать на окружающих.

А потом артисты эти возбужденные подослали ко мне казачка — поняли, что мы из одной шайки — ты, Ганка и я. Ну и выбрали самую простую и обычную — меня. И зашептал казачок, обдавая меня горячим дыханием: дескать, в пять утра мы заканчиваем — все, отбой. И приглашаем вас, девочки, на дачу. Недалеко, да и машина у нас. За полчаса домчимся. А там! Там рай, чесслово! Пруд, шашлыки, грузинское вино! Банька, девульки!

Я чуть не задохнулась от волнения и возбуждения. Нет, правда! Чуть не померла. Ну и забормотала что-то невнятное, что, типа, мне надо посоветоваться с подругами. Ха! Как будто не понимала, что волную их не я, а именно вы, мои подруги!

Ганка сразу — почти сразу — согласилась. Глаза у нее загорелись. Она уже тогда запала на этого бас-гитариста. Еще бы — такой высокий, синеглазый блондин. Все наши дурочки с него глаз не сводили. А ты, ты, конечно, завыпендривалась, Сонька! «Куда, с кем, я хочу спать!» Ну и принялась демонстративно зевать, широко и сладко. А я вообще затряслась. Я тогда насмерть влюбилась в барабанщика. Лохматый такой, в очках, как у Леннона. Вот, думаю, сейчас ты откажешься, Ганка подумает — и тоже. Ну а меня — кто спросит меня? Я — так, за компанию. Это ж понятно, кого позвали и кого ожидают. И все, пропала жизнь! Ку-ку моя женская судьба, прощай, мое счастье!

Но Ганка уже завелась:

— Сонька, поедем! Что дома торчать? Ты же не собираешься с этими уродами по Красной площади шататься?

Ты, конечно, не собиралась. А я бы пошла. И на Красную площадь — а что там плохого? Но куда я без вас?

Слава богу, ты согласилась, сделала одолжение.

На часах было три. Музыканты объявили перерыв и пошли перекусить тем, что осталось после нас, выпускников. Я видела, как они по-тихому разливали водку, но никому не сказала — не дай бог, вы откажетесь ехать! А потом всю жизнь себя не могла простить — ведь если бы не я, если бы мы не поехали туда, никакого бы романа у Ганки с этим белобрысым уродом не было. Правда, ты тогда сказала, что она приключения на свою задницу все равно бы нашла. «Свинья грязь найдет», — сказала ты, и я пришла в шок от твоих слов. Но понимала, что ты права. Всегда ее заносило куда не надо. Хотя мне ли об этом говорить, Соня.

Дача эта. Озеро, баня. Пережаренные шашлыки. Водка — рекой. Ну и мы, три дуры. И четыре вполне взрослых и опытных мужика.

Двоих лабухов сразу списали — они быстро нажрались и рухнули спать. Ты тоже ушла — уснула в гамаке. Я из окна на тебя любовалась. Нашла какой-то вытертый плед и укрыла тебя, а сама уснуть не могла. Не спалось. Барабанщик мой напился и спал, некрасиво распахнув рот и похрапывая, никакого дела до меня ему не было. Ну и слава богу, кстати. Я была очень этому рада. Моя влюбленность в него моментально прошла, когда я увидела, как он мочится с крыльца, не обращая на меня никакого внимания. Меня чуть не стошнило.

А Ганка... Ганка ушла на второй этаж с бас-гитаристом. И там состоялось ее грехопадение. Казалось бы, подумаешь! Мы уже окончили школу, так что вперед и с песнями. Но кто ж знал, что так выйдет? Песен не получилось. А получилась ее беременность. С первого раза — вот ведь, а? Да, бывает. И первый аборт. Господи, сколько абортов она от него сделала! А потом родила. Я часто думала — зачем? Неужели чтобы удержать эту сволочь?

Пьяное зачатие, как в кино. Только в жизни это куда страшнее!

Мы с тобой выбрались из этого «веселья» без потерь. А наша Ганка... А нашей Ганке не повезло. Ужасно не повезло, да, Сонь? Ну почему ей выпала такая судьба? Я задаю себе этот вопрос всю жизнь, Соня, всю жизнь! И не нахожу ответа. Вернее, ответ есть — такая судьба.

Господи, я представляю, как ты сейчас злишься! Да-да, отлично представляю, прямо вижу перед собой твое недовольное, крайне недовольное лицо. Ты думаешь, зачем я снова тебя втягиваю во все это, в эти воспоминания, которые ты наверняка назовешь сопливыми и климактерическими. Плохое надо забыть — тоже твои слова. И ты снова права! Но я не умею.

К тому же, если ты помнишь, я всегда была сентиментальной, в отличие, кстати, от вас с Ганкой. Всегда была плаксивой, тревожной. Да. И тут еще добавилось это — моя графомания. Меня и саму это пугает. Нет, честно! Прямо рука тянется к клавиатуре, ей-богу! Наверное, это гены деда Ивана — помнишь, как он обожал строчить кляузы? Просто заваливал ЖЭК, райсовет, Моссовет и что там еще, черт его знает. Помнишь, как он написал кляузу на нашу директрису, на Бомбу, когда в десятом классе нашел сигареты у меня в кармане и обвинил во всем школу. Кстати, после смерти деда я нашла его записи — типа воспоминаний. Довольно интересные записи, кстати, даже увлекательные — война, послевоенные годы, неудачи, удачи и все остальное. Веришь, написано здорово!

Бабушка говорила — и мама ее поддерживала, — что до инсульта дед был вполне нормальным и приличным человеком. Не знаю, по его воспоминаниям так не скажешь. Там на каждой странице обвинения всех и во всем — во всех его несчастьях виноваты другие: родители, жена, преподаватели, друзья, коллеги.

Когда дед ушел, я только обрадовалась. Нет, правда — признаться в этом неловко, но так и было. Сразу стало легче дышать. Мою позицию разделяли и мама, и папа — я это чувствовала. А вот бабушка горевала, да как — плакала, убивалась по нему лет восемь, до самой смерти. Знаешь, я тогда с удивлением думала — надо же, любят и таких! И за что, интересно? А бабушка говорила — у всех людей есть недостатки, а его было за что ценить и любить.

Позже я поняла — было, да. Дед всегда был добытчиком. Хорошая зарплата и все в дом. На рынок и в магазин ходил только он, со слесарями и врачами общался тоже он, за квартиру платил он — бабушка не брала в руки квитанции и не знала, как их заполнять. А на даче? Это дед развел огород и вырастил — помнишь? — помидоры с кулак и виноград. И это у нас в Подмосковье! А грибы? Он притаскивал их корзинами, даже не в грибные годы, и солил, мариновал. Какие были у него закрутки, помнишь? Как мы открывали банки с солеными огурцами и вишневым компотом? А? Он был хозяином, мой склочный дед, и был хорошим мужем, хорошим отцом и хорошим дедом. И даже тестем он был хорошим. Мой склочный, невыносимый, занудный дед Ваня.

Ну вот! Опять меня потащило в какие-то дебри.

А что до моей графомании... Сонька! Я и вправду хочу писать! Смеешься? Конечно, смеешься! Ну вот, я тебя развеселила, ура! А может, и вправду попробовать? Ну пишут же сейчас все, кому не лень. А мне вот точно — не лень. При моей жизни это, скорее всего, единственная отдушина, барьер, стена, чтобы отгородиться от всех и всего. Как будто я ныряю в теплое озеро и вижу прекрасный подводный мир — разноцветных рыб, кораллы, качающиеся растения. И на какое-то время меня отпускает. Я ничего не помню, когда пишу — что было сегодня, что ждет меня завтра. Вот такой релакс у меня, Сонь! Так что прости уж, а?

Так вот, про Ганку. Ты тогда сказала на мои причитания по поводу гитариста и того, что он погубил нашу Ганку, что «она сама во всем виновата», ее выбор, добровольная Голгофа.

Да, наверное. Никто ее не тянул на аркане, правда. Но разве это повод не жалеть ее, не тосковать, не горевать по ней, бедной? Она оказалась слабой, наша девочка. Но мне слабых еще жальче, потому что сама, наверное, не из сильных.

Вот и получилось, что умная и сильная у нас только ты, Сонька. Нет, главное — ты умная, сразу разобралась, чего хочешь от жизни. А это самое главное.

Знаешь, признаюсь тебе, мне было неловко слушать твои рассуждения по поводу детей. Я даже думала, что у тебя просто не получается, вот ты и утешаешь себя.

У меня тогда уже была Аська. Я смотрела на нее, и мое сердце рвалось от любви, восторга и нежности, а еще от страха. Это кошмарное чувство — вечный материнский страх. Он буквально сжирает тебя — ни дня не дает передышки. Жрет изнутри, грызет по кускам, лязгает зубами, снедает и истязает. Вечный страх, понимаешь — до самого твоего конца. И если по-честному, не для того, чтобы потрафить тебе, нет!

Просто набраться смелости и произнести это вслух. Да-да, набраться смелости! Потому что и про себя это подумать страшно. Невозможно. Неприлично. Ужасно.

И все-таки. Дети. У меня их двое, две дочери. Я всегда думала — счастье, что девочки! Боже, какое счастье! Мы будем подружками, а как же! Станем шушукаться, доверять друг другу самое сокровенное, самые-самые невозможные секреты, меняться шмотками и обувью. Они, разумеется, будут поливаться моими духами. Я стану злиться и орать на них. Без скандалов не обойдешься — бабы ведь! Но мы будем и читать вслух стихи — они, мои девочки, станут обожать поэзию и бардовские песни, как и я, я их научу, все объясню. Хотя вряд ли можно любовь объяснить. Мы будем рассуждать о мужчинах. Я научу их многому — да-да, не смейся! Потому что у меня опыт — горький, но опыт. А это еще лучше, что горький — я предостерегу их от ошибок, которые совершила сама. В конце концов, мы будем печь пироги, все вместе на нашей кухне, заляпанные мукой и вареньем. И они, мои девочки, будут очень дружные. И я буду спокойна — когда я уйду, они останутся вдвоем. Ничего не получилось. Ни-че-го.

Что у нас в сухом остатке? Вот именно. Правда, и остаток тот не сухой, а мокрый, щедро сдобренный моими слезами. Девки мои не то что не дружат — они с трудом выносят друг друга. И дело не в том, что они разные и рождены от разных отцов, нет, я уверена. Значит, это моя вина? Копаюсь, ковыряюсь, мучаюсь, страдаю. Но ответа не нахожу, веришь? Мне кажется, что любила я их одинаково. Жалела тоже. Баловала обеих. Покупала всегда всего поровну. Уделяла внимание тоже поровну, одинаково. Тогда почему так вышло?

А самое главное, что ни с одной, ни с другой у меня ни дружбы, ни взаимопонимания не получилось. Нет, с Асей, конечно, лучше. Она хорошая, нежный, тонкий, тревожный человек. Все чувствует, все понимает. Но она не нуждается во мне, в наших с ней разговорах. Не страдает от того, что нет у нас с ней близости. Она бы вполне обошлась без меня, будь у нее все в порядке — мне так кажется.

А Линка — ну здесь вообще тяжелый случай. Я понимаю: Ася хорошая, но вечно несчастная. Она всегда, при любых обстоятельствах, будет считать себя жертвой — такая натура. Еще хуже, чем я. С ней очень сложно. Линка — та просто стерва. Банальная стерва, и все. Вот эта всех сожрет, всех подомнет под себя. Для нынешнего времени, наверное, хорошо. Не такая мямля и тетеха, как мы с ее старшей сестрой, за это она нас и презирает.

Но мне неприятно, что моя дочь с таким откровенным презрением относится ко всем вокруг. Такой я ее не растила. Она очень цинична, моя младшая дочь, и не собирается это скрывать. Она гордится своими недостатками, как другие гордятся достижениями. Она пинает и без того несчастную, депрессивную Асю, насмехается над больной бабушкой — жалости и сострадания в ней нет ни на йоту! И посмеивается надо мной: «Ну-ну, давай продолжай! Ты же у нас жертвенница! Герой Соцтруда. Вы же с *этой*, — кивок на Асину комнату, — тащитесь оттого, что вам плохо и тяжело. Вы ж как маньяки — чем хуже, тем лучше!»

Глупости. Бред. Я упиваюсь своим одиночеством? Своими неприятностями? Вранье. И сравнивать меня и Асю глупо — я ведь выстаивала всегда, правда?

Всегда боролась — как могла, как умела. Сопротивлялась. Шла наперекор. Падала, да. Мордой об стол — да сто раз, кто ж спорит! Но поднималась и шла дальше. А Ася, бедная Ася! В ней, мне кажется, совсем нет жизненных сил, энергии. Слаба она во всем — телом и духом. Чуть что — в слезы. Правда, не без оснований. Ей и вправду сейчас очень сложно. Очень. И ничего у нее хорошего — что правда, то правда. И самое ужасное, что Линка нисколько не жалеет старшую сестру. Представляешь? Ей незнакомы сочувствие, сопереживание, эмпатия, жалость. Какая-то душевная ущербность. Она моральный ампутант. И к племянникам она совсем равнодушна. Дети ее раздражают, выводят из себя, «бесят», как она говорит. Мне кажется, она вообще какой-то душевный инвалид, наша Линка. В общем, резюме, дорогая! Дети — далеко не цветы жизни! Ох, не цветы! Нет, были, конечно, и радости, и умиление, и даже восторги. Но — мне ты можешь поверить! — куда больше в жизни родительской печалей, нескончаемых хлопот, тревог — бесконечных, непрекращающихся. Обид и неоправданных ожиданий.

Ты уж прости. Пишу об этом не для того, чтобы ты меня пожалела, нет! А чтобы ты посмеялась над такой дурой, как я. И порадовалась за себя, что ты от всего этого свободна. В общем, почувствуйте разницу. Ха!

Вот мой день. Итак, раннее утро. Точнее, полседьмого утра. Сейчас декабрь, и за окном — ну, ты понимаешь. Тоска смертная, вот что за окном. Кстати, снега почти нет, и это печально. Он, по крайней мере, дает освещение. А сейчас кругом черный и мокрый асфальт, грязные лужи, даже не серость — сплошная чернота. А уж по утрам!.. Куда делись зимы, Соня? Куда? Куда делись морозное свежее утро, снегири под окном, рыхлый серебристый снежок? Помнишь, как мы балдели зимой? Санки и горки, коньки и лыжи? Ничего этого нет и в помине, увы.

В окно я стараюсь не смотреть. Да и времени нет. Я подхожу к маме, слушаю ее дыхание — дышит. Облегченно выдыхаю и бегу в ванную. По дороге ставлю чайник. Умываюсь и — шмяк, бяк крем на лицо. И снова на кухню. Чайник вскипел, и я кидаю в чашку две ложки растворимого кофе. Страшная расточительность, совесть мучает. Но так хотя бы его можно пить. Ты знаешь, что кофе я обожаю. А вот варить его в турке времени нет. Сыр на хлеб, масло не мажу — экономлю время. Ну и не нужно мне масло — стройнее буду. Сыр — барахло. Точнее, полное дерьмо этот наш сыр. Почти несъедобный, жухлая трава. Просто отрава. Ладно, проехали.

Тут же, одновременно, крашу глаза. Дело это минутное, я давно не заморачиваюсь на эту тему. Пудра, тушь, чуть духов на шею. Духи, кстати, твои! Хорошо, что я экономная — им уже три года, а все не кончаются и продолжают меня радовать. Чудный запах, настоящая Франция, не подделка, спасибо тебе! Помнится, ты привезла их из Андорры?

Все, чашка пустая, и я громко выдыхаю — пора! Захожу к Линке, как в клетку с тигром, потому что знаю, что меня ждет. Тереблю ее за плечо:

— Лина, вставай, опоздаешь!

Выбрасывает ногу из-под одеяла — я отпрыгиваю на шаг. Нет, она не собирается меня пинать — просто так выражается ее недовольство.

— Отстань! — шипит она. — Как же вы все надоели!

Я, конечно, не отстаю:

— Лина, пора! Ты опоздаешь!

Никакого ответа, только шипение сквозь зубы. Отворачивается к стене и укрывается одеялом.

— Пошли все на...

Боже! Может, все-таки мне послышалось?

Я уже ору:

— Лина! В конце концов! У тебя сегодня английский! Тебе в этом году поступать! Как можно так легкомысленно...

Я не успеваю закончить, как она резко поворачивается ко мне. Я сталкиваюсь с ней взглядом, и мне становится страшно: ненависть, ненависть. Сплошная ненависть, даже не раздражение!

— Я знаю! — Змеиное шипение сквозь плотно сжатые зубы. — Я помню! Отстань! Я пойду ко второму уроку, слышишь? Или к третьему! Поняла? Все, уходи! И закрой плотно дверь!

— Стерва, — бросаю я и чуть не плачу. — Мне, как ты думаешь, легко платить твоим репетиторам? Какая ты дрянь!

— А я тебя не просила, — широко зевает она. — И кстати, это твоя прямая обязанность — платить за несовершеннолетнюю дочь, поступать ее в институт. Позвони своему бывшему и попроси у него. Точнее — поклянчи!

Я с бешенством хлопаю дверью. Ну как могла у меня получиться такая вот дрянь? Такая стервоза? Не понимаю! У меня дрожат руки, подкашиваются ноги и ноет сердце. Пытаюсь взять себя в руки — у меня впереди трудный день. Хотя почему трудный? Обычный. Обычный трудный день, ничего нового.

Я знаю, что ты усмехаешься, читая про эту дрянь, мою дочь. И ты, как всегда, права. Но, поверь, я все время откручиваю пленку. Все время анализирую. Все время ищу свои ошибки — ну ты меня знаешь, помучить себя я умею. И представь, ничего крамольного не нахожу, даже при моем колоссальном чувстве вины всегда и перед всеми!

Тогда — почему? Почему она получилась такая? И кто виноват? Может быть, дело в наших отношениях с ее отцом? Но скандалов, громких, отвратительных, у нас не было. Мы выясняли отношения тихо, чтобы не слышал никто из домашних. Да и было ей тогда три с небольшим. Что она может помнить?

Обида на отца — вот причина ее поведения? Да вряд ли. С ним она довольно мило щебечет и никогда не отказывается от встреч. Еще бы! Он поведет ее в дорогой ресторан и подкинет деньжат.

Может быть, она осуждает меня, что я его упустила, а потом отпустила? Не хватала за рукав, не удерживала: полюбил — уходи. А могла бы перетерпеть, переждать, пере... И дочь осталась бы при отце, а я при муже. И все его деньги принадлежали бы нам, его семье. И ничего не пришлось бы выклянчивать, унижаться.

Не знаю. Она как-то с презрением сказала: «А что вообще он в тебе нашел? Вы же совсем не подходите друг другу!»

Конечно, ее успешный отец и курица-мать! Не пара. А вот следующая жена ее отца — в самый раз! Умница, красавица, молодуха. К тому же у нее свой цветочный салон.

Ладно, поехали дальше. Со злостью думаю: «Черт с тобой, дрыхни дальше».

Темочка. Я осторожно захожу в комнату Аси и внуков. Главное, не разбудить Асю и малышку — бедная Ася и так не высыпается. И это при ее-то здоровье и настроении! Темочка — теплый и сладкий, любимый комочек. Пока еще комочек — три года! Самый нежный возраст. Невообразимо теплый и сладкий — чуть потненький кудрявый затылочек, самый любимый на свете!

Не знаю, возможно, кто-то любит детей сильнее, чем внуков. А у меня не так — внука и внучку я точно люблю больше, чем своих дочерей. И не только потому, что они маленькие и беззащитные — внуки пока не приносят мне боли и огорчений. Не обижают меня. Они не хамят мне, не требуют денег.

Они просто меня любят, я надеюсь. И кажется, чувствую это. Темочка особенно, Лизонька еще слишком мала. К тому же он нуждается во мне, а мои дочери — нет.

Мне ужасно жалко его, моего мальчика. Ему достались слишком нервная мать и неважный, равнодушный отец. А мальчик хочет любви. А кто не хочет любви, Соня? Даже в преклонном возрасте. Это я про себя, но не о мужской любви речь — от них мне не надо любви, отлюбилась.

Ася занята девочкой. Мой зять... Ну об этом чуть ниже. Тетка детьми пренебрегает — и это в лучшем случае, а то и пошлет. Прабабушка болеет и почти ничего не понимает. Сестричка слишком мала. И кто у него остается? Правильно — я, его бабушка. Ну я и стараюсь хоть как-то компенсировать, хоть как-то долюбить. Дать то, чего ему не хватает. И мне кажется, что он это чувствует. Дай-то бог!

Мне безумно, просто до слез, жалко его будить, умывать, одевать, кормить кашей, тащить по этой хмари в сад. Сердце рвется, но надо! Ася не справляется с двумя, ей тяжело. Да и Лизонька дает прикурить — неспокойный ребенок. А какой она может быть при такой нервной беременности, таких родах и вечно плачущей матери?

Темочка удивленно смотрит на меня, и на его личике появляется жалкая гримаска:

— Баба! А давай не пойдем в сад?

Я чуть не плачу.

Но он встает, мой храбрый солдатик, и медленно, пошатываясь, бредет в ванную. Он тоже не выспался — Лизонька спит плохо, тревожно. Но взять его к себе я не могу — мама. Я встаю к ней раза три за ночь — попить, поменять памперс. Мама громко стонет по ночам и даже разговаривает во сне.

Темочка умыт и послушно сидит на кухонном табурете — ждет ненавистную кашу. Молча глотает, не спорит — знает, что каша полезна. Сидит напротив и хлопает сонными глазенками. Невыносимо.

Я говорю ему, что иду проверить бабушку, и он послушно и обреченно кивает — привык. А когда я вернусь от мамы, он будет дремать, прислонив головку к стене. Так, все. Теперь к маме. «Держись, дорогая, держись! Тебе зачтется», — усмехаюсь я про себя.

Только когда, а? Кажется, я не дождусь, просто не доживу.

Так, маме каша, теплое молоко, таблетки, чистый памперс и выслушать поток жалоб. Все как обычно. Обедом ее покормит Ася — не обедом, так, перекус, детское питание из баночки, Лизонька поделится.

Я уже одеваю Темочку, когда из своей комнаты выползает Ася. Смотреть на нее страшно — тощая, бледная в синеву, под глазами черные круги, волосы всклочены. И я начинаю понимать своего зятя. Сейчас его нет — очередная командировка. Точнее — очередной побег от семьи. Конечно, его можно понять — ядовитый плющ, наша Линка, стонущая старуха в соседней комнате, неприбранная и раздраженная жена и теща с вечно поджатыми от недовольства губами. Теснота, одна ванная и один сортир. Вечная нехватка денег и как следствие — бесконечные разговоры на эту тему. Тоска, что говорить, я понимаю. И Ася его раздражает. Так же, абсолютно так же, она выглядит и при нем. Представляешь?

Я бьюсь с ней, без конца разговариваю на эту тему, а она только плачет и огорчается:

— Мама, прекрати, ради бога! Ну нет настроения, нет!

А как-то хмыкнула:

— Ага, вот ты всегда прибиралась, всегда старалась быть дома в порядке. А результат? Было два мужа — и? Не помогло, да?

Ну я и заткнулась. Мне вообще лучше молчать, не вступать с ними в дебаты, все равно проиграю.

Ася ползет по стене. На лице сплошное страдание. Мне ее жалко, но внутри поднимается раздражение. Зачем она вышла за него замуж? Мне этот Денис никогда не нравился. Господи, что я несу? Как будто моей маме нравились мои мужья. Я считаю, женился — обеспечь семью. Не нравится жить в коммуналке — сними квартиру! Правда, я понимаю: зарабатывает он не ахти как много. На приличную квартиру, пусть в две комнаты и чистую, не убитую, в нормальном районе, вряд ли хватит. К тому же здесь Темочкин сад и я на подхвате.

Сбегает этот Денис при каждом удобном случае. Не командировки — так рыбалки, бани, встречи со старыми друзьями, поездки на родину, в Волгоград. Дома он почти не бывает, особенно в последние два года. Ни погулять с ребенком, ни помочь по хозяйству, ни сходить в магазин или на рынок. А уж про то, чтобы сходить куда-нибудь вдвоем с женой — про это вообще я молчу. За последние пару лет ни разу. Ни разу, Сонь! А ведь я предлагала. Да тысячу раз предлагала: «Ася, сходите в кино. Или в кафе. Или просто пошляйтесь по улицам — я готова остаться с детьми, да ради бога!» Так нет! Она ему предлагает, а он: «Я устал. Отстань. Не хочу. Это ты не работаешь, а я...» Нет, представляешь? Он искренне считает, что дом и двое детей — это так, ерунда. Аська, конечно, плачет — обидно. Говорит: «Мам, он что, стесняется меня?»

«Глупости, глупости», — бормочу ей я.

Ты же знаешь, Аська хорошенькая! Тоненькая такая, даже после двоих родов. Волосы замечательные, в Мишу, помнишь? Еврейские волосы — густые, темные, крупными кудрями. Глаза большие. Да все у нее совсем неплохо! И вообще, знаешь, мне кажется, что у него кто-то есть. Нет, точно, поверь мне, я чувствую! Опыт — сын ошибок трудных. Это Аська-дурочка не хочет об этом думать, ей так проще. А я, старая фронтовая лошадь, все понимаю. Я и сама побывала в любовницах. Пока мой Васильев не ушел от первой жены.

Помню, как пугалась своих воспаленных глаз — сумасшедших, вечно блуждающих глаз, как подолгу разглядывала себя в зеркале — и чего там искала? Как роняла чашки и ложки, поливалась духами, меняла наряды. Рвалась из дома — и на дочку, кстати, мне тоже было почти наплевать. Так и он, этот Денис. Наряжается в новые шмотки, поливается одеколоном, накупил какого-то дорогого белья — «Кельвин Кляйн», что ли. И самое главное, я вижу, как он смотрит на Асю — с таким пренебрежением, с таким раздражением, с такой неприкрытой тоской. Вот, кажется, так бы и завыл как волк. И рвется, рвется из дому. Как будто шило в заднице. Одна мысль — сбежать. А приезжает? Ну это вообще! Больные и безумные глаза, растерянность, озабоченность. Скука. Такая непроглядная скука написана на его лице и даже почти ненависть — ко мне, к Линке. И к Асе.

Прости, скачу по странице, как блоха по собаке. А еще собралась в писатели! Ха!

Итак, я перекидываюсь с Асей парой слов — и тоже стараюсь поскорее смыться, чтобы не слушать ее нытье и вечные жалобы. И снова понимаю своего зятя, увы.

Напяливаю на полуспящего Темочку пуховичок и шапку, втискиваю его в сапоги, и мы выскакиваем за дверь.

На улице уже чуть светлее, но все равно темновато и сыро, промозгло, просто до костей пробирает. Я снова думаю про здоровый морозец. Как давно его не было. Тащу бедного сонного ребенка за руку, почти бежим, чтобы не пропустить автобус. В сад мы едем на автобусе — пять остановок. Нет, есть сад, конечно, ближе, в пяти шагах от нашего дома. Но, говорят, он плохой, а наш — замечательный: и чудесные воспитатели, и приличная еда, и замечательная территория. Вот и ездим.

В автобусе усаживаю мальчика на сиденье, сама стою. Он снова засыпает. Бедный ребенок!

Ну все, довела, раздела, коротко поговорила с воспитательницей и — вперед, на работу!

Знаешь, работа — мое спасение, правда. В нашей комнате четыре тетки, мои коллеги. Точнее так — три тетки, включая меня. Мать-одиночка Лена Васильева, Лариса Петровна — пенсионерка и Валечка — моя ровесница.

Лариса всю жизнь замужем, с мужем ей повезло, но не повезло с сыном — сын пьет. У Валечки, наоборот, муж барахло, поддающий, «слабо пьющий», как она говорит. А вот сын замечательный! Просто гордость и материнская услада ее сын — музыкант, скрипач, служит в приличном оркестре, ездит по миру, хорошо зарабатывает, осыпает мать подарками — норковая шуба, колечки, сережки. Не сын, а сплошное счастье. Но не женат. Валечка страшно переживает по этому поводу — хочет внуков и покоя, а он все никак. А парню уже тридцать три.

Однажды я предложила ей познакомить его с Леной Васильевой. Она прекрасная женщина, умная, симпатичная, очень хозяйственная, в понедельник всегда тащит нам пироги. К тому же своя квартира, машина. Не повезло — родила дочь, а возлюбленный не женился. Так и осталась одна.

Вот я и озвучила гениальную, как мне показалось, мысль Валентине. И что получила в ответ?

— Что вы, Аля! О чем вы говорите? Лена и мой Володя? У Лены же ребенок!

— И что? — возразила я. — От этого она стала хуже?

Валечка, красная и возмущенная, яростно качала головой:

— Нет, Аля! Нет! Но зачем нам чужие дети? Володя здоров и вполне может родить своих! Зачем ему женщина с прошлым? Да еще и таким непонятным, туманным?

— Туманным? — переспросила я. — А что там туманного, Валя?

— Да все! — возмущенно проговорила она. — Все, как вам не ясно? Вот почему тот мужчина на ней не женился? Вы знаете почему? Вот и я не знаю! Значит, было там что-то не так! — Валентина гневно сверкнула очами и, кажется, обиделась на меня.

«Ну вот, — подумала я, — нашла себе врага. И зачем? Лезу, как всегда, впереди паровоза».

Вечно мне больше всех надо. Но за Лену я обиделась. Какая глупость! Мы знаем нашу Лену три года, и за это время можно было вполне составить о ней впечатление. И Валю я знаю давно. Знаю как добрую и мудрую женщину. Казалось бы... Но Валя-коллега и Валя — будущая свекровь, видимо, истории параллельные. Ты мне, Соня, всегда говорила — не лезь в чужие дела, не давай дурацких советов. И была права. Чего я и вправду полезла?

Наш конфликт с Валечкой скоро был забыт, и снова все стало отлично. Комната у нас небольшая, но очень уютная. Я прихожу и сразу ставлю чайник — как только начинается рабочий день, мы пьем кофе, это обычай, привычка.

Завариваем его в прессе.

Кофе покупает Валечка — с деньгами у нее в порядке, спасибо сыну.

Вот тут я и наслаждаюсь первой чашкой настоящего кофе. И вообще расслабляюсь — здесь спокойно, никто никого не трогает, не дергает и не грузит. Все молча пьют кофе и перебрасываются короткими фразами — погода, вчерашний сериал, последние новости. Я прихожу в себя, мне хорошо. Как мне хорошо, Соня!

Я отключаюсь от своих домашних, и это счастье. Я забываю про Линку, про Асю, про маму и зятя. Отвлекаюсь от Темочки и Лизоньки — на короткое время перестаю о них волноваться. И я вижу, как мои женщины тоже расслабляются и приходят в себя. Выходит, что я не одна — у всех, как говорится, свое. После получасового кофепития мы приступаем к работе.

Знаешь, я люблю свою работу. Тебе, конечно, это покажется странным — как можно любить эту нудьбу, как ты всегда говорила. Да, бухгалтерское дело кажется нудным, не спорю. Цифры, цифры, отчеты. Но я как-то отключаюсь от своих проблем, ныряя в бесконечные столбики цифр. Эти монотонность, размеренность и предсказуемость меня точно успокаивают. И потом, никто меня не теребит, не просит есть, пить, дать таблетку, выгладить блузку. Никто от меня ничего не требует, не цепляет меня, не насмехается надо мной. Со мной все дружелюбны и тактичны. К тому же мы устраиваем себе перерывы на кофе и булочки. Как мы говорим, на баловство. За булочками бегает Леночка, как самая молодая. А булочки — прекрасные, свежие, только что из печи — продаются напротив, в замечательной булочной.

Леночка притаскивает целый пакет, и наша комнатка тут же тонет в сладких, восхитительных запахах корицы и лимонной цедры, ванили и горячей сдобы.

Да, хулиганство. Конечно! И нас немного мучает совесть. Но это такая радость, и мы с радостью идем на этот страшный проступок. В нашей жизни так мало радости и так много печалей.

Полчаса на кофе с плюшками — и снова работа.

Конечно, к концу дня устают глаза, затекает спина. Хочется на воздух. К тому же я начинаю нервничать и поглядывать на часы — мне нужно поторапливаться за внуком, я боюсь опоздать. Я снова боюсь, Соня. Я снова тревожусь.

На улице я глубоко вдыхаю и пару минут стою у подъезда нашего офиса. Скидываю с себя рабочую усталость и — вперед! Вперед, Александра Сергеевна! Дела-то не ждут. И снова забег — метро, автобус, скользкая дорожка, ведущая к садику. Темка. Он бросается мне в руки и, кажется, счастлив.

— Ба! — кричит он. — Ты пришла? Мы едем домой?

Мы медленно идем по аллее и болтаем. Внук рассказывает о событиях прошедшего дня — суп съел до дна, по рисованию получил три звездочки, на физкультуре устал, а на полдник давали ватрушки с повидлом. Подрался с Федькой, помирился с ним же. В общем, жизнь. Маленькая жизнь маленького человечка.

На остановке покупаю ему мороженое. Слава богу, что об этом не знает Ася, это наш секрет. Темка меня не выдаст, я знаю.

Он такой умненький, Сонь, такой сообразительный! И хорошенький очень. Я схожу с ума, когда он болеет. И еще я горжусь им, очень горжусь! И опять жалею. И бесконечно люблю.

Ну и снова дом. Снова дом! Господи! Я открываю дверь, и мне не хочется заходить внутрь. Ведь это ужасно, правда? Я понимаю, как это ужасно. Но никуда не деться, Соня. Никуда. Некуда мне деться, увы — все без меня пропадут.

Знаешь, о чем я мечтаю? Вот, расскажу. Только не смейся! Если бы у меня были деньги — нет, не миллионы, о миллионах я не мечтаю. Зачем мне они? Так, скромные, но все-таки деньги — тысяч двадцать, например, долларов. А что? Не такая уж страшная сумма, правда? А для кого-то вообще смех, ерунда. Но не для меня. Так вот, я бы уехала. Да-да, уехала к морю, все равно к какому — Черному, Азовскому, Каспийскому. О Средиземном я не мечтаю, это понятно. И купила бы домик. Домишко. Домок. Избушку. Совсем маленький домик — в одну комнатку. Но, конечно, с террасой. Помнишь, мы жили в таком в Лоо? Меня бы устроила комнатка в двенадцать метров, не больше: шкаф, кровать, стол, два стула. Ну и закуточек для кухни, кухоньки. Метр на метр, не больше. Плитка в одну конфорку, рукомойник и маленький холодильник, все. Поверь, мне вполне достаточно. Что мне нужно одной? Знаю, смеешься. Нет, правда, мне хватит, поверь. Жизнь приучила меня к аскетизму. Попробуй пожить в моих условиях.

Так вот, продолжаем. Итак, комнатка, кухонный закуток и терраска. Вот последнее обязательно, без терраски никак. Конечно, желательно с видом на горы, на море. А на терраске шезлонг и маленький круглый столик. Такие продаются в «Икее», ты знаешь — чер-

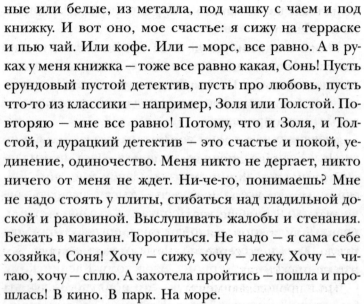

ные или белые, из металла, под чашку с чаем и под книжку. И вот оно, мое счастье: я сижу на терраске и пью чай. Или кофе. Или — морс, все равно. А в руках у меня книжка — тоже все равно какая, Сонь! Пусть ерундовый пустой детектив, пусть про любовь, пусть что-то из классики — например, Золя или Толстой. Повторяю — мне все равно! Потому, что и Золя, и Толстой, и дурацкий детектив — это счастье и покой, уединение, одиночество. Меня никто не дергает, никто ничего от меня не ждет. Ни-че-го, понимаешь? Мне не надо стоять у плиты, сгибаться над гладильной доской и раковиной. Выслушивать жалобы и стенания. Бежать в магазин. Торопиться. Не надо — я сама себе хозяйка, Соня! Хочу — сижу, хочу — лежу. Хочу — читаю, хочу — сплю. А захотела пройтись — пошла и прошлась! В кино. В парк. На море.

На рынок — купить теплых лепешек и стакан варенца. И не надо мне никаких супов и котлет — господи, как они надоели! На что потрачена моя жизнь? На эти котлеты, борщи, пеленки, пылесосы и тряпки. И все это почти убило меня.

Тебе, конечно, не понять. Ты просто поверь.

Ну и вот — я спокойна и счастлива, да. Сбылась моя мечта: я одна. Я отдыхаю от мамы, детей, даже внуков. От работы. От этого города, давно мною разлюбленного, чужого и неудобного, даже опасного. Но я понимаю: это иллюзии. Ведь все припрутся туда, Соня. Точно Ася с детьми. Линка — та навряд ли, хотя черт знает, что там ей стукнет в голову?

Да, самое главное — мама. Ты же понимаешь, что все это будет возможно при определенных обстоятельствах, когда мамы не будет. Я сволочь, да? Сволочь, я знаю.

Мамы когда-нибудь не будет. Привыкнуть к этой мысли невозможно. Но и мечте моей никогда не сбыться, никогда. Потому что у меня никогда — никогда! — не будет двадцати тысяч долларов. А для кого-то ведь это такой пустяк, правда? А для кого-то — невообразимое и невозможное богатство. Такая жизнь.

Но я все-таки продолжаю мечтать. Например: Ася и этот чертов Денис наконец купят квартиру. Глупость, конечно — на что? Да и нужно ему все это? Сомневаюсь. Я вообще жду плохого — самого плохого, Сонь. Жду, что он свалит. А он точно свалит, я чувствую. *Там* у него серьезно — это я тоже чувствую, все это не просто так.

Но я продолжаю мечтать — итак, Ася с семьей уезжает в свою квартиру. Линка удачно выходит замуж. Да, очень удачно — за обеспеченного человека, конечно, с квартирой. Ну и валит туда, к нему. А?

Только Линка моя... Вряд ли она вообще выйдет замуж, кто ее возьмет, мою дуру? К тому же она так некрасива. Может быть, в этом причина ее говенного характера? Комплексы? Вполне возможно, зеркала еще не отменили. Ей не повезло — вылитый папик. Только папик ее как мужик был очень даже, а, Сонь? Ты же сама говорила: «Васильев — красавец!» Ничего он был? Высокий, худощавый, поджарый, черноглазый, носастый — для мужика это плюс. Да, губы узковаты. Но это его не портило, правда? Фактурный он был мужичок, не зря же меня понесло. Так вот, Линка — копия своего папаши. Ко-пи-я! А с возрастом — еще больше. От меня ничего, от него — все, до деталей.

Только в мужском варианте это прекрасно, а вот для девушки... Не совсем. Бедная Линка. Глаза маленькие, глубоко посаженные, чего уж там. Рот узкий. Нос... Да, и с этим не повезло, еще как. Тощая, голенастая цапля. Да, цапля на тонких ногах с большим клювом.

Мне так хочется ее утешить, сказать ей, что все поправимо. А уж сейчас-то — смешно говорить! Нос можно уменьшить, губы поддуть, широкие брови выщипать. Сделать хорошую стрижку и — вперед! Тощие в моде, худоногие — тоже. Если приложить усилия и добавить денег... Правда, с последним плохо — в смысле, с деньгами. Мне так хочется ее утешить!

Но разве можно все это сказать? Никогда. Я даже не представляю, чем это может закончиться. Скорее всего, она меня разорвет на мелкие части, спалит, уничтожит. Она же изо всех сил делает вид, что у нее все в порядке. Она самая красивая, самая умная и остроумная. Все от нее просто тащатся.

А на деле... Я слышала, как она ревет, наша железобетонная, наглая хамка. В подушку ревет.

Наверняка влюблена. Первая любовь — самое время. А он, наверное, не отвечает. Зачем ему наша некрасивая и ядовитая Линка? Разве любят таких, тем более в шестнадцать лет?

Вот и злится наша дурочка и всех ненавидит. И ее жалко, и себя. Всех, Соня, жалко! Маму — столько лет без движения. Аську — кажется, почти брошенную, с двумя детьми на руках, мал-мала, Линку-страшилку, нашего ежика. Нет, слишком мило, — нашего дикобраза.

И себя, Соня. Очень жалко себя. А ты говоришь — на море, на море, в тишину и на покой. Какой покой, Соня? Покой, как говорится...

Да, глупо я прожила свою жизнь. Очень глупо. Думала, что так и надо — заботиться обо всех, стать для них незаменимой. И что на выходе? А ничего. Одна пустота. А ведь ты мне говорила: «Пошли их всех подальше, Алька! И хоть чуть-чуть поживи для себя».

Ты у нас умная, Соня. В отличие от меня. Ты всегда жила для себя. И их, мужиков, использовала. И правильно делала! Здесь ведь два варианта, только два: или ты, или тебя.

Знаешь, когда я вспоминаю нашу молодость, нас троих, Ганку, тебя и себя, я отчетливо понимаю, что жизнь уже на излете и ничего хорошего в ней больше не будет. Все хорошее, лучшее, осталось там, далеко, за горизонтом, в нашей юности.

У всех разные судьбы. Ганкина — страшнее и не бывает. Такая умница, такая красавица и так бесславно ушла.

Ты говоришь — сама виновата. Да, это так. И все-таки судьба, Соня. Судьба.

Почему она так вцепилась в этого бородатого козла? Чем он ее покорил? Может, тем, что был первым? Не знаю. Как объяснить любовь?

Она же его очень любила, просто сгорала от этой любви. А наша бедная Ганка всегда как в омут. И еще часто думаю — надо было нам взять ее мальчика. Ну, не нам — мне. Это мучает меня все эти годы, всю мою жизнь. Я и тогда об этом думала, честное слово! Но испугалась, тоже честное слово. Я же трусиха, Соня. У меня тогда все было непросто — закончился Понаевский, я была разобрана на куски, помнишь? Торопливый первый брак — я так тогда спешила! Я спешила спастись. Понимала ведь, что погибаю. И тут

45

же беременность — Аська. Потом эти жуткие роды, вечная нехватка денег, мамина операция, Аськины бесконечные хворобы — все в кучу и все как всегда. А тут еще этот ребенок — больной ребенок, чужой. Ганкин, но все равно чужой. Я уже все понимала, потому что у меня уже был свой. Как Ганка могла, думала я, как она могла так уйти и оставить его? На кого она рассчитывала? На нас? Наверное, да. Только на нас, больше не на кого. Я помню, как она однажды сказала, тихо так, полушепотом: «Алька, если что вдруг, не забудьте про Герку».

Я тогда ничего не поняла — правда, она была прилично поддатая, и, скорее всего, там было что-то еще, ты понимаешь. Я вообще тогда не догадывалась про это «еще»! Я и не знала, что это бывает — вернее, как это бывает. Нет, слышала, конечно, это страшное слово — «наркотики». Но чтобы рядом со мной? Моя подруга? Нет, невозможно.

Я так осуждала ее тогда — добровольно уйти из жизни, имея ребенка, к тому же больного ребенка. Как это возможно, как она могла?

Могла. Потому что ей было так тяжко, так страшно, так невыносимо жить, что она просто не справилась. А кто бы справился, господи? В двадцать-то с небольшим и безо всякой поддержки? Мы с тобой не в счет, это надо признать. Ты уже наполовину жила в Питере, я была вся в себе, в своих проблемах и бедах. Дядя Боря — ну о чем тут вообще? Смешно. Только собирался выдохнуть — вырастил девку один, без матери, поднял вроде бы. И тут такое! Рожает, идиотка, больного ребенка от заезжего козла и пьяницы, да еще, как оказалось, от наркомана. И мотается, как дура, за этим уродом по городам и весям, пьет вместе с ним.

После похорон он сказал мне, что про наркотики ничего не знал. Не знаю, правда ли это. Все может быть. Мы ведь тоже не знали. А даже если бы и знал! Он ведь тогда только женился, помнишь? Вроде нормальная тетка попалась. Он тоже намаялся — легко ли ему было? Вот-вот. А тут Ганка, больной внук. Понятно, что его жена воспротивилась — на черта ей все это? Сначала неуправляемая падчерица, потом этот несчастный ребенок.

Нет, правда, разве на такое она шла? Нет. Шла она на спокойную пенсионерскую семейную жизнь — дачка, огородик, покой. Кто ее осудит? Ее можно понять.

На кого рассчитывала наша бедная Ганка? Сама ведь росла без матери. Значит, на нас с тобой, самых близких подруг. Больше не на кого — самые близкие и самые родные. А мы?

Дядю Борю и его жену нельзя осуждать за то, что они отдали мальчика. Их можно понять. Они бы его не подняли.

В детском доме у Ганкиного сына я была три раза. На третий мне сказали, что он усыновлен. И честно говоря, я успокоилась — просто выдохнула, честно. Какая ноша с плеч, какое облегчение! Значит, с меня это снято, ура.

Адреса усыновителей, конечно, не дали — их никогда не дают. Я пыталась выяснить, как он и что. А тетка та, в комитете по усыновлению, смотрела на меня как-то странно, с осуждением, что ли? Уж точно с недобрым прищуром. А потом и выдала:

— Ну если вас так волновала его судьба, Александра Сергеевна, что же вы, дорогая? Вы ведь замужем, так? Сама уже мать. Могли бы взять ребенка-то вашей, как вы говорите, лучшей подруги! Сестры — как вы говорили!

Я тогда и сдулась. Окончательно сдулась. Противно было и стыдно.

Действительно, все это выглядело неважно. Две лучшие подруги, здоровые и крепкие женщины, а испугались.

Но я не могла. Не могла решиться. К тому же я была почти уверена, что Миша никогда не согласится на это. А я сидела дома, с Аськой. Не работала — кормильцем был он. Впрочем, каким там кормильцем? Смешно. Мы всегда считали копейки.

Но я его так и не спросила — мучилась, мучилась, страдала, не спала по ночам, а не спросила! Когда рассказала ему про усыновление, он сказал: «Надо нам было его забрать, Аля. Все-таки он тебе не чужой». Вот так, Сонь. Плохо я о нем думала, о Мише. А зря. Потом, при разводе, выяснилось, что зря. Повел он себя благородно, помнишь? С неверными женами так благородно не поступают.

Но, знаешь ли, одно дело мучиться, а другое — решиться и сделать.

А я не сделала, не смогла. Еще часто думала. А Ганка? Ну, если бы зеркальная история, наоборот? Меня бы не стало, а Ганка осталась на этом недобром свете? И знаешь, я почти уверена — нет, не почти, — наверняка! Ганка бы забрала мою Аську, точно тебе говорю.

А ты? Ты об этом не думала? Наверное, нет. Ты была уже далеко, в Питере. А когда уезжаешь куда-то, строишь новую жизнь, все видится немного не так, немного по-другому, верно?

А я была рядом. Каждый день проходила по нашему двору, мимо ее подъезда. Вот так.

Спустя много лет мне показалось, что я встретила Ганкиного гитариста — а может, ошиблась. Очень, очень похож. Хотя он был красавцем, а стал каким-то хануриком. По-прежнему волосатый, правда, теперь абсолютно седой — неровные и неряшливые патлы, которые ужасно выглядели на немолодом человеке. Старые рваные джинсы, потертая, грязная, засаленная куртешка. Жуткие остроносые башмаки из восьмидесятых годов, типа ковбойских сапог. Музыканты носят такие, мне кажется. И глаза — вымершие, тусклые, без толики эмоций и каких-либо мыслей. Пустые глаза пропойцы и наркомана. Хотя странно, он выжил? Несмотря на все? Чудно. А может, это был и не он, я точно ведь не уверена. Может, просто похож.

Вспоминает ли он — хоть иногда, — что его любила прекрасная рыжеволосая женщина, родившая ему сына и покончившая с собой из-за этой любви в самом расцвете лет?

Вряд ли.

А ведь мы могли ее остановить, Сонь! Вылечить, образумить, уговорить — ну я не знаю... Поддержать как-нибудь.

Если бы мы знали... Но каждый из нас жил своей жизнью. Нет, наверное, это нормально. Каждый отвечает за себя — ты права, как всегда, ты права, Соня.

Да! Недавно, кстати, звонил Галкин, мой бывший, ты представляешь? Я и сама обалдела! Сто лет не слышались, а тут! У него все в порядке, он в Мюнхене, я тебе говорила. Работает в какой-то энергетической компании старшим инженером. Зарабатывает прилично, по его же словам. Имеет дом, родил двух дочек. Посетовал: «У меня одни девки, Аля!» Дочки удачные, обе студентки. Не замужем, у них рано не выходят — его слова. Типа, надо встать на ноги, окончить вуз, найти хорошую работу, купить квартиру. А уж потом... Это, конечно, намек на Аську — выскочила замуж «чуть свет», тут же родила одного, потом второго. Институт бросила, работы нет — куда уж, с двумя-то детьми! Сидит на голове у матери, в жутких условиях. Ну и кому хорошо?

Он прав, Соня. Конечно, он прав. Кажется, она повторяет мою судьбу — судьбу неудачницы. Карма матери — кажется, так сейчас говорят? Миша прав. Бросить институт — какая глупость! Никогда этого ей не прощу. Идиотка. Как можно сейчас без высшего, а, в наше-то время? Точнее — не в наше. Нашим я его не считаю. А ты? Так вот, опять я о своих баранах. Вот бросит ее этот, с позволения сказать, муж, мой нелюбимый зятек. И что? Куда она пойдет? Опять ко мне на шею? Сколько я смогу тянуть этот воз?

Ну вот и что получилось — я вырастила полную дуру (потому что без Миши), а его дочки — умницы и красавицы, видимо, потому, что без меня, не я их растила.

Видишь, чувство юмора еще не утрачено, да?

Но Миша прав! Хотя кто знает, как на самом деле? Никогда он не признает, что у него что-то не получилось, это понятно. Внуками он интересовался мало и вяло — что ж, и это понятно. Кто они ему? Так, чужие дети. Кстати! Уехав, он быстро забыл и об Асе, родной дочери. А как ее обожал, а? Ты помнишь, каким он был отцом? Трепет сплошной, а не отец. И на́ тебе.

Это ровно то, что я тебе говорила: уезжая далеко и надолго, в данном случае навсегда, человек забывает свою прежнюю жизнь. Или очень стремится забыть. И правильно, так ему легче. Легче вливаться в новую жизнь, оставив на обочине чемодан со старой, уже прошлой, ненужной и неинтересной.

В общем, я порадовалась за него. Звонил он из Казани — там какие-то дела по работе, командировка. Сказал, что непременно заедет в Москву — повидать Асю и внуков. «И тебя». Это он мне, представляешь? «Очень хочу увидеть тебя, Аля! Пойдем куда-нибудь, посидим. Найди какой-нибудь приличный и дорогой ресторан, ок?»

Ок, ок, непременно приличный и дорогой, а как же? А в другие мы и не суемся, как ты понимаешь! Мы — и не в дорогой? Не, мы так не привыкли! Обидно даже! Мы ж только к дорогим приноровились, правда ведь? Что нам дешевый?

Нет уж, спасибо. Премного вам благодарны, но нет! Да и зачем? Кто мы друг другу? Бывшие супруги, ну и что? Короткий брак, пусть и есть общая дочь. И что? Все давно позабыто и поросло травой. Нет, кустарником — колючим, шипастым, густым, непроходимым. Да и показываться ему неохота — ничего хорошего он не увидит, увы. Располневшая и постаревшая тетка. Ну, может, порадуется: «Вот, Аля! Не ушла бы, не бросила хорошего мужа, жила бы сейчас, дура, в Европе, в собственном доме, с вечнозеленым газоном». А что, красота!

Так вот. Ни в какую Москву он не приехал. И на фиг ему не нужна моя Ася и мои внуки. Правда, позвонил и попросил номер карты — перевести детям деньги. Ну и перевел. Сонь! Знаешь, было такое желание отправить ему назад. Обратно. Честно! Веришь? И это при нашем скромном доходе! Но удержалась. В конце концов, деньги эти не мне — детям. Теме и Лизоньке.

А сколько там было? Стыдно писать. Сто евро, Сонь! Честное слово! За все эти годы — надо пересчитать — сто жалких евро на двоих. Теме и Лизе. Нет, на троих — еще Асе.

А ведь он не был жадным.

Да черт с ним! Не о ком говорить — чести много.

Хотя чем он виноват? Да ничем. Это я плохо с ним обошлась, я ушла от него. Да и как — оборвала все махом, одним днем! А он умолял одуматься, обождать — вдруг пройдет? «У тебя, Аля, затмение. А затмение быстро проходит».

А я? Вычеркнула его из жизни — как не было. Хорошо? Выперла его в один день.

Ты мне тогда говорила — я помню: «Да не жалей ты его! И вообще их не жалей, не стоят они того. Ведь они нас бросают, как собак у магазина — привяжут за шею веревкой, и тю-тю, поминай как звали. А собака рвется, воет, веревка режет шею, рвет кожу. Но еще долго не может отвязаться — веревка уже горло перетерла, а все никак не порвется».

Я жалела Мишу, маялась чувством вины — за что так с хорошим и приличным человеком? Правда, недолго, если по-честному. Совсем было не до него.

Снесло мне тогда крышу. Снесло. Начисто и бесповоротно. И не жалела ни о чем, ну ни капельки!

Правду говорят — если уж бабу несет, то она все сметает на своем пути. Вот я и сметала — без сожаления, без раздумий, без раскаяния. И без головы. Потому что влюбилась. И что? Ничего не получилось — ни там, ни тут. Правды ради, во втором моем браке хотя бы было счастье — пусть кратковременное, пусть. И радость была. И, ты помнишь, мы тогда с Васильевым приехали в Питер — я не ходила, а летала, ноги земли не касались, крылья вместо рук. Было. Но — коротко, три года всего, да. Коротко, правда? А потом появилась Линка. Дитя любви. Моей любви — Васильев тогда уже подостыл. А потом... Господи, не приведи. Как я его ревновала, как сходила с ума! В реку хотела броситься, честно. Вот дура, да, Сонь? Тебе говорить стеснялась — знала, что поднимешь меня на смех.

Ладно, и это проехали — что теперь вспоминать? Было и было. Счастье и горе — все как у всех.

Кстати, Линка папашу своего обожает — ну, я тебе говорила! Это я у нее неудачница, а он-то герой! И небеден, и успешен. И такая маши-и-ина! И жена молодая — в рот ему смотрит. И Линка тоже ему в рот смотрит. Линка, которая всех высмеивает, презирает и ненавидит — ну мне так кажется.

Хотя надо же кем-то восхищаться, правда, кого-то любить? Иначе — как? Как, Сонь? Иначе невыносимо.

Как мне жалко их, моих девок! Ночами не сплю, думаю, думаю. И ничем им помочь не могу. Да они сами не очень хотят моей помощи. Нет, Ася, конечно, не против — только не против чего? Вот именно. Не против помощи с детьми — это пожалуйста. Тема на мне — целиком, ну, ты уже поняла. Ну и Лизонька частенько.

Нет, я все понимаю — ей трудно, двое детей и условия проживания, если по-честному, невыносимые.

Вот думаю: свалит этот милый Денчик — она его так называет — и не появится больше. Дети ему до фонаря, поверь. И останется моя Аська одна. Кому она нужна с двумя детьми, если родному папаше они не нужны? Странный народ — мужики. Ладно, ты охладел к женщине, допускаю. Сама разлюбляла и уходила. Бывает. Но дети? Как можно разлюбить родных детей? Как можно забыть о них? Не понимаю. И никогда не пойму. Как, Сонь? Я вижу, что он стал к ним равнодушен. Не только Аська его раздражает, но и они. Вот так.

Я его никогда не любила — ты, наверное, помнишь. Почему? Да не знаю. Чувствовала, что ли? Или предчувствовала, так будет точнее. А вот почему — не пойму. Вроде все у них было нормально. К Аське он относился прилично, к Темочке — тоже. А потом все пошло-поехало. А уж когда родилась Лизонька, тут все окончательно рухнуло.

Скажу тебе честно, я отговаривала Аську рожать второго ребенка. Опять же почему — объяснить не могу. Снова предчувствие. А она — нет, и все! «Как можно, мама, сделать аборт от законного мужа?» Для них это сейчас преступление. Наверное, правы. Это мы, дурочки, бегали по этим делам, и ничего, живы остались и убийцами себя не считали, правда ведь? Это, конечно, неправильно. Но для нас это было плевое дело, если по правде. Мы тут же забывали об этом. А сейчас — нет. Убийство, тяжкий грех, не отмолить. Видимо, да. Вот поэтому наше поколение, в смысле, женщины, такое несчастливое. Переломанные какие-то судьбы, правда? Разводы, разводы, аборты. Знаешь, что я тут придумала? Семья — это дом терпимости, в прямом и переносном смыслах! Как тебе, а? По-моему, здорово. Лямка, короче. Немного я видела удачливых и счастливых, ей-богу. Вот и Аську мою счастливой не назовешь.

Я даже хотела за этим Денчиком, чтоб ему, проследить. А потом остановилась — зачем? Предъявить фото Аське и стать ее главным врагом? Или подтолкнуть ее к разводу? Глупо. А вдруг еще все образуется? Ну бывает же такое, правда? Расстанется он с той бабой и вернется в семью. Бывают же случаи? И будут они снова радостны и счастливы.

Я вспоминала тут, как рассуждала в молодости о детях. Что ты говорила. Ты ведь была, Сонь, как говорят сейчас, — чайлд-фри. Раньше я и думать об этом не думала, неприлично. А сейчас... Ладно, не будем. И вправду мне неприлично! Это же живые люди и мои дети! А я про чайлд-фри.

Я вообще очень часто стала вспоминать твои перлы. Например, о мужиках. Мужики, по твоим, дорогая, словам, должны приносить пользу и украшать жизнь. Облегчать ее, а не усложнять. Мужчина должен быть или богатым, или веселым, или для плотских утех и радостей — точно цитирую, а? Ну а если всем вместе, то вообще красота, считай, что тебе повезло.

Сонь, а ведь мне не повезло ни разу, представляешь? Вот, например, Миша, мой первый муж, — скучный, хоть и крайне приличный человек. Богатый? Смешно, простой инженер. Веселый? Ни-ни. Скучный и занудный. Для плотских утех? Ну не знаю. Со мной — нет, точно. Правда, я его не любила.

Второй мой, Васильев. Богатый? Теперь вполне. А пока жил со мной, точно нет. Веселый? Ну, так, бывало, не скрою. Для тех же утех? Было дело. Но как-то все быстро закончилось.

А Понаевский? Ну что я тогда, в свои девятнадцать, соображала? Смешно! Богатым он не был. Веселым? Нет, тоже не был. Остроумным — да, но не веселым. Скорее желчным, циничным. И юмор его был какой-то злой, что ли, недобрый.

А что касаемо секса... Первый мужчина. Тогда мне казалось, что он — бог. Во всем. Неподражаем, тоже во всем. А потом, спустя годы, поняла: а ничего в нем особенного не было. Абсолютно. Среднестатистический такой мужичонка за тридцать, обычный такой препод. И внешне обычный, и изнутри. Было бы мне лет двадцать шесть, например, прошла бы мимо, честно! Не обернулась. А ведь как любила, а? Как сходила с ума! А как ревновала? Губы в кровь. Как мечтала о нем, жену его ненавидела. А за что? Сама не пойму. Но ненавидела точно, даже смерти ей желала. Как тебе, а? Вот помрет — и это чудо достанется мне в безраздельное пользование. О господи, какие же мы, бабы, дуры! И за Мишку несчастного выскочила, вылетела в момент, в секунду, как пробка из бутылки с шампанским. Бежала от своей несчастной любви. Тоже, кстати, не подумав ни разу.

Вот так, Сонь. Такие итоги, можно сказать. А жизнь-то уже за спиной. И если прикинуть, то счастливого — или даже хорошего — в ней было немного.

Три главных мужчины в моей жизни — любовник и два законных мужа. С Понаевским я встречалась четыре года, почти четыре. С Мишей прожила около семи лет. И с Васильевым в сумме восемь лет. Хотя последние года четыре это уже была не жизнь, а сплошная мука. А я все цеплялась, надеялась. И в тридцать шесть родила Линку. А в тридцать девять с ним развелась. И ведь понимала, что ребенок наш брак не спасет! И что в итоге? А вот что — сколько дней за эти девятнадцать лет я была счастлива? Я призадумалась. Нет, точно, конечно, не сосчитать. Так, приблизительно. А приблизительно получилось... Сонь! Ты будешь смеяться, а я, наверное, плакать. Так вот, в общей сложности год. Год, не больше! Ну хорошо, полтора, если по дням. Как тебе эта статистика? Каков результат?

Вот итог моей личной, женской, так сказать, жизни. Грустно, правда?

И вот сейчас, например. Если бы случилось что-то. Шансов, конечно, почти ноль, но вдруг, случайно, я встречу мужчину. Так вот, Сонь! Нет и еще раз нет! И дело даже не в том, что у меня кошмарная ситуация дома — не в маме дело, не в девках моих и не во внуках. А дело, подруга, во мне! У меня эта ситуация вызвала бы только страх.

Я поняла, что не хочу этого, совсем не хочу. Боюсь? Возможно. Только, скорее всего, себя. Но больше, чем боюсь, я не хочу! Веришь? Нет, ты, скорее всего, мне не веришь — думаешь, что кокетничаю. Нет, Соня, нет! Где я и где кокетство? Так вот, мне не надо. Ничего из этого набора — ни прогулок вдоль набережной, ни посиделок в кафе, ни совместных поездок. Подарков не надо, потому что отвыкла, буду считать себя обязанной. Дура, да? Ага. И секса не надо — увы. Даже в варианте облегченном, варианте лайт. Потому что смешно это в нашем возрасте. Ладно с родимым мужем — здесь все понятно. С ним прожита жизнь. И ему наплевать на твои растяжки, складки, животик и дряблые ляжки. Он привык к тебе, и ты привыкла к нему. Да страшно представить — проснуться утром с чужим мужиком! Наверное, это мои страшные комплексы. Да. И он — вижу, как ты засмеялась, — давно не молод и не свеж: зачесанная, плохо прикрытая лысина и тоже живот. Руки дряблые, второй подбородок. Но у мужиков комплексов куда меньше, мне так кажется. Знают ведь, что возраст им не помеха. Самый лежалый товар и то в ходу. И эти, с пузами и мешками под глазами, все равно могут рассчитывать на молодуху или приличную женщину средних лет. А я уже «не средних», Соня. Про тебя я не говорю, ты не в счет! Ты другая. Не такая, как все. Ты не жила в «доме терпимости».

А нам, теткам за пятьдесят, что остается? И кто? Те, кому за семьдесят? И на фига? А приличные и молодые — это уже не про нас, Сонечка! Я права? Нет, есть бабы, конечно. Красотки! И в нашем, не юном возрасте есть! Ну тут надо иметь и деньги, и время, и желание. Это главное! Все эти косметички, массажисты, хирурги — это не про меня, как ты понимаешь.

А те, которые с молодыми парнями? А? Ну этих я вообще не пойму — смелые, правда? И совсем нестеснительные. Есть у нас в подъезде одна такая. Красивая, не спорю. Все при ней — и фигура, и ноги. Ухоженная — как отполированное палехское яичко, аж блестит. Ну и модная, разумеется, — такие шубки, такие сапожки! Мечта. Волосы распускает, как девочка. Издали можно дать даже тридцать, ей-богу! Разведена, зарабатывает сама — кажется, у нее магазин белья, точно не помню. Да какая разница. Так вот, ходит к ней мальчик. Ей-богу, мальчик, без преувеличений, лет двадцать пять. Хорошенький такой, смазливый, накачанный, фигуристый. Ходит раза два в неделю. Рано утром уходит — я часто еду с ним в лифте. И знаешь, самое смешное, что сынок этот еле стоит на ногах, представляешь? Как будто вагоны разгружал, как тебе? Бледненький, осунувшийся, с синяками под глазами. Зевает. Уделала его моя соседка! Весело, а? Еле сдерживаюсь от смеха, ей-богу. Но в то же время смотрю на него материнским оком и очень жалею. Бедный мальчик, как же тебя угораздило?

Да ладно, это его выбор, в конце концов.

Так что вот, Соня! Молодец эта тетка! Я искренне восхищаюсь. Но не завидую. И еще думаю — да слава богу, что мне это не нужно. Что нет у меня на это сил — на свидания, на уход за собой, на разговоры, на что-то новое. Я просто счастлива, веришь? И друга задушевного мне не надо. А ну их, друзей! У меня есть ты, есть мои девочки на работе. Мама. Могу сесть и поплакать рядом. Взять ее за руку. Пусть она ничего не поймет! Главное, что я могу это сделать. В конце концов, есть мои девки! Правда, надежды на них никакой. Но может быть, только пока? Я все еще верю, надеюсь.

А мужчина? Это его придется жалеть и поддерживать! А сил нет и желания тоже. Вот так, Соня. Отказалась бы, честно. Даже от самого приличного бы отказалась. Я писала тебе о своей мечте: домик у моря и — покой, тишина. Вот оно, счастье! Мое придуманное и намечтанное счастье, моя мечта!

Вижу, как ты усмехаешься. Постарела я, да? Сама знаю. В общем, укатали сивку крутые горки. Итог — год счастья со всеми моими мужчинами и еще меньше — с детьми. С ними всегда было больше тревог и волнений, чем счастья и радости. Всегда тревоги и волнения перекрывали, всегда.

Ладно, оставим эту грустную тему.

О другом. Очень хочу взять Темочку и поехать с ним в наш старый двор — такая вот у меня скромная мечта. Скромная и исполнимая. Но все никак, все не получается — такая малость, а не получается. Ничего у меня не получается, Соня! То я валюсь с ног, то дела. То он простужен, то с мамой плохо. Но доберусь. Обещаю себе и тебе — доберусь!

Смотрела тут наши фотографии. Ты, Ганка, я... Школа, двор. Хорошенькие, молодые. Глаза такие... Живые глаза. Полные надежд. Свои свадебные смотрела. У Ганки свадьбы не случилось. Ты сама от этого отказалась.

Но на моей вы были — такие красавицы! Ну и я ничего. Невесте положено. Попались и наши общие с тобой, курортные. Помнишь Ялту? Аська крошечная совсем — ты держишь ее на руках. Она, как всегда, ревет, мордочка перекошенная. Чего ревет? Не помню, конечно. Она часто плакала. А ты ее утешаешь. Миша рядом — смешной, тощий, костлявый, коленки вперед.

И все-таки хорошо там было, да, Сонь? Помнишь, как мы воровали у хозяйки инжир? А Миша орал, что мы попадемся. Нервничал страшно. Впрочем, он всегда нервничал страшно. Ну и Аська в него. А вино помнишь? Темное, цвета граната. Вязкое — язык обжигало. Сладкое. Из молочных бутылок. И горячие хачапури — ох, как же вкусно! Вот и начало меня там разносить. Тебе-то и Мишке хоть бы что, все по барабану. Конституция. Нет, правда, счастье! Счастье сохранить свой размер — ешь не хочу. Мне, правда, тоже давно наплевать, если честно. Хочу и ем, много у меня радостей, что ли? Но тебе повезло — знай это, Соня! Как ты влезла в выпускное платье в сорок восемь, а? Я и говорю, ты счастливица.

Вот поставить нас рядом — ты и я. Про себя не хочу. И так все понятно. А ты? Та же фигура. Те же ноги. Те же волосы — густые, блестящие, с отливом, антрацит. Грудь — молодые позавидуют.

Выходит, ты все сделала правильно — и что замуж не хотела и не пошла, и что не родила, и что жила для себя, и что сейчас живешь для себя. Умница ты. Признаю.

Ладно, разнылась опять. Извини. Зато полностью удовлетворила свои графоманские потребности. Уж прости, что ты попалась под руку! Терпи, подруга! Вроде не так часто я тебя достаю.

Да и вообще — вот что у меня плохого, а? Руки, ноги работают, голова на месте. Мама жива, девки здоровы. Внуки прекрасные. Чудные внуки, сплошная радость. Квартира своя, дом приличный, соседи чудесные. Работа. Отличная работа, между прочим! А коллеги? Да мечтать о таких! И в кафе позволяю себе сходить иногда. С девочками с работы в «Му-му», например. А с Темочкой мороженое поесть или пиццу где-нибудь в торговом центре. Ну чем не жизнь? А я все ною! Прости. Все, взяла себя в руки и — радуюсь!

Ну а теперь, Соня, о главном. Просто боялась начать разговор... Сонечка! Ничего у меня не получится с отпуском, прости, прости! Ничего. Нет, я честно копила, поверь, как ты учила. Откладывала, собирала. И даже накопила немного — сама от себя не ожидала. Но... То Линке был нужен срочно новый планшет, то Темочке курточка, то Асе сапоги, то маме платный врач. В общем, тю-тю мои денежки! Да и фиг с ними — переживу. Ну не увижу я твою любимую Грецию в этом году. Начну копить на следующий год — честное слово, клянусь! Так что прости, Сонька, прости! Прости, что срываю твои планы, что снова я дуреха, тетеха.

Повинную голову меч не сечет, а? Ну, Сонь?

А может, ты к нам? Ну хоть на недельку? Нет, я все понимаю — у нас, в этом бардаке, тебе нельзя, ни в коем случае! Но знаешь, рядом с нами есть маленькая гостиничка, отельчик такой частный. Номеров пять, не больше, я знаю. Аккуратненький такой, симпатичный. Минут двадцать ходьбы от моего дома. И стоит недорого, честно, тебе по карману. В моем дурдоме мы сидеть не будем, будем сидеть у тебя. Съездим в наш двор, к Ганке на кладбище — три года ведь не были.

В театр сходим, а? Хотя вас, питерцев, театром не заманить. Да просто пошляемся по Москве, вспомним наши любимые места — Маросейку, сад Эрмитаж, Замоскворечье. В парк Горького сходим — из него, говорят, сделали немыслимую красоту. Вспомним, как там на катке рассекали! На Воробьевых горах посидим — на нашей лавочке, на обрыве. Да просто будем сидеть у тебя в номере и трепаться. Трепаться до бесконечности, а? Вот счастье! Нет, правда, Сонька! Давай, а?

Раз с Грецией не получилось? Да и я вырваться к тебе не могу — мама, ты понимаешь. На девок оставить ее не получится.

Сонька! Мы ведь три года не виделись! Почти три года. Страшно! Да-да, я посчитала. Ты была у нас ровно три года назад, Темочке тогда исполнился годик.

Соня, родная, приезжай! Очень тебя прошу, умоляю! Что тебе стоит? Ты ведь свободна. Раз — и ты здесь! На «Сапсане»! Одно удовольствие, правда? Обещаю, грузить тебя не стану, честное слово! И ныть тоже не стану, клянусь. Будем просто гулять и болтать, всё.

А к тебе в Питер я подошлю свою Аську — если ты, конечно, не против. На дня два-три, не больше, больше и я не справлюсь сама, с двумя-то детьми. Она тихая, моя Аська, ты знаешь — молчаливая и неприхотливая, это не Линка. Вот ту бы не отправила к тебе никогда, постеснялась бы просто.

Погуляла бы наша Аська по Питеру, зашла бы в Русский. С тобой, умницей, пообщалась бы. Вот ты бы ума ей вложила, не то что я, родная мать. Да и кто меня, неудачницу, послушает? Уж точно не мои близкие. В своем отечестве пророков, как известно, не бывает.

Подумай, Сонечка! Если тебе это не в тягость, я бы была счастлива, да и Ася тоже — ей ведь так трудно сейчас, с этим Денисом.

Все, закругляюсь, и так тебе досталось, родная.

Соня! Кто у нас остался из той жизни? Все мы родом из детства, правда? И ничего дороже детской дружбы нет. Ты со мной согласна? Лично я в этом уверена. И никого у меня ближе, чем ты, нет. Самая родная и самая близкая.

Кстати, почему ты не отвечаешь на мои звонки? Почему не берешь трубку? Неохота болтать? Это я могу понять, Сонь. Я и сама так частенько делаю — ни сил нет, ни настроения. Знаю. Но все-таки, Соня! Ты хотя бы ответь эсэмэской, прошу тебя! Два слова — «жива, здорова». Все! Мне будет достаточно. А то я не знаю, что и думать. Ты не в обиде на меня, Соня?

Ты сама спровоцировала эту мою писанину. Поговорили бы по телефону, и я бы, глядишь, успокоилась, угомонилась. А так — развела на десять листов. В общем, ты сама виновата.

Шутка, конечно! И еще — оправдание.

Все, заканчиваю! Даже проститься не могу в три слова — говорю ж тебе, графоман.

Люблю тебя и очень нуждаюсь в тебе.

Твоя Аля.

Жду пару слов. Обнимаю тебя. И очень скучаю».

Женщина нажала клавишу и выключила ноутбук. Пару секунд монитор еще светился, но понемногу гас, пока не погас совсем.

Она подошла к окну. Было темно. На настенных часах — полшестого утра. Совсем рано. Какое счастье, что не надо спешить. Уже никуда не надо спешить.

Она может позволить себе бухнуться в постель, завернуться в одеяло и уснуть. Счастье. Счастье, что не надо спешить на работу. Счастье проснуться тогда, когда хочется — можно в десять, а можно в одиннадцать. Сколько счастья, господи! Счастье сесть у окна в своей уютной кухне и долго пить вкусный кофе, листая журнал. А потом, спустя час или больше, снова улечься в постель, смотреть фильмы, читать. И снова уснуть. Или пойти на прогулку — в магазин, на рынок, куда угодно! Деньги, слава богу, есть. Есть счет в банке. Не то чтобы большой, нет! Но дающий уверенность, что, если, не дай бог, она точно не пропадет.

Она прошлась по своей квартире, которую обожала — все здесь сделано так, как хотела она. Да, квартирка небольшая, что говорить. А зачем ей большая? Больше уборки.

Ей хватает — она одна. Две комнатки — совсем маленькие, гостиная и спальня — что еще надо? Да и район — она бы ни за что не поменяла свою малышку в тридцать пять метров на большую, а могла бы, желающих море! Еще бы — квартирка ее, на минуточку, расположена в самом центре, на Марата. И окна во двор. Тишина и покой. И в двух шагах Невский.

На кухне она попила воды и снова постояла у окна — минут пять, не больше. Замерзла.

Она громко вздохнула и пошла в спальню.

На кровати — темное дерево, резная спинка, начало двадцатого века, модерн, арт-деко, — широко раскинувшись, спал молодой мужчина. Уличный фонарь освещал его красивую, мощную, гладкую спину.

Женщина пару минут смотрела на эту прекрасную спину, откинула край одеяла и осторожно прилегла с краю, с самого краю. «Не упасть бы», — подумала она и погладила мужчину по коротко стриженному затылку. Тот не шелохнулся — молодые спят крепко.

— Эй! — тихо засмеялась она и мягко уткнулась в его гладкое плечо. — Я сейчас упаду. Ты бы подвинулся, милый!

Он вздрогнул и через пару секунд повернулся — на лице его читалось недоумение.

— Спи, спи! — прошептала она. — Только подвинься чуток, пока я не свалилась.

До него наконец дошло, и он улыбнулся. Пару минут он изучал лицо женщины и, окончательно проснувшись, зевнул и спросил:

— Сколько времени, Сонь? Мне не пора?

— Половина шестого, — отозвалась она, пристраиваясь у него под мышкой и сладко вздыхая запах мужчины. — Половина шестого, милый! Еще можно поспать.

— Нет уж! — засмеялся мужчина и развернулся всем телом к ней. — Нет уж, прости!

И она звонко, по-девичьи, рассмеялась:

— Прощаю.

Он обнял ее и наклонился, отбросив рукой ее тяжелые волосы.

Она, что-то вспомнив, мягко его отстранила:

— Эй, подожди!

Он мотнул головой:

— Не хочу!

— Подожди, — нахмурившись, строго приказала она. — Я тебе скажу кое-что важное.

Он приподнялся на руках, по-прежнему нависая над ней.

— Теща твоя... — Соня осеклась на секунду. — В общем, она отказалась. От отпуска отказалась, от Греции, в смысле. Ну, дошло до тебя?

Он кивнул.

— Так вот, — с воодушевлением продолжила она, — может быть, ты со мной? Раз место под солнцем свободно? — И она рассмеялась удачной шутке.

Мужчина снова наклонился, покрепче прижал ее к себе, уткнулся ей в шею и, вздрогнув, жарко шепнул, обдавая ее кожу горячим, нетерпеливым, молодым дыханием:

— С тобой — куда угодно! Хоть в рай, хоть в ад, куда позовешь!

Она чуть изогнулась, подлаживаясь под мужчину, плотно прижалась к нему, прищурила глаза и прошептала:

— Возьму. Так уж и быть, позову! — И засмеялась: — Если заслужишь!

За окном медленно и лениво наплывал слабый рассвет.

Кто-то еще крепко спал, а кто-то уже торопился. Кто-то плакал, а кто-то смеялся. Кто-то мучил кого-то, а кто-то кого-то обнимал. Кто-то был счастлив, а кто-то страдал.

Кого-то мучила совесть. Ну а кого-то — нет. Все как обычно у нас, живых и грешных людей.

Цветы
и птицы

Каринка, как всегда, кричала. Впрочем, чему удивляться? Так проявлялась горячая армянская кровь. В Каринкиной семье никогда не разговаривали на полутонах. Там всегда было шумно — и в радости, и в горе. Аня морщилась от ее громкого голоса, отодвигала трубку от уха — пережидала. Знала, подруга накричится и успокоится. Так бывало всегда.

Однако сегодня Каринку несло.

— Слушаешь? — периодически сурово уточняла она.

Анна торопливо отвечала:

— Да-да, конечно! А что же я делаю, по-твоему, господи?

Карина недоверчиво усмехалась:

— С тебя станется!

Анна слушала. Разумеется, слушала. Морщилась, кривилась, но слушала. И понимала — подруга права.

Наконец та замолчала, громко выдохнула и произнесла последнее:

— Ну? Какие действия?

Каринка была человеком действий, кто спорит? А Анна... Анна уж точно таким человеком не была.

— Ну... А каких действий ты, собственно, ждешь? — И торопливо, боясь гнева подруги, добавила: — Нет-нет! Я поняла! Ты, конечно, права! Только... Мне надо подумать.

Каринка опять взорвалась:

— Подумать? Ну да, разумеется! У тебя же совсем не было времени, чтобы подумать! Ты же так занята, правда? Спасибо, что хоть на этот разговор время нашла!

Анна пыталась подругу остановить, понимая, что это труд напрасный и пока Каринка не выскажется, не замолчит.

И все же примирительно сказала:

— Кар, да я все поняла, успокойся! И повторяю, ты, конечно, права. Просто... Это же такое дело... Ну как так — с обрыва? Надо прикинуть, посчитать, наконец. Дело-то очень серьезное.

Каринка перебила:

— Слушай, а у тебя вообще деньги есть? В смысле — отложены?

— Да-да! — заторопилась Анна. — Конечно, а как ты думала? Ты же знаешь меня, я осторожная и аккуратная. И еще — такая трусиха!

— Я не имею в виду деньги на твой обезжиренный кефир и на УЗИ желудка — я имею в виду деньги, Ань! Ты поняла?

Пока Анна медлила с ответом, Карина ответила сама:

— Господи, да о чем я? Что я у тебя спрашиваю? Совсем рехнулась. Какие деньги? Ну какие у тебя могут быть деньги? Нет, это я, Ань, дура, а не ты!

И она замолчала.

Анна тоже молчала, прикидывая, что тут можно ответить. Точнее — соврать.

— В общем, так! — снова вступила Карина. — Путевку я тебе оплачиваю. И никаких возражений! Ты меня знаешь, как я сказала, так и будет! Путевку оплачиваю, а уж все остальное — сама! И кстати! Путевка — это не благотворительность, это подарок на твой юбилей! Мне так проще, не надо голову ломать: раз — и все, я свободна. А, красота? — Теперь голос Карины чуть поутих, стал мягче. Она понимала, сейчас начнутся баталии.

Анна задохнулась от возмущения — ты спятила, Кар? Какие подарки, какой юбилей? Я вообще о нем не думаю, вообще забыла! Ты же знаешь, как я отношусь ко всему этому — как я ненавижу свои дни рождения! А уж юбилеи эти... Нет, ты правда рехнулась!

— Ага, — беспечно согласилась Карина, — рехнулась. Короче — хочешь мне облегчить жизнь? Тогда — соглашайся.

И совсем умоляющим голосом добавила:

— Ань! Ну ты же знаешь — мне это вообще ничего не стоит!

Анна вспыхнула и оборвала разговор:

— Все, Кар! Ты меня услышала. Закончили, все. А над твоим предложением я подумаю, обещаю! — со смехом добавила она. — Слышишь, о-бе-ща-ю! — И положила трубку.

Обе понимали — разговор не закончен. Они слишком хорошо знали друг друга.

Анна потерла горящие от возбуждения и возмущения щеки и прошлась по комнате. Нет, Каркино предложение — что говорить? — мечта. Сказка. Но

70

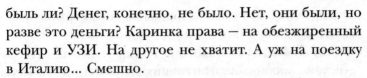

быль ли? Денег, конечно, не было. Нет, они были, но разве это деньги? Каринка права — на обезжиренный кефир и УЗИ. На другое не хватит. А уж на поездку в Италию... Смешно.

На всякий случай Анна залезла в заначку, как будто там что-то могло измениться. Сумма была ей известна до копейки. И прибавиться ничего не могло. Она быстро пересчитала жалкую пачечку долларов и вздохнула. Нет, ничего не получится. К тому же в Италии — евро, а он дороже доллара. И это означает только одно — денег еще меньше.

Она убрала деньги обратно. Нет, и думать нечего! Да и вообще — подумаешь, мечта. Мечта на то и мечта, чтобы оставаться мечтой и не делаться былью.

Анна Валентиновна Березкина, вдова пятидесяти четырех лет — через два месяца пятьдесят пять, — села в кресло и закрыла глаза.

В последнее время, а точнее в последние полгода, она была совершенно свободна. Дела закончились. Хотя, если разобраться, свободна она была всю жизнь. Но теперь это было определенно и окончательно — она могла подолгу лежать на диване, сидеть в кресле, смотреть телевизор, читать журнал или книгу. Подолгу пить чай и смотреть старые фото. Болтать по телефону. Правда, болтать было особенно не с кем, да и, честно говоря, неохота. Только с Каринкой. Но это уже судьба. Короче, она могла вообще ничего не делать.

Она могла не готовить обед и ужин, а также завтрак. Могла не варить бесконечный кофе и заваривать крепкий чай. Могла не мыть кисти, не складывать подрамник и краски. А еще не звонить заказчикам и галеристам. Не гладить рубашки и брюки. Не вытирать бесконечно, по сто раз на дню, пыль — в доме больше не было аллергиков.

В доме вообще больше никого не было. Кроме нее, Анны Валентиновны. Потому что ее муж, Игорь Березкин, умер, и она стала вдовой. Потому что закончилась старая жизнь и началась новая. Анна Березкина осталась абсолютно одна. Одна на всем белом свете — Каринка не в счет. Ни родителей, ни детей у Анны Березкиной не было. Да и с родней было не очень — хотя, может, это и хорошо?

Анна Березкина всегда принимала действительность так, как ее преподносила судьба. И никогда не роптала. Никогда. Ни разу в жизни. И даже наоборот — считала себя счастливым человеком.

Вот уж воистину — прекрасное свойство натуры! И вправду счастливая — ни на кого не обижена и за все благодарна. Счастливица, верно?

Нет, разумеется, она не воспринимала уход мужа как счастье — господи, да о чем вы? Это было огромное, бесконечное и безбрежное горе — столько лет вместе, вся жизнь. Вся ее жизнь — это Игорь Березкин. Которому верой и правдой она прослужила тридцать четыре года.

Всю жизнь она жила *во имя. Ради. Для.* Для него, во имя него, ради него. Он был талант. Большой талант. Большой и, кстати, всеми признанный — что тоже не пустяки.

Анна была «при». При великом муже. Тень, дух, отсвет, отражение, отблеск. Была почти бесплотна и даже гордилась этим. Двух гениев в одной семье не бывает! Эта фраза стала ее лозунгом, идеей фикс, девизом и смыслом жизни — служить гениальному мужу. Служила она ему верно и рьяно. С собачьей преданностью, как говорила Карина.

С его уходом Анна потеряла все. Потеряла сам смысл жизни — вот что было страшно. Она почти не выходила из дома, только в магазин за самым необходимым. Ни в театр с Кариной, ни в кино. Никуда. Никаких развлечений и увеселений. Впрочем, какие увеселения у немолодой женщины, всю жизнь живущей жизнью другого человека? Она давно отвыкла от себя и от своих желаний. После ухода Игоря, Гарика, как она его называла (по его, кстати, просьбе), Анна Валентиновна, тихая и скромная, выдержанная и невозмутимая, неконтактная, совершеннейший интроверт, совсем замкнулась в себе. Общалась только с Каринкой — ну тут уж, как говорится, распорядилась судьба. Всю жизнь рядом — вместе с детского сада до институтской скамьи и дальше. Никогда они не терялись, надолго не расставались, серьезно, до трагического разрыва, не ссорились, несмотря на категорически несхожие характеры, противоположные судьбы и вообще непохожие во всем, включая социальное и финансовое положение.

Говорят, что мужчина — это судьба в жизни женщины. Но и подруга бывает судьбой, вы уж поверьте.

Первая встреча девочек состоялась под ноябрьские праздники в детсаду «Елочка» под бравурный марш чокнутой музработницы. Нарядные дети, держась за руки, входили в актовый зал и вставали полукругом вокруг композиции, любовно составленной все той же чокнутой музработницей — искусственный венок из пластиковых листьев, почти кладбищенский, увитый алыми лентами и транспарантом «Слава КПСС! С великим праздником революции, дорогие друзья!». Дети ничего не понимали, были напуганы, сбивались с ноги, спотыкались, жались друг к другу, толкались плечами и по очереди начинали рыдать — музработницу они боялись, куплеты тут же позабыли и очень хотели к родителям, сидевшим на стульях напротив. Но никто к ним не рванул — музработница, сурово сдвинув брови, исподтишка погрозила малышне кулаком. Все кое-как разместились и недружно завыли: «И Ленин такой молодой, и юный Октябрь впереди!»

Родители каменели от ужаса происходящего: пластиковый венок, криво написанный транспарант и насмерть перепуганные дети — вот уж кошмар так кошмар! Вдруг одна девочка, высокая и толстая, вырвалась из нестройных рядов запевал и бросилась к матери, такой же черноволосой, полной и яркой женщине, в крупных и длинных серьгах и красном шелковом платье. Женщина прижала девочку к груди, утерла ей слезы и, взяв за руку, резко и решительно вышла из актового зала, бросив у двери гневный и красноречивый взгляд прекрасных горячих восточных глаз на горе-музыкантшу. Мотнув красивой головой, с возмущением произнесла:

— Господи, детям — и такую чушь! Вы совсем обалдели!

Музработник смутилась, залилась свекольной краской, и ее крупные рабочие руки повисли над клавишами. Она заморгала глупыми и блеклыми глазами:

— Что это, как? Кто посмел? Посреди праздника?

И родители, и воспитатели, и дети проводили восставших растерянными взглядами. Воцарилась тишина.

Но тут сообразительная заведующая взмахнула рукой:

— Продолжайте, Раиса Петровна, не обращайте внимания!

И праздник пошел своим чередом.

На следующее утро толстую чернявую девочку Аня встретила в раздевалке. Та внимательно, по-взрослому, посмотрела на заробевшую Аню и наконец со вздохом сказала:

— Ну что, будем дружить? Я Карина.

Аня захлопала глазами и тут же кивнула: она вообще не умела отказываться. Новая подруга взяла ее за руку, слегка дернула и вопросительно посмотрела на нее:

— Ну чего встала? Идем?

Анечка закивала и быстро засеменила вслед за новой подругой. Уже тогда, в раннем детстве, она была ведомой, и эта роль ее ничуть не угнетала — каждому, как говорится, свое.

За завтраком сидели парами — мальчик с девочкой, детей рассаживали воспитатели. Но новая подруга решительно села рядом с Анечкой, отпихнув конопатого и тишайшего, влюбленного в Анечку и мгновенно заревевшего Вову Кулакова.

— Она будет сидеть со мной! — сурово объявила Карина.

Обалдевшая Анечка снова покорно кивнула. Правда, и Вовку ей было жаль. Но что поделать? Спорить с Кариной смысла не было — в свои неполных пять лет она поняла это сразу, в ту же минуту. Поняла и усвоила навсегда. Так началась их дружба.

Кажется, хмурую и очень бойкую девочку побаивалась даже воспитательница — по крайней мере есть манную кашу Каринку не заставляли, в тихий час над ее кроватью с суровым взглядом не стояли и не заставляли Каринкину мать завязывать дочери на праздники капроновые банты — какая безвкусица, господи!

Позже выяснились подробности. Каринка жила в том же доме, что Аня. Только Аня жила давно, сто лет, с самого своего рождения, а Каринка переехала туда совсем недавно — месяц назад. Дом стоял полукругом, и оказалось, что квартиры девочек строго напротив — на пятом этаже окна Анечки, на шестом — квартиры Каринки. Окна в окна. Каждое утро, и в будние дни, и в выходные, и в праздники или в каникулы, строго соблюдался ритуал: в восемь утра — приветствие, свидание у окна. Ну а уж в дальнейшем была разработана система опознавательных знаков: три взмаха — все ок, через полчаса во дворе. Четыре — не, попозже, дела. Ну и пять — сегодня никак, увы!

Каринка жила с матерью и дедом с бабкой. Все ученые-биологи. Дед, бабка — профессора. Мама, та самая строгая, яркая и красивая женщина в крупных серьгах, Нуне Аветисовна, — тоже профессор.

Дед, Аветис Арамович, считался в семье главным. Его боялись и с ним считались. Даже суровая Нуне, его дочь, старалась с ним не связываться. А уж его жена, бабушка Каринки, Нина Константиновна, та вообще помалкивала. «В этой армянской семье я бесправна!» — восклицала она, возводя глаза к потолку.

Лет в двенадцать Каринка открыла Ане страшную тайну: «Бабка боится деда? Да ты о чем? Это она делает вид! Все делают вид — и мама, и я. А на деле — всем заправляет бабка Нина! Крутит им, как коровьим хвостом. Уж ты мне поверь!»

Аня, привыкшая к тишине и разговорам вполголоса, вздрагивала, попав в шумный дом. Каринка смеялась: «Привыкай! Итальянский двор, а не семья — здесь говорить тихо никто не умеет. Здесь даже молчат громко! Ха-ха».

И вправду, все говорили так, что поначалу Анечка пугалась: скандал? Нет, не скандал — отношений не выясняют, просто что-то по-семейному обсуждают. А если и выясняют отношения, все равно это не скандал и не ссора — это нормально, это забота. Это любовь.

Нина Константиновна, например, всегда возмущалась: «Я, между прочим, тоже профессор и доктор наук! А вожусь целый день у плиты — подай, принеси, убери. Я не прислуга, вы меня слышите? Я — самостоятельная единица!»

«Единица! — хмыкал дед и со смешком добавлял: — Принеси-ка мне чаю! И с бутербродом. Обеда у вас не дождешься!»

И Нина Константиновна, ворча и сетуя, тут же несла мужу чай.

Про обед это тоже вранье — обед в семье был. Всегда. И какой! В доме всегда вкусно пахло — травами, пряностями, специями, мясом и крепким бульоном.

Нуне, мать Каринки, целыми днями пропадала в университете, где преподавала. Аветис Арамович ездил в свой институт три раза в неделю — за ним приезжала «Волга» с водителем, и бабушка Нина торжественно выводила его во двор — уже тогда он страдал артритом и ходил тяжело. Нина Константиновна смахивала ладонью невидимые пылинки с черного костюма мужа и поправляла галстук. Тот раздраженно отмахивался, ворчал и гнал жену домой. Но глаза его были полны любви. А она оставалась во дворе до последнего — пока черная «Волга» не скрывалась за поворотом. Тогда она крестила вслед воздух и, тяжело вздохнув, шла к подъезду, бормоча по дороге: «Ну, слава богу! Хоть передохну пару часов».

Но отдыхать ей было некогда — хозяйство. Она бесконечно готовила, убирала, стирала и гладила. Работала она, писала статьи в научные журналы и рецензии на диссертации, по ночам, «когда все угомонились и оставили меня наконец в покое».

Каринкиного отца Аня никогда не видела. Лет в четырнадцать осмелилась спросить. В ответ услышала: «Да и я его ни разу не видела! Нет, конечно, он был, существовал — ну не от святого же духа я родилась. Только ничего у них с Нуне не получилось — даже женаты не были, насколько я знаю. Так, случайная связь. Отец для меня — дед, ты и сама знаешь. Кто он, мой отец? А черт его знает! Вроде какой-то дедов аспирант. А может, и нет. Подробностей я не знаю — эта тема в семье закрыта. Да и меня, если честно, это не особенно волнует — раз его нет в моей жизни, значит, дрянь человек. Нормальный ведь от ребенка не отказался бы, верно?

У Ани все было по-другому. Семья была полной — и мать, и отец. Оба были людьми тихими, незаметными — инженеры-проектировщики, работали в одном

КБ. Жили скромно и скучно — гости бывали редко, в отпуск ездили в пансионаты по профсоюзной путевке, радуясь дешевизне. Ну и в санатории — Ане казалось, что лечились они всегда. Нет, пару раз съездили к родне отца в Кострому — вот и все воспоминания из детства. Позже Аня поняла — и мать, и отец были людьми неинтересными и скупыми, вечно что-то откладывали, сберегали.

В семье была любимая фраза:

— Этого мы себе позволить не можем!

Произносилась она, что удивительно, с большой гордостью.

«Дорого и неразумно» было принимать гостей. Шить на Новый год новое платье ни к чему — еще и старое вполне ничего, подумаешь, праздник! Дорого ходить в театры. А уж про кафе смешно говорить! Неразумно покупать новые сапоги — старые можно снести к обувщику и поставить свежие набойки. Пальто перелицовывались, каблуки переклеивались, кипяток в заварной чайник заливался по четыре-пять раз, до белого цвета. Скатерть штопалась, носки тоже. Из средней курицы делался скучный обед на пять дней. Бульон из костей — мясо обдиралось до крошки. А потом это мясо мелко резалось, даже крошилось, и из него мама делала второе — тушила с картошкой или рисом, все. Немного соли — вредно для здоровья — и никаких специй — у всех больные желудки.

Мама пугалась, что у дочки нет аппетита — таскала бедную заморенную и бледную девочку по всевозможным врачам — глисты? Кислотность? Катар желудка? Ничего, слава богу, не находили — так, низковат гемоглобин. «Гранаты, печенка, черная икра — все, справитесь быстро, — уверенно сказала участковая врач. — Таблетки давать не хочу, такие цифры легко поднимете продуктами!»

Мама расстроенно молчала. Поехали на рынок. Аня была там впервые в жизни, и все ее потрясло. Какие розовобокие, крупные яблоки! Какие невозможно красивые и ароматные огурчики и помидорчики! Кислая капуста, соленые помидоры, черная и красная икра, копченая рыбка — вдруг захотелось всего и сразу! Аня глотала слюну.

Мама долго мяла гранаты, чем вызвала раздражение черноусого важного продавца. Долго и нудно торговалась и наконец взяла два некрупных. Аня видела, как насмешливо смотрел на них черноусый. Взяли и кусок бордовой блестящей печенки, пахнувший кровью. «Парная!» — важно сказала мама.

Но гемоглобин у Ани не поднялся, и на рынок они больше не ездили. На следующем приеме, сдав повторно кровь, удивили врачиху.

— Странно! — растерянно сказала она. — Ну что ж, давайте таблетки!

Нет, родители Аню, конечно, любили. Как умели любить — себя, друг друга и весь окружающий мир, включая и ее, их единственную дочку. Позже Аня поняла — с аппетитом у нее всегда было нормально. Не любила она мамину еду, а вот еду Айвазянов...

В семье Айвазянов постоянно стоял дым коромыслом, как говорила Нина Константиновна. Частенько наезжала родня из Еревана и Масиса. По полгода гостила семья сестры из Цахкадзора. Сотрудники Аветиса Арамовича, студенты Нуне Аветисовны, подруги Нины Константиновны — дом гудел, как котел.

Без конца женщины торчали на кухне — лепили бораки, что-то вроде наших пельменей, ловко крутили долму, закладывая ее в семилитровые казаны, варили густой фасолевый мшош и арису — кашу из дзвара, пшеничных зерен и вареной курицы.

Аня с тоской вспоминала обеды и ужины в своей семье, а также завтраки: геркулес на воде — очень полезно — и овощной суп — Аня называла его «скучным супом». Паровые тефтели — профилактика гастрита, жидкие кисели, пюре на воде — молока чуть-чуть, полстакана. А уж масла ни-ни! Вареный хек — та еще гадость.

У Айвазянов она, «страдающая отсутствием аппетита», по твердому убеждению мамы, с радостью уплетала и долму, и бораки, и густые, пряные, ароматные супы. Если бы мама видела! Глазам бы своим не поверила.

Гостей у Айвазянов любили, никогда от них, казалось, не уставали.

В Аниной семье гостей побаивались — у мамы округлялись глаза, когда она слышала, что на выходные приедет папина сестра из Костромы: «Господи, чем мы ее будем кормить?»

Анина мама боялась всего — грозы, жаркого лета, нехватки денег, кошек и собак, а также комаров и ос, родственников и насморка. Расстроить и довести ее до слез мог любой пустяк — дырка на чулке, перекипевший суп, косой взгляд начальницы, засохший кусок батона, подкисший творог и грустная концовка фильма или книги. Глаза ее тут же набухали слезами, и Аня беспокойно оглядывалась по сторонам — не видят ли люди? Стеснялась. Мама была болезненной,

слабой и скромной — даже передать в автобусе мелочь на билет было для нее мукой и испытанием.

Мама с папой были похожи друг на друга как брат с сестрой, даже внешне — световолосые, бледноглазые, белокожие. А уж характеры — папа тоже всего стеснялся, остерегался и шугался, даже со слесарем из ЖЭКа робел.

Но в целом жили неплохо. И уж точно — спокойно. В доме Айвазянов Ане казалось, что она попала в другой мир, где всегда шумно, громко, весело, смешно, интересно и очень вкусно. Как она всегда любила бывать там, в этом ярком и пестром доме. И как ей было там хорошо!

А вот Каринка гостить у нее не любила: «Скучно у вас! Как в больнице».

В школу тихая и незаметная Аня и яркая, шумная Карина — заводила, борец за справедливость и безусловный лидер во всем — пошли вместе. Естественно, в один класс. После школы Аня поступила в Полиграфический — она всегда хорошо рисовала. А Каринка, естественно, в универ, на биофак. «Мне туда по судьбе написано, — усмехалась она. — Династия, блин!»

На втором курсе Аня вышла замуж. Все откровенно удивились — и ее собственные родители, и Айвазяны: «Надо же, наша тихая скромница Анечка!» Поддержала ее только Нина Константиновна: «Правильно, Анечка! Чего ждать? Так можно и до пенсии прождать. Любишь — выходи! И сразу рожай, непременно. Пока силы есть», — грустно добавляла она, наверняка думая о своей одинокой незамужней дочке Нуне.

Анин избранник Игорь Березкин был, что называется, «подающим надежды». Во всяком случае так говорили преподаватели. А вот Анечку все в один голос называли талантом — ее офорты и акварели были признаны лучшими на всем курсе. Она делала и иллюстрации — и здесь ей прочили хорошее будущее. Но больше всего она любила писать цветы. Цветы и птиц. И они выходили у нее «как живые».

Свадьбу справили тихую — своих денег у молодых, естественно, не было, а родители громкого торжества не хотели. «Мы не купцы, а простые советские служащие!» — гордо повторял Анин отец.

Родители Игоря вообще к их решению пожениться отнеслись, мягко говоря, скептически. Впрочем, будущий Анин свекор, народный художник, давно жил своей жизнью и имел вторую семью. Мать же была женщиной болезненной и закрытой. На свадьбу она пришла одна — отец был в отъезде. Сняли скромное кафе и тихо-мирно посидели маленькой компанией — родители молодых и несколько друзей жениха. Со стороны невесты была одна подруга — Карина. Та оглядела жениха и вынесла беспощадный вердикт:

— Этот тебя прижмет и утопит. Будешь под ним и не пикнешь ни разу, я тебя знаю. Эх, Анька! И чего тебя занесло? Жила бы себе... Залетела? — вдруг испугалась она.

Анечка рассмеялась:

— Да нет, не волнуйся, никакого залета, все исключительно по любви и доброй воле.

— Ну то, что по любви, я поняла, — отозвалась подруга. — Ты сама не своя, глаза сумасшедшие. Я тебя такой никогда не видела. Что поделать — несчастный случай! — И с сомнением добавила: — Пусть все будет нормально! Ты же знаешь, Анька, как я тебе желаю этого — наверное, больше, чем все остальные. Но этот твой Березкин...

Аня беспечно махнула рукой — да что Каринка понимает в любви? Пока что вон сидит на печи, как Илья Муромец. И сколько еще просидит — одному богу известно. Кавалеров у нее не наблюдалось, увы. Но подумала она об этом без тени злорадства. Злорадство было Ане абсолютно не свойственно. Тем более когда дело касалось лучшей и единственной, горячо любимой подруги.

После свадьбы устроились в мастерской Игоря. Нет, не так — откуда у него мастерская? Мастерская принадлежала его отцу, известному художнику Сергею Березкину. Только, по счастью, сам народный художник там появлялся редко: проживал он у любовницы — такие вот нравы.

Маленький полуподвал на Масловке был темным, сыроватым, пах мышами. Две комнатки и вечно текущий душ, пользоваться которым было невозможно. Крошечный, одно название, туалет. Для жилья это место было не приспособлено. Но надо было устраиваться — жить у родителей Ани и в голову прийти не могло. В прихожей, размером с бочку, поставили электрическую плитку и повесили дачный рукомойник с ведром — там мыли и руки, и посуду. Ели в комнате, там же и работали. Вернее — там работал муж. А Аня... Аня работала, когда он уходил по делам — ей казалось, что он недоволен, если она занимается не им и не хозяйством, а так, ерундой.

Поймав пару раз удивленный и недовольный взгляд молодого супруга, она тут же убрала папку с набросками. Как оказалось — навсегда. Двум талантам в семье будет сложно, значит, талант в доме будет один — Игорь Березкин. А Аня станет его верной женой, поддержкой, крепостью, гаванью — чем угодно. «Лишь бы у него все сложилось», — думала она. И, надо сказать, эта роль ее вполне устраивала — она так любила мужа, что все остальное, включая ее карьеру, казалось незначительным, пустяковым, совсем не важным.

Два первых года после женитьбы она все же работала — преподавала в районном Дворце пионеров и школьников. Но то и дело ловила недовольный взгляд мужа — ты опять на работу? И в конце концов уволилась. Теперь она принадлежала только ему.

Амбиции, честолюбие и тщеславие у нее отсутствовали абсолютно — ну как, скажите, как при таком характере сделать карьеру? Зато амбиции были у мужа, да столько, что хватило бы не на двоих — на пятерых!

Отношения между отцом и сыном Березкиными были сложные. Народный, как иронично называл его сын, был и вправду человеком малоприятным — неразговорчивым, хмурым, вечно всем недовольным и капризным, с неизменно оттопыренной нижней губой и брезгливой гримасой на красивом, породистом лице. Когда свекор появлялся на пороге мастерской, почти всегда назревал скандал — Народный всегда находил причину, чтобы прицепиться к сыну или к невестке. Аня, чувствуя накаленный воздух, тут же бросалась предлагать чай или кофе, обед или ужин. Ей всегда хотелось поскорее раствориться, исчезнуть перед его появлением, поэтому она старалась оставить отца и сына вдвоем — пусть разбираются сами.

В первые же годы непростой жизни на Масловке тихая, робкая Аня научилась сражаться с водопроводчиками и электриками — они требовались так часто, что, казалось, были прописаны в этом полуподвале. Старые трубы текли, ветхий туалет постоянно засорялся, отопление не работало, и то и дело вырубалось электричество. Горячей воды не было вообще. Муж делал вид, что все это, все эти мелочи, весь этот быт и бестолковая, пустая суета его вообще не касаются — он творил. Аня бегала в ЖЭК, научилась скандалить и требовать. Денег постоянно не хватало — у художников всегда неровные заработки. Тогда она научилась еще и экономить, покупать, где дешевле, варить суп из топора и даже принимать на эти крохи гостей — муж любил, когда к ним приходили друзья. Не было не только денег, но и продуктов. А условия? Как можно было приготовить на приличную компанию под алюминиевым рукомойником и на однокомфорочной электроплитке? Ничего, Аня справлялась. Только чего это ей стоило...

Накануне выходных она моталась по магазинам в надежде что-либо достать. Притаскивала огромные, тяжеленные сумки — свекла, картошка, морковь. Крошила ведро винегрета. Счастье, если попадались селедка или сыр, шпроты или сайра — можно было соорудить бутерброды. Килька — вообще красота! Анины бутерброды с килькой и вареным яйцом на бородинских гренках славились на всю Москву. А потом начинался бесконечный кофе. Кофе, кофе, кофе. В кастрюле не сваришь — осудят, эстеты. И приходилось бегать туда-сюда с туркой — одному, второму, третьему. И снова первому, господи!

Гости уходили далеко за полночь — богема. Муж тут же шел спать, а она часами убирала, мыла холодной

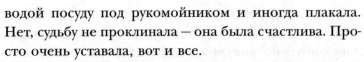

водой посуду под рукомойником и иногда плакала. Нет, судьбу не проклинала — она была счастлива. Просто очень уставала, вот и все.

Именно тогда, в те первые годы их жизни, Аня сделала три аборта: «Какие дети, о чем ты? Нет, ничего и слышать об этом не желаю! В этом подвале? Ты спятила, Аня!» И она, поплакав, шла в поликлинику за направлением в больницу. После последнего, третьего, больше ни разу не забеременела. «Ну, значит так, — отплакав, решила она. — У меня есть ребенок, мой муж. И мне этого вполне достаточно».

Карьера Игоря сложилась удачно — правда, помог в этом ему все же Народный, то есть отец и свекор. Как? Да очень просто — на свою персональную выставку пригласил сына. И все, дело сделано. Тут же подоспела парочка статей — династия, Игорь Березкин и Сергей Березкин. Игорь Березкин — достойный продолжатель дела отца, ну и так далее. И новый поворот в судьбе — кто-то увидел в его масштабных полотнах театрально-киношное будущее и пригласил в театр художником-постановщиком. И у Игоря получилось. «У талантливого человека получается все! — с гордостью говорила Анна. — Все, за что он берется». После первой и очень удачной постановки Игоря Березкина стали приглашать во многие театры, а потом и в кино, к самым культовым и известным режиссерам.

Как же Аня гордилась своим мужем! Ну и он гордился собой. Правда, после признания и большого успеха он стал еще капризнее, еще требовательнее, еще нетерпимее к ее промахам.

Очень скоро появились деньги — следствие успеха. Через пять лет они построили трехкомнатную квартиру на Кропоткинской — вот уж счастье!

Правда, теперь мужа частенько не было дома — командировки, другие города, фестивали — ну, все понятно. Нервничала ли Аня, когда он уезжал? Пожалуй. Только не давала этим мыслям ходу — тут же себя останавливала.

Конечно, понимала: там, в этой тусовке, полно молодых и красивых женщин — актрис, певиц, танцовщиц, да кого угодно.

Игорь никогда не предлагал ей поехать вместе с ним, но однажды она попросилась. Экспедиция — а это было большое, масштабное кино — была в интереснейшем месте, на Байкале. Как ей хотелось туда! Но муж с возмущением ее оборвал: «Не надо путать дом и работу, Аня! Там я работаю, а здесь я живу!»

Глупость какая: и режиссеры, и операторы, и актеры брали в экспедиции своих близких — и детей, и даже нянек и бабок, чтобы следить за ними.

Вот тогда и накрыли черные мысли: «Не хочет? А почему? Значит...»

«Нет, ничего это не значит! — уговаривала она себя. — Ни-че-го! Просто он такой человек». Но тревожные мысли не исчезали — чем бы она ему помешала? Да ничем! Уж с ее-то непритязательностью, скромностью и даже робостью, с ее вечным невмешательством и отсутствием любопытства, с ее неразговорчивостью... Но быстро себя уговорила — работа есть работа. Так, значит так. Но на душе было муторно.

В те дни, когда муж уезжал, часто приезжала Каринка — она и не скрывала, что не любит Березкина. За что? Да все понятно: «Захомутал тебя, подгреб под себя, дыхнуть не дает. Сделал из тебя рабу». «Рабу любви», — смеялась Аня. Каринка безнадежно махала рукой: «Что с тобой, с дурой, вообще говорить? Беда». «Я счастлива, Карин! Ты уж поверь, — отвечала Анна. — Ну зачем мне тебе врать, а?» «Ну значит, ты полная дура! — уверенно отвечала подруга. — Если тебе нравится *это*». И она обводила взглядом их жилище, имея в виду быт и вечные хозяйственные хлопоты.

«Совершенно верно! — радостно подхватывала Аня. — Моя жизнь — в нем, в Игоре! И я счастлива, что живу его жизнью. Что облегчаю ему эту жизнь. Что снимаю с него все бытовые хлопоты, разруливаю проблемы. У гения и должна быть такая жена! Ну вспомни литературу! Гении состоялись только при хороших женах! А при плохих... Он очень талантливый, Карка! Ты же сама это видишь и понимаешь. А то, что он сложный... Так кто из них, мужиков, простой? Только один рядовой, обычный, станет нервы мотать за просто так, просто так будет выпендриваться. А мой... Сложный, но — необычный. И за это можно потерпеть его фокусы и тяжелый характер. Гению прощается все».

Каринка тяжело вздыхала и, не соглашаясь, качала головой: «Душечка! Ты просто чеховская Душечка. Хотя... Чему я удивляюсь? Можно было предположить. Только зря ты о себе забыла — ты ведь талантливая, Анька, а на себе поставила крест».

Каринка любила порассуждать о взаимоуважении и самоуважении, о партнерстве, о реализации личности.

Аня не перебивала ее, не останавливала — только кивала и при этом думала: «Ничего не понимает Карка! Ничего. Ну да ладно, полюбит — поймет. Где личные амбиции и призрачная карьера? И где — счастье? Смешно».

Личная жизнь Карины не складывалась: это было понятно и без задушевных разговоров — полная, безнадежная тишина. Зато успешно складывалась карьера — к тридцати годам она защитилась и начала преподавать.

В отсутствие мужа Анна иногда доставала мольберт и писала. По-прежнему лучше всего ей удавались цветы и птицы. Цветы — лохматые, как она их называла: астры, пионы, георгины. Получались они как живые — казалось, дотронешься и почувствуешь пальцем капельки росы, услышишь слабый аромат. А птицы — ну это вообще загадка. Ладно там всякие синички, сойки, трясогузки и снегири, которых полно в наших широтах. А вот откуда брались экзотические, тропические, редкие и заморские чудеса? Непонятно. Никогда она их не видела. А получались как живые — с блестящими перьями, трепетными крыльями, глянцевыми клювами и яркими бусинами глаз. Хищные и наглые чайки, гордые орлы и сапсаны, крохотные трепещущие колибри и носатые смешные туканы, важные павлины и забавные удоды, многоцветные, пестрые лорикеты и алые виргинские соловьи. Она доставала свою заветную любимую энциклопедию и часами могла рассматривать редких заморских, никогда не виданных птиц.

Перед приездом мужа картинки свои Анна прятала. Почему? Да сама не понимала — стеснялась. Но однажды не убрала — забыла. Просто поставила к стене у окна, под гардины. А Игорь увидел. Аня навсегда запомнила его лицо — презрительную насмешку, даже брезгливость.

— Так скоро и до ворон дойдешь! — безжалостно бросил он и недовольно мотнул головой.

Вот тогда все и закончилось — окончательно. Она убрала свои причиндалы далеко-далеко и запретила себе доставать. И вправду, зачем заниматься этой ерундой? У нее есть дела поважнее. У нее есть он, Игорь. Достаточно.

Одиночество Аню не тяготило — если бы не грустные мысли. В отсутствие мужа она расслаблялась, много читала, ходила в кино, в театры, на выставки. Да и дом — а теперь у них был дом — требовал внимания и заботы. Нужно было доставать мебель, ткань на шторы, посуду и все прочее, что превращает обычную квартиру в уютную и красивую.

Правда, пару раз она еще поймала себя на мысли, что хочется достать бумагу и карандаши. Но она почему-то испугалась этого и крамольные мысли прогнала — не дай бог. Почувствовала себя воровкой.

Муж приезжал из командировок усталый, замученный и раздраженный. Анна с разговорами не лезла: отдохнет — расскажет, а нет — так и суда нет. Может быть, у него неприятности. Игорь делился с ней нечасто — только под хорошее настроение, но такое бывало довольно редко. Она видела, что часто раздражает его, и не обижалась — просто тихо уходила к себе. Теперь, по счастью, у нее была своя комната.

Однажды заговорила с мужем о ребенке: «Может, обратимся к врачу?» Он удивился и нахмурился: «Тебе это надо? — И, не дожидаясь ответа, сказал: — Мне — нет. Мне и так хорошо, Аня. Потребности в детях я не ощущаю. И никакой тоски у меня нет. Мы живем своей жизнью, и мне кажется, мы с тобой вполне ею довольны и даже счастливы. Или я что-то не понимаю? Тогда объясни».

А она, дурочка, растаяла от этих слов, выхватив из всего ряда только одно: «Мы с тобой счастливы». Значит, он все-таки любит ее, раз счастлив с ней и никто третий ему не нужен?

Все, тема закрыта. У него — работа, у нее — он. Живут же люди и так. Тем более — с гением. А гении... У них все по-другому. К ним нельзя с обычными мерками. И Анна успокоилась.

Тем временем Каринка готовилась к родам. Ничего себе, а? Сообщила об этом по телефону: «Да, кстати! Мне в феврале рожать! Давай махнем в Ленинград, а? Пока я еще хоть как-то передвигаюсь».

Обалдевшая Аня выдавила из себя тихое «да».

В Ленинграде мотались по музеям, жили у каких-то знакомых Айвазянов, уставали до чертиков и, придя домой, тут же валились спать. Аня не задавала вопросов — кто он? Кто отец будущего ребенка? И почему, собственно, так, в одиночестве?

Как-то Карина небрежно обмолвилась сама — так, между прочим: «Он — мой коллега, женат, развестись обещает, но я, как ты понимаешь, реалист и сюрпризов от природы не жду. Как будет, так и будет. В конце концов, рожаю я для себя. Ребенок нужен мне, точка. Поднять мне его помогут, ты же понимаешь. Есть бабушка, мать. Нянька, в конце концов. Справимся. Главное — чтобы он был! А муж — так он мне и не нужен. Я не ты, Ань! Чтобы хвостом ходить за кем-то и о себе не помнить. Ты меня знаешь».

Аня не обижалась — все правильно. Каринка не такая, как она. Та никогда бы не смогла жить чужой жизнью и никогда не смогла бы похоронить себя под бременем чужого таланта. Она сама по себе. И еще она смелая, не то что трусиха Аня. Так было всегда — что тут нового, чему удивляться?

Удивляться было нечему, а вот зауважала Аня подругу еще сильнее — на все человеку наплевать, и на общественное мнение в первую очередь. Ведь наверняка на кафедре все знают о ее романе. Не исключено, что слухи дойдут и до жены этого дяденьки-профессора. Вполне возможны неприятности для Каринки. А ей по барабану! Плевать и на коллег, и на трусливого папашу, и на своих студентов, и даже на собственную родню. Захотела ребенка — пожалуйста! И вправду, что ждать милостей от природы? Возьмут замуж — не возьмут, уйдет профессор от жены или нет — почему надо строить свою жизнь в зависимости от чужого мнения, ситуации и обстоятельств? Это ее личное дело — ее ребенок. Она ни на кого не рассчитывает и готова отвечать за него. Отвечать — вот это главное. А кто отвечает — тот и принимает решения. Да и в материальном плане Карина была вполне независима — зарабатывала она прекрасно.

И в который раз Аня подумала, какие они с подругой разные. Небо и земля. Лето и зима. Вода и камень. Но ближе Каринки у нее никого не было. И у Каринки, кажется, тоже — очень хотелось так думать. И еще при взгляде на подругин округлившийся животик мелькнула мысль — а может, зря? Зря она тогда послушалась Игоря. Нет, не про аборты речь — что об этом теперь говорить? Про врачей. Может, стоило пойти и попробовать? Медицина продвинулась вперед, есть новые технологии. Да и окончательный безнадежный диагноз ей никто никогда не выносил.

Но мысль эту тут же прогнала — у всех своя жизнь и своя судьба. Не все одинаково сильны духом. Не все способны на поступки. Не все так решительны. Не все могут идти *вопреки*. И не у всех мужья — гении! Это уж точно.

Каринка родила мальчика. Да такого красавца! Тогда все шутили, что она смело может зарабатывать на младенце — готовая реклама детского питания. Смуглый, румяный и синеглазый, с огромными мохнатыми ресницами, он и вправду был прекрасен, этот мальчик. Конечно, моментально жизнь семьи закрутилась вокруг красавца ребенка — прабабушка Нина, бабушка Нуне и дед Аветис. А через три месяца Каринка вышла на работу — дела не ждали, начинались приемные экзамены. Нашлась и няня — родственница из Еревана. Дом по-прежнему оставался шумным — гости не переводились, родня наезжала все так же часто и даже чаще — все жаждали потискать чудесного малыша. На кухне, как всегда, царили суета и разгром — пеклось, жарилось и варилось. Входная дверь, как и прежде, не закрывалась.

Каринка тогда впервые пожаловалась подруге — устала. На работе суета, да и дома не отдохнешь. И однажды, приехав к Ане, тут же рухнула на диван и блаженно закрыла глаза: «Как у тебя хорошо, господи! Чисто и тихо».

Игоря Березкина по-прежнему рвали на части — провинциальные и столичные театры мечтали получить его в качестве художника-постановщика. Он еще чаще отсутствовал и Анну по-прежнему с собой не брал. Но она уже и не просилась — привыкла. А вот Каринка не успокаивалась:

— Господи, и где он нашел такую дуру? Приезжает зачуханный, похудевший, с блестящими глазами — скорее всего, от бурной жизни. А тут эта дурочка варит ему отварчики и отпаивает бульончиками — красота! Вьется вокруг, как бабочка, крыльями хлопает. «Игоречек! То или се? Или, может, это?» А этот милый Игоречек лежит с великомученическим взглядом на диване и складывает губки скобочкой: «Ах, я устал! Как я устал!» А от чего, спрашивается, ты устал? От работы? Ну не знаю — молодой и здоровый мужик. Может, от возлияний и еще кое от чего?

— Для чего ты мне все это говоришь? — обижалась Анна. — Чтобы испортить мне настроение?

Каринка мотала кудрявой головой:

— Нет, моя дорогая. Исключительно для того, чтобы ты очнулась. Проснулась наконец и зажила своей жизнью. Не его, а своей, понимаешь?

— Как это — своей? — переспрашивала растерянная Аня. — У нас одна жизнь, общая. Одна на двоих!

— Ты совсем дура? — распалялась подруга. — Это у него жизнь! Работа, встречи, поездки, знакомства. Люди вокруг, общение. А у тебя — прозябание! Одно сплошное прозябание у тебя! И самое ужасное, что тебе это нравится! Тебе так тепло в твоем привычном болоте, что ты и нос высунуть боишься. Боишься нарушить свой призрачный, зыбкий покой. А он не побоится, не сомневайся. Как только захочет, выкинет тебя за борт и тю-тю, поминай как звали! Забудет тебя в ту же минуту. И заслуги твои забудет — как не было!

Аня обижалась и принималась плакать. Зачем так жестоко? Нет, она понимала: подруга говорит из лучших побуждений. Успокоившись, мысленно соглашалась с ней — муж давно живет своей жизнью. Своей. А она — его жизнью. Она и вправду его прислуга, тень. И ему так удобно — в любое время, как только он явится, в доме чисто и вкусно, выстирано и выглажено. Тихо и благостно. Ни одного вопроса, ни одной претензии. Не жена — подарок судьбы.

Каринка настаивала, чтобы Аня снова взялась за рисунки, пошла работать — хоть в школу, хоть в кружок, куда угодно, лишь бы занять себя, вспомнить профессию, оторваться от кастрюль и утюга. «Ты ведь талантливая, Анька! И так бросить свою жизнь ему под ноги!»

Родители старели и болели — из молодых стариков они превратились в стариков обычных. В их жизни ничего не изменилось — только раньше они ходили на работу, а сейчас перестали. На подоконниках, тумбочках и столах стояли вечные пузырьки с лекарствами — казалось, они так упоенно и увлеченно болели, что получали от этого удовольствие. Стопками собирались журналы и брошюры о болезнях и лекарствах. Приобретались какие-то магические камни для очищения воды, магнитные браслеты, пирамидки из неизвестных металлов, лечебные грибы страшного вида и прочая шарлатанская атрибутика, от которой Анна приходила в бешенство.

— Прекращайте заниматься этой ерундой! — кричала она. — Идите гулять, езжайте в санаторий, на море, наконец! Покупайте фрукты и вкусности! Получайте от жизни радость и удовольствие!

Родители отмахивались и обижались. А Каринка, услышав ее жалобы, рассмеялась:

— Кто бы учил, а? Ты? Это ты учишь получать от жизни удовольствие? Самой не смешно?

— У меня — другое, — обижалась Анна.

Каринка отступала:

— Что с тебя взять? Любая другая — не такая дура, конечно, — завела бы на твоем месте любовника. Хотя бы любовника! Но это не ты. Подумай — твоего Березкина, чтоб ему, никогда не бывает дома — не муж, а капитан дальнего плавания. И кто бы растерялся на твоем месте? Ты носишься со своей верностью и преданностью как с писаной торбой. А кому она нужна, твоя верность? Вот ты подумай! С чем ты останешься на старости лет? А годы, моя милая — сама знаешь. Нам уже к сорока. И сколько осталось? Ты не подумала? А вспомнить и нечего.

Аня возмущалась и обижалась — предложить ей такое! Любовник! Смешно! Она так любит Игоря, своего мужа. А сколько осталось? Нет, не думала она об этом. Да и зачем?

Но часто плакала по ночам. Каринка права — она совсем одинока и никому не нужна. Чистая правда. Конечно, теперь ее любовь к мужу стала немного другой — они отвыкали друг от друга, физической близости почти не было, а душевной... Наверное, не было никогда. И все-таки он родной человек. Но изменить свою жизнь казалось ей невозможным — она дочь своих родителей, Каринка права.

Однажды все же решилась — взяла путевку и уехала на море, в Ялту. Муж, кстати, не возражал. А она и не ждала возражений — понимала, ему наплевать.

Осенняя Ялта была прекрасна. Анна бродила по набережной, сидела в кафе, любовалась на горы и море. Вот там, в кафе, к ней и подсел немолодой и приятный мужчина:

— Не помешаю?

Она вздрогнула и покраснела, как первоклассница.

Разговорились, вместе пошли по набережной.

Он сдержанно рассказывал о себе — женат, есть дочь, ленинградец, инженер на Кировском заводе. Проводил до места и предложил встретиться на следующий день. Анна растерялась и, наверное, выглядела глупо:

— Встретиться? А зачем?

Он рассмеялся:

— Да скоротать время! У нас, отдыхающих, его же полно!

Она растерянно кивнула.

Весь следующий день ходила сама не своя, без конца повторяя: «Зачем? Зачем мне все это надо?»

Приближалось время свидания. Анна неотрывно смотрела на часы и тряслась как осиновый лист.

А в результате никуда не пошла. Ночью ругала себя: «Каринка права, я идиотка. Ну что бы от меня, убыло, что ли? Сходили бы в кино, или просто прошлись по набережной, или посидели бы в кафе. Ну не изнасиловал бы он меня, в конце концов, посреди улицы. Почувствовала бы себя женщиной, а не никому не нужной кухаркой, прачкой и вечной утирательницей соплей». А потом подумала: «И что дальше? Ну на следующий день? Снова в кино? А зачем ему это надо? Наверняка ему нужна короткая и легкая связь — курортный роман, мужики и едут сюда за этим. А мне роман ни к чему. Значит, я все сделала правильно». И, уговорив себя, она крепко уснула.

Кстати, спустя неделю встретила этого инженера на улице — под ручку с дамой. Увидев Анну, он ухмыльнулся, а она облегченно выдохнула — значит, все правильно! Ему все равно — она ли, другая, какая разница? Умница она, умница, сразу его раскусила.

Но почему-то после этой встречи ей вдруг захотелось домой.

Каринка много работала — дед Аветис совсем сдал, бабушка Нина держалась из последних сил, а Нуне... Нуне тяжело заболела. Все обошлось, вовремя подхватились, удачно и быстро сделали операцию, прогнозы врачей обнадеживали. Только кормильцем теперь стала Каринка. По ночам писала за деньги диссертации, «диссеры», как она говорила. А что, отличный заработок.

— Все ползу, жирею — вздыхала она. — А как не жиреть? Ночью начинается: кофе, бутерброд, снова кофе, конфета. И опять бутерброд. Иначе усну.

Она и вправду здорово раздалась, а ее яркая южная красота начала увядать.

А вот Аня стала еще суше — годы не брали ее. Да и не рожавшая, она легко сохранила фигуру.

— Сзади пионерка, спереди пенсионерка! — смеялась Карина.

В сорок лет Каринка снова удивила весь мир, объявив о своей новой беременности. Услышав эту новость, Аня вскрикнула и тут же зажала рот ладонью:

— Карка, ты сумасшедшая! В сорок лет и снова без мужа? Нет, ты определенно свихнулась, подруга!

Каринка беспечно смеялась. И снова замуж не собиралась. Будущий папаша оказался ее аспирантом — приезжий парень двадцати восьми лет. Ну, каково? Он не отказывался от ребенка и с удовольствием бы женился на его матери. Но Каринка отмахнулась:

— Замуж? За этого младенца? Еще один рот, о чем ты? Притащить его в дом и повесить себе на шею? Нет уж, спасибо, хватит с меня нахлебников. Сама знаешь — четыре рта. По-моему, достаточно.

Но на этот раз получилась двойня. Два парня. Вот такая ирония судьбы.

И снова прибыла родственница — теперь уже из Баку. А Каринка вышла на работу через полгода — разросшуюся семью надо было кормить.

Только теперь она похудела и перестала быть похожей на себя — ее подчас и не узнавали. Но она была счастлива:

— Три сына, понимаешь? Я же мать-героиня! Ох... Смех сквозь слезы, Анька! — И начинала смеяться, утирая слезы ладонью.

Аня кивала и соглашалась. И в который раз удивлялась Каринкиной стойкости и силе духа.

На пятилетии близнецов Нина Константиновна, оглядев внучку и ее подругу, подняла рюмку.

— Вот как получилось, — тихо сказала она. — И ты, Кара, и ты, Аня... — Она помолчала. — Не очень у вас сложилось, девочки. Не спорьте, не очень! — строго

предотвратила она возражения. — Но как уж есть. И дай вам бог сил на все! Тебе, Кара, на детей и на работу. А тебе, Аня, тебе... Ну сама знаешь. Каждый выбирает свою судьбу, какая ему по душе. Вы выбрали свои — и бог вам судья! Только, девочки, будьте здоровы! Я вас умоляю!

Через полгода после этого дня рождения Нина Константиновна ушла. А еще через три месяца ушел ее муж, Аветис Арамович. Не смог жить без любимой Ниночки — проплакал три месяца и отправился следом.

Старший сын Каринки Сашенька вырос умницей и остался все таким же красавцем — лучший мамин дружок. А близнецы задавали жару — когда тебе за сорок, сложновато уже с пацанами. Но Каринка держалась. И мальчишек держала в ежовых рукавицах. Хулиганистые получились парни, но хорошие — уменькие, добрые и понятливые. И все дружно обожали свою шумную мать.

Нуне Аветисовна держалась, но давала о себе знать болезнь, куда денешься. И мальчишки, все трое, теперь, в отсутствие вечно работающей матери, терпеливо, нежно и трепетно ухаживали за бабушкой. В сорок шесть Кара стала деканом.

«Главное, чтобы все функционировало — руки, ноги и голова, — говорила Каринка. — А дальше все будет нормально».

Мальчишки ее могли приготовить ужин, убрать квартиру, погладить рубашки, сходить в магазин.

«И как это ей удалось, — думала Аня, — не понимаю! Ее же никогда не бывает дома — какое там воспитание? Да и сил у нее на него нет, на воспитание это.

Гениальная женщина — моя подруга. Нет, правда ведь гений!»

Примерно в то же время овдовел бывший Каринкин любовник — отец ее первого сына Сашеньки. И тут же нарисовался в Каринкиной квартире, изображая горькое раскаяние и пылкую любовь к обоим — а уж к сыну, красавцу и умнице, особенно.

Каринка только посмеивалась — ага, спохватился! А уж когда «старый пень», по ее же определению, предложил ей руку и сердце, вообще залилась громким девичьим хохотом. А чуть позже — бурной, но справедливой тирадой:

— Очнулся? Прозрел? Вспомнил о сыне? И меня, как выясняется, не забывал? А где ты был, дорогой, все эти годы? Ты думаешь, я забыла, как ты под стол прятался, когда я заходила на кафедру? Как боялся столкнуться со мной в коридоре? Как прятал глаза, если мы встречались в столовой? Память подводит? А вот меня — нет! Вали отсюда подобру-поздорову! И чтобы больше — ни-ни!

Профессор испарился, как корова языком слизала.

А возмущенную мать успокаивали дети. И больше всех — старший, Сашенька. Объявившийся папаша был ему неинтересен — в его жизни всегда была одна мать — любимая, самая мудрая.

Кстати, отец близнецов, тот самый жалкий и нищий аспирантик, поначалу детей навещал. А потом пропал — женился, завел законных детей и, кажется, вообще из Москвы уехал — такие ходили слухи.

— Я никогда на них не рассчитывала, — говорила Карина, гордо откинув все еще красивую, хотя и уже

седую голову. — Никогда! Я всегда рассчитывала только на себя. Поэтому и детей родила для себя.

И ей было чем гордиться, кто спорит?

Трое детей и ни одного мужа. Один муж на всю жизнь и... Страх родить от него, законного. Странно, не правда ли? Но уж... как есть.

Анины родители умерли совсем не старыми людьми — ну если по возрасту. Чуть за семьдесят. Сначала ушел отец, а вскоре и мама. На отцовых похоронах было совсем мало народу — две соседки и Каринка с мальчишками. Три красавца, три знойных, чернокудрых и светлоглазых красавца, Каринкины парни, несли гроб с Аниным отцом — Березкина, как обычно, в Москве не было — кажется, работал тогда он в Улан-Удэ. Правда, отбил телеграмму: «Аня, прости, не могу, через неделю выпуск, премьера, а у нас — полный завал. Катастрофа. Прими соболезнования. Игорь». На маминых похоронах его тоже не было, Аня и не помнит, куда он уехал в тот раз и почему не смог приехать. И опять Каринины сыновья несли гроб, и опять ее было некому поддержать — в такие трудные дни и без мужа. Соломенная вдова, Каринка права. Они с Игорем чужие, совсем чужие люди. И зачем? Зачем это все нужно? Когда давно ничего уже нет. Давно. Давно нет семьи — как бы она ни уговаривала себя, как бы ни врала, как бы ни утешала. Ничего уже нет, кроме ее любви. Нет даже памяти. Все давно уже стерлось, как на переводной картинке: потрешь и — ничего. Одна труха на подушечке, стряхнул — и нет и следа.

У Каринки работа. Дети. Жизнь. А у Анны? У нее ничего. Пустота. Одна гулкая и звенящая пустота. Она совсем раскисла после смерти родителей. Они не были ей близкими людьми, но с их уходом она окончательно поняла: одна. Одна на всем белом свете. Каринка не в счет, у нее своя жизнь, и жизнь далеко не простая.

Как-то в декабре, когда до Нового года оставалось дней двенадцать, она сидела напротив мужа, который только вернулся из очередной поездки и с аппетитом обедал — ел мясо.

— Березкин! — вдруг сказала Анна. — А давай разведемся!

— Зачем? — удивился он, не переставая жевать.

— А зачем нам все это надо? — спросила она, обведя взглядом их красивую кухню.

— Лично меня все устраивает, — отрезал Игорь. — И тебя, я думаю, тоже. Не рефлексируй, живи как жила.

— А если я не хочу? — отчаянно закричала она. — Если мне надоело? Надоело ждать тебя, чувствовать, как от тебя пахнет чужими бабами! Зачем мне такая жизнь? Закрывать за тобой дверь и снова оставаться одной? Ты же... — Она задохнулась от своего горя. — Ты же сломал мою жизнь! Заставил меня сидеть дома и прислуживать тебе. А я, между прочим, — она разрыдалась, — тоже была талантлива! И если по-честному, ничуть не меньше тебя! Просто тебе повезло — у тебя был отец. И в ту же минуту ты заткнул меня, упрятал в чулан. Как же, талант у нас ты! А мне не положено. Ты даже не дал мне родить ребенка — отправлял на аборты, только бы никто не нарушил твой комфорт. И с чем я осталась? Ответь, Игорь! Ты видишь, во что превратилась моя жизнь?

— Все не так, Аня! — спокойно ответил он. — Все личный выбор каждого. И эта жизнь — твой выбор. Дети, говоришь? А зачем ты меня тогда послушала? Наплевала бы, в конце концов. Устроила скандал. Взяла бы и родила! А работа? Почему ты не работала, Аня? Я тебе запрещал? А ты бы возразила! Послала бы меня куда подальше! Наорала, разругалась бы в пух и прах. Ушла бы от меня, на крайний случай! Ан нет — ты все принимала! А знаешь почему? Да потому, что тебе так было удобно. Прожила, как за каменной стеной, а сейчас ищешь виноватого. Нельзя ни под кого прогибаться, Аня. Знаешь, как в песне: «Чтоб тебя на земле не теряли, постарайся себя не терять». Жаль, что ты так и не поняла этого. И кстати! Сделай мне чаю! Если это еще не совсем противоречит, так сказать! — Он усмехнулся.

— Я разведусь с тобой, Березкин! — тихо сказала она пристально, словно впервые разглядывая его. — Разведусь и начну новую жизнь.

Он кивнул, вытер салфеткой руки и перед тем, как выйти из кухни, обернулся:

— А чай, дорогая, я все-таки жду, не обессудь.

От бессилия Анна разрыдалась.

На Новый год Березкин не остался, коротко бросил:

— Я уезжаю. Дела.

Она ничего не спросила — теперь все было окончательно ясно. Раньше он еще хоть как-то соблюдал приличия. А теперь перестал. Конечно, у него давно другая семья. Вполне возможно, там дети. Это у нее никого нет. Никого и ничего. Вот такой итог.

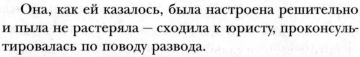

Она, как ей казалось, была настроена решительно и пыла не растеряла — сходила к юристу, проконсультировалась по поводу развода.

Каринка не удивилась:

— А, собралась? Долго же ты собиралась. Ну что ж, в добрый путь! Только видится мне...

— Что? — испугалась Анна.

— Да так, ерунда. А ты подумала, на что будешь жить? Он же попрет тебя из квартиры. Как пить дать попрет! Куда ему новую жену привести? А привести надо — один он не сможет. Привык, чтобы все подавали на блюдечке. А деньги? Ты же привыкла к хорошей жизни. Ты давно забыла, что такое «мало» или «не хватает».

— Наплевать, — отмахнулась Аня. — И на квартиру наплевать, и на деньги! Квартира у меня есть — родительская. А деньги... На хлеб себе заработаю. И на кефир тоже. Я не обжора, ты знаешь. Ем как воробей. А тряпок у меня — на три жизни хватит. Все, Кар! Я решила. И ты меня не отговаривай.

— А я и не думала тебя отговаривать, — удивилась Карина и странно посмотрела на подругу, словно не веря тому, что она правда решилась.

Хотелось сделать все красиво, по-киношному, например, написать ему письмо: «Игорь, ты напрасно думал, что мое намерение развестись — всего лишь угроза. Ты всю жизнь считал, что я твоя тень, что я — никто. Что ни гордости, ни человеческого достоинства у меня нет. Ты был прав, но и заблуждался! Все было так, но все изменилось. Я решила — я от тебя ухожу. И мне ничего от тебя не надо — ни квартиры, ни денег. И не потому, что я такая гордая или такая дура. Нет. Я просто хочу попробовать сама. Смогу ли я? Я хочу доказать это себе — в первую очередь. Ну а потом всем остальным. Впрочем, остальные меня не очень волнуют. Карина, единственный близкий мне человек, любит и принимает меня любой. А тебе давно на меня наплевать. Я это вижу и знаю. Да ты и не особенно это скрываешь. В общем, я попробую. Будь здоров и счастлив. Я тебя за все простила. Я не простила себя.

А ты ведь во многом был прав! Аня».

Письмо было написано, перечитано тысячу раз и сто раз исправлено.

Далее план был таков: собрать только личные вещи — и все. Никаких там вазочек, тарелочек, картинок и прочего — не забирать. И уйти. С одним, так сказать, чемоданом. Ну или с тремя — тряпок, конечно... Кошмар. Сколько же барахла накопилось!

— Так и уйдешь? — удивилась Карина. — Всё ему, а ты ни с чем? Не горячись, подруга. В конце концов, ты заслужила.

— Что заслужила? — рассмеялась Аня. — Да, так и уйду, и ничего мне не надо. Понимаешь, если я останусь в этой квартире или заберу все барахло, у меня ничего не получится. Я это чувствую.

— А квартира-то при чем? Ты же ее так любила!

— При чем тут квартира? Вот именно — ни при чем!

Анна съездила в квартиру родителей. Да... странное зрелище. И кошмарный, невыветривающийся запах — запах болезни и лекарств. Казалось, корвалолом пропахла не только квартира, но и несчастный серый и грязный, убогий подъезд. Вытертые верблюжьи одеяла — Аня их помнила с детства. Штопаные пододеяльники и простыни. Кастрюльки с отбитой эмалью. Чашки со сколами. Старые крупы, пахнувшие плесенью. Затхлость и убогость — нищета умеет быть опрятной, а вот скупость...

«Господи, как они прожили жизнь! — с отчаянием думала Анна, бродя по квартире. — А я? Да я прожила ее так же, только в другом антураже. Дочь своих родителей. Нищая духом».

Но в руки себя взяла и сквозь слезы принялась за уборку. Вечером пришел Каринкин Сашенька и помог отнести на помойку пластиковые мешки с барахлом.

Ночевала у Каринки. Одно счастье — теперь они снова были рядом, окна напротив! «Да только ради одного этого стоило уйти от мужа!» — шутила Анна. И все-таки было грустно. Как странно развернулась жизнь — она снова на прежнем месте и с теми же исходными данными. Нет, не с теми же — тогда вся жизнь была впереди. А сейчас... «Сейчас я старуха, — думала Анна. — Нет, не внешне! Внешне я вполне ничего — в душе я старуха. Рухлядь, если по-честному».

Хотелось переехать побыстрее, пока не заявился Березкин. Но тут вмешалась Каринка. Уговорила на ремонт и даже нашла двух молдаван для этого дела. Аргументировала просто и ясно:

— Пока есть деньги, жить в этой убогости я тебе не позволю. Ты все еще его жена — бери семейные деньги, и вперед! Трать от души — новый холодильник, новая плита, телевизор и кровать — в конце концов, будешь жить по-человечески, по крайней мере начнешь свою новую жизнь в более-менее человеческих условиях.

Не согласиться с этим было сложно. Плитку и обои помог купить все тот же безотказный Саша. Он и возил ее в магазины. Анна не выбирала, брала то, что попадалось — торопилась. Не дай бог не успеть! Приедет Березкин, и неизвестно, как все повернется. Вдруг начнет уговаривать, и у нее, как всегда, не хватит сил противостоять. Пожалуй, этого она боялась больше всего.

Рабочие трудились справно — а главное, быстро. На качество Анне было решительно наплевать. Главное — поскорее переехать. Она уже потихоньку завозила вещи и подкупала посуду, как вдруг ей позвонили. Было совсем поздно, кажется, полдвенадцатого ночи — она точно не запомнила. Низкий мужской голос уточнил:

— Вы Анна Березкина?

Она испугалась и тихо ответила:

— Да.

Горло перехватило от страха. Мужчина молчал и тихо покашливал.

— Что-то случилось? — просипела она.

Незнакомец громко выдохнул, набираясь решительности, и выпалил:

— Вы только не волнуйтесь! В смысле — держитесь! Ваш муж, Игорь Березкин... он... умер.

— Как? — спросила она. — Как это — умер? Когда?

Мужчина немного воспрянул, оживился:

— Сегодня. В два часа дня. Острый инфаркт.

Анна недослушала и положила трубку. Замерла над телефоном, не понимая, что делать дальше. Спустя часа полтора она позвонила Карине.

— Умер Игорь, — сказала она. — Что мне делать, Кара?

Через полчаса на пороге ее квартиры стояли Каринка и Саша. В семь утра Саша набрал тот ночной номер. Анна слышала, как он говорит с кем-то на кухне — тихо и внятно, задавая короткие вопросы. Карина гремела на кухне посудой. Анна поднялась и, как больная, держась за стенку рукой, добрела до кухни. Оба, и мать, и сын, с тревогой разглядывали ее, вопросов не задавали — Каринка молча налила ей крепкий кофе и положила на блюдце бутерброд.

— Ешь! Впереди трудные дни. Надо поесть.

Анна отодвинула блюдце и только тогда разрыдалась. В этот момент до нее дошло — ее Игоря больше нет. И прежней жизни — пусть калечной, нечестной и неудачной — тоже. Ничего больше нет. Вообще.

Саша вышел из кухни, оставив подруг наедине. Анна захлебывалась слезами, а Карина просто сидела рядом и гладила ее по голове:

— Ну поплачь, поплачь! Дело хорошее. В конце концов, ты же не по нему плачешь, Анечка, а по прежней жизни. По молодости вашей. По любви. Вот и поплачь.

— И по нему — тоже, — громко всхлипнув, прошептала Анна.

Карина не возразила.

— А как же! И по нему! Ну, разумеется, и по нему — кто же спорит?

Одному Карина точно обрадовалась — какое счастье, что дурочка Анька не успела уйти из их общей с Березкиным квартиры, а это означает, что никто не попросит ее отсюда уйти. И счет в банке и что там еще тоже наследует она, законная вдова. А Берез-

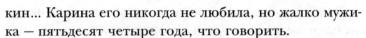

кин... Карина его никогда не любила, но жалко мужика — пятьдесят четыре года, что говорить.

Саша и Карина все взяли на себя, Анну к скорбным хлопотам не привлекали. Карина объявила:

— Похороны послезавтра, в Доме художника панихида, поминки там же, в ресторане.

— Поминки? — бесцветным голосом спросила Анна.

Саша почему-то глянул на мать и смутился. Карина отвела глаза и махнула рукой:

— Да все решат. Тебя привезут и увезут, всё. Ни о чем не беспокойся, иди отдыхай.

Это все было странно. Она — жена, вдова. И кто за нее все решит? Коллеги и товарищи Игоря? Ну, наверное, это нормально. Или не очень? Анна была так растеряна, что плохо соображала. Понимала одно — послезавтра она увидит Игоря в последний раз. А что будет дальше... Какая разница? Кажется, жизнь закончилась...

Карина от нее не отходила — пыталась кормить, давала какие-то таблетки — от нервов и для сна. Анна и вправду почти все время спала. Слава богу. Только так можно было пережить эти дни.

В день похорон она заметила, что и Саша, и Каринка страшно нервничают.

— Ребята, со мной все нормально, — пыталась успокоить их она, пошатываясь от слабости. — Я все выдержу и переживу, в конце концов... Я же собиралась от него уходить! — попыталась улыбнуться она.

Но улыбка вышла жалкой, кривой. Не улыбка — гримаса.

— Сядь, Ань! — вдруг твердо сказала Карина. — Сядь. Есть разговор.

Анна с удивлением посмотрела на подругу, потом на Сашу, который страшно смутился и быстро вышел из комнаты. Было видно, что Каринка нервничает.

Анна посмотрела на часы.

— Кар, что случилось? Кажется, уже случилось все, что могло! Или что-то еще? Кажется, хватит... сюрпризов?

Как оказалось — нет. То, что сказала Карина... Нет, невозможно! Хотя... Вполне даже возможно и вполне вероятно — какая же она дура, господи! Столько лет быть нелепой и наивной дурой! Нет, не так — идиоткой, полной кретинкой!

Карина говорила тихо и внятно, пытаясь донести до подруги то, что должна была донести.

— У Игоря твоего давно другая семья, и там двое детей. Да, двое — мальчик и девочка. Возраста их я не знаю, но дети совсем маленькие, кажется, дошкольники или младшие школьники. Баба эта, их мать, совсем молодая. Приезжая, кажется, костюмер или гример, что-то в этом роде. Какая нам разница? Дело не в этом. Да, все знали. Ну кто все? Его коллеги. Конечно, знали. Все вместе работали. И про детей знали, конечно! Да какая нам разница — знали, не знали. Дело не в ней. И уже не в нем. Дело в тебе! Потому что... Потому что она сегодня будет на похоронах. Нет, ты подожди, Анечка! — Карина, видя, что Аня вспыхнула, взяла ее за руку. — Это нормально. Да, и я так считаю! Ты не согласна? Господи, да кто спрашивает его, твое согласие? Так бывает. Да, две вдовы. Она — мать его детей. Ты — его жена. А вдовы — две. Это жизнь, Аня. И тебе придется это пережить. Ты же не можешь не пойти туда? Ты никогда себе не простишь. Попро-

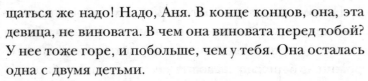

щаться же надо! Надо, Аня. В конце концов, она, эта девица, не виновата. В чем она виновата перед тобой? У нее тоже горе, и побольше, чем у тебя. Она осталась одна с двумя детьми.

— Ты предлагаешь ее пожалеть? — Ане казалось, что она сейчас задохнется от нового горя, от всего, что на нее обрушилось.

— Нет, я тебе это не предлагаю! — твердо ответила Карина.

— Но я не смогу, не смогу смотреть на нее. — Аня захлебывалась в слезах.

— А ты не смотри. Смотри на меня. Или — вообще в никуда. Но пойти надо. Надо, Аня. Пойти и проститься. А прощать или нет — это дело второе. Оставь прощение на потом. Что сейчас об этом?

— Но почему ты молчала? Почему сказала только сегодня?

— Не решалась. — Кара помолчала и добавила: — Тебя жалела. Себя. Все, все, Анечка! Давай одеваться. День сегодня тяжелый. Ужасный сегодня день. Но мы его переживем. А куда денемся? — Она принялась доставать из шкафа Анины вещи. — Так, надевай эту юбку и эту блузку. Да-да, черную. Не белую же. Все, вставай, моя дорогая. Пора. И вот, выпей, станет полегче. — Карина протянула ей таблетку.

В машине Анна уснула.

Тот день она помнила плохо — как будто на ней были очки с чужими диоптриями. Или в глаза насыпали песка. Все расплывалось, четкого фокуса не было, и краски казались почти не различимы — все выглядело серо-черным или бурым, грязно-коричневым.

Потом, когда она пыталась вспомнить этот ужасный день и разложить его по минутам или хотя бы по часам, то вспоминала немногое: вот Сашенька осторожно и бережно выводит ее из машины. Каринка рядом — поправляет на ней платок. Зачем ей платок, зачем? Сроду она не носила никаких платков! Она и сейчас срывает его — темный чужой платок — и бросает на пол. Но Каринка поднимает его и засовывает в свой карман, приговаривая:

— Не хочешь — не надо, Анечка! Только не нервничай.

Помнит полутемный зал, приглушенную музыку — кажется, знакомую. Бах? Или Бетховен? Она не могла вспомнить и начала нервничать — как же так, такая знакомая мелодия! В центре зала — гроб на постаменте. Блестит, сверкает даже — черный лак, какая глупость! А, это преломляется свет! Она подняла голову и увидела огромные старые люстры — такие большие и тяжелые, что стало страшно: не дай бог, рухнут! Что тогда будет? Господи, да всех накроет и раздавит! Какой кошмар!

Ей стало тревожно и зябко, и она повела плечами и испуганно посмотрела по сторонам — Карина, Сашенька? Они, слава богу, здесь — Саша стоит у нее за спиной, а Каринка? А, вот она! Разговаривает с каким-то мужчиной. Шепчет ему что-то на ухо, не сводя с нее глаз.

Кто это — ее давний знакомый? Вообще народу прилично. Даже много. Зачем они здесь, почему? Все в черном или темном, переглядываются, тихо переговариваются, разглядывая ее.

Да наплевать. Пусть смотрят. Ей совершенно на все и на всех наплевать. Господи, для чего она здесь? Гроб... Да, это похороны. Только — чьи? Она прищуривается и пытается разглядеть фотографию, что стоит в изголовье гроба. Игорь? Господи, как же похож на ее Игоря! Брат? Нет, у него не было брата. У него есть сестра, Мария, Маша. Она хорошая, но Аня так давно ее не видела — она же уехала, да? Надо будет спросить у Игоря — где его Маша? Господи, что за ужасные таблетки дала Каринка — все плывет, качается, словно в шторм на корабле.

«Как мне плохо!» — мелькнуло в голове.

Вокруг гроба, в центре зала, полукругом стоят стулья — в три ряда. Партер. Каринка помахала им, и Сашенька бережно взял Анну под локоть.

— Куда? — беспомощно пробормотала она. — Куда, Сашенька? Мы уходим? Ой, слава богу! А то я очень замерзла.

Но Саша привел ее к этому полукругу из стульев и усадил на один из них. Растерянная, очень испуганная, Аня вдруг закричала:

— Карина! Кара! Иди ко мне!

Карина быстро подошла, села рядом и крепко, очень крепко, до боли, сжала ее руку. Анна попыталась вырваться, ей стало до слез обидно, до чего же Каринка грубая.

Но руку Каринка ее не отпустила, зашептала:

— Тихо, тихо, Анечка! Скоро все кончится, все пройдет. Ты только не нервничай, а? Все ведь проходит, правда? И это, господи, мы с тобой переживем...

Справа от нее — Сашенька, слева — Каринка. Ну ладно, что она так нервничает? А, очень болит голова.

Очень. Давно так не болела. И знобит, очень знобит, просто зуб на зуб не попадает. «Господи, да, наверное, я заболела! Конечно, заболела — вот и причина нашлась! Сейчас зима, холодно. Грипп. Конечно, самое время для гриппа! Вот и я подцепила. Только — где? Кажется, я несколько дней не выходила из дома».

Подходят какие-то люди и, слегка наклоняясь, что-то ей говорят.

— Что? — переспрашивает она. — Что-что? Простите?

На нее странно и удивленно смотрят — наверное, из-за температуры у нее пылает лицо, и она кошмарно выглядит. Какой-то женщине, крупной блондинке, совсем незнакомой, она пытается это объяснить. Но и эта блондинка смотрит на нее странно и тут же переводит вопросительный взгляд на Каринку. Ну и черт с ней, с блондинкой.

— Кара, пойдем домой! — шепчет она подруге. — Мне плохо, я заболела! Очень болит голова!

Каринка снова гладит ее по руке.

— Потерпи, Анечка! Скоро все кончится.

Что кончится? И зачем она здесь?

Какой-то приземистый мужичок в черном шарфе вокруг горла — смутно знакомый? — ведет под руку женщину. Женщина молода, худощава и одета в черное узкое платье, подчеркивающее ее красивую фигуру. На голове у нее черная легкая косынка и большие черные очки от солнца. Зачем ей очки — здесь же и так темно. Из-под косынки выбились светлые, золотистые волосы. Красивые. Вообще она, кажется, очень красива, эта молодая женщина в узком шелковом платье. За руку она держит девочку лет пяти — бе-

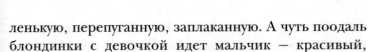

ленькую, перепуганную, заплаканную. А чуть поодаль блондинки с девочкой идет мальчик — красивый, очень красивый мальчик-подросток. Ему лет двенадцать или чуть меньше. У мальчика густые русые волосы, смуглая кожа и темные глаза. «Какой красивый мальчик!» — думает Анна.

Блондинка с девочкой смотрит на нее не отрываясь. Или — на Кару? Впрочем, что там видно, за солнцезащитными очками? Ничего.

На несколько секунд их взгляды встречаются. Но тут мужичок в шарфе усаживает блондинку и девочку на соседние стулья. Туда же садится русоголовый красивый мальчик. Блондинка опускает голову и мелко вздрагивает, трясется. «Плачет», — догадывается Аня.

Каринка снова до боли сжимает ее руку.

А потом начинаются речи — сбоку от гроба становятся люди и по очереди начинают что-то говорить. Говорят они негромко, музыка продолжает играть, и Анне почти ничего не слышно. Она напрягает слух и улавливает знакомое имя — Игорь. Игорь Березкин. Ее муж. Говорят о нем? Того, кто лежит в гробу, ей не видно — дорогой гроб глубок и завален цветами.

Очередь из говорящих все не кончается — люди прибывают и прибывают. К Анне подходят, жмут ее холодную руку, кто-то гладит ее по плечу, кто-то проводит по ее волосам. А кто-то просто что-то говорит — отрывисто, непонятно. Музыка, речи. Озноб. Голова. Боже, как плохо!

Подходят и к блондинке с детьми — тоже жмут руку, гладят по плечу, по волосам. Наклоняются, что-то шепчут. «При чем тут она?» — недоумевает Анна. Гладят по голове и белокурую девочку, красивому мальчику пожимают руку. Он очень смущен, сидит, не поднимая головы, и его смуглое лицо расцвечивают вспыхивающие красные пятна.

Девочка капризничает, она явно устала и, наверное, хочет спать. Она начинает плакать, и все оборачиваются на нее. Блондинка девочку не успокаивает — странно. Сидит, как сидела, уронив голову на грудь.

— Как ты? — шепчет Анне Карина. — Потерпи, скоро все закончится! Немного осталось.

— И мы поедем домой? — громко говорит Анна. — Домой? Я очень хочу домой, Кара! — почти кричит она.

Она слышит себя, и ей становится неловко — ведет себя как малое дитя!

— Кара, прости! Конечно, я потерплю!

Но тут Каринка и Сашенька берут ее под руки и поднимают со стула.

— Идем, милая! — шепчет подруга. — Надо идти!

Анна встает и чувствует, как кружится голова — да, это грипп! Теперь все понятно. Она пошатывается, как пьяная, и, слава богу, ее крепко держат с обеих сторон Сашенька и Каринка.

— Всего десять шагов, — шепчет Кара и подводит ее к блестящему гробу.

Анна смотрит туда и видит Игоря. Игоря? Ее Игоря? Значит, это он в гробу, ее муж? А почему ей ничего не сказали? Игорь умер? Ах да! Это она забыла, она! Но как она могла об этом забыть? Уколы, таблетки. «Скорая». Молодой врач в голубых джинсах и красном свитере под белым халатом — она помнит его. Укол. Да, он не соврал — больно не было. И она уснула. Почти сразу уснула, как он ушел. Ничего не видела и не слышала.

И снова «Скорая помощь». Кары не было — только Сашенька. Он и вызвал врача, потом оправдывался перед матерью:

— Я испугался! Ей было так плохо, что я испугался.

А Каринка ругала его. За что, интересно? И почему Анне было так плохо? Выходит, она болеет давно?

Игорь. Да, это он, ее муж. Он мало похож на себя — вообще-то он смуглый, очень смуглый. А сейчас — страшно бледный. И какие темные подглазья! Он болел? И рот не его. Совсем не его рот — у него же красивые пухлые губы. А здесь? Тонкая, плотно сжатая полоска. Но это он, Игорь, она это знает. Никакого подлога. Да, ей сказали, что он умер, она вспомнила. Кажется, она тогда закричала, даже упала. Ударилась? Да, рукой и бедром — было больно. Вот поэтому и вызвали «Скорую». Наверняка.

Игорь умер. Как странно... Такой молодой. Теперь она вдова? Господи... А отчего он умер? Надо бы спросить — наверное, Каринка знает. Она всегда все знает, ее Каринка.

Но тут Анна вспомнила — да ей же позвонили, ей! Какой-то мужчина с глухим голосом. Это он сказал ей, что ее муж умер. Да, скоропостижно скончался от инфаркта. Она все вспомнила! Как надо прощаться, господи? Подойти ближе, поцеловать его? Взять за руку? Нет, просто погладить. Голову, плечи, руки. Попрощаться. Сказать ему что-нибудь напоследок. Только что? И почему здесь, на стульях для родственников, рядом с ней, эта блондинка с детьми? А, и это вспомнила! Это его любовница и его дети. Смуглый, серьезный мальчик и беленькая капризная девочка. Это его дети, Игоря, ее законного мужа. И это — его женщина! Эта молодая и очень стройная женщина — *его* женщина, родившая ему двоих детей. Аня не смогла, не родила. Побоялась. А она не испугалась, эта блондинка. Молодец. Поэтому она здесь — на полузаконных основаниях. Или — законных? Потому что она — мать его детей. Выходит, она здесь на законном основании, а не Анна. Кто же тогда Анна? Оставленная и обманутая жена. Одинокая и бесплодная дура. Но попрощаться надо. Так положено. Только зачем? Что сказать ему сейчас? Что прощает его? А будет ли это правдой? А если нет, тогда зачем? Зачем врать здесь, у гроба? Шепнуть, что не прощает? Тоже — зачем? Сказать, что отпускает его? Она давно его отпустила. Или нет? Надо попрощаться с ним, и все. Пусть уходит с богом.

«Все на меня смотрят, — поняла Анна. — Чего они ждут? Скандала? Его не будет. Я же не брошусь к этой блондинке и не вцеплюсь ей в волосы. Я не доставлю им такого удовольствия. А они же все знали! Знали, что есть она. Есть эти дети. А мальчик похож на Березкина. Очень похож, такой смуглый мальчик. Ну да бог с ними.

Сейчас уйду. Попрошу Каринку и Сашеньку отвезти меня домой. Они не откажут же, правда? Зачем мне здесь оставаться? Пусть остается она, его женщина. Жена? Да, наверное, она и есть его жена — у них же дети. А я уходящая натура. Призрак. Мираж. Воспоминание из далекого прошлого. Я никто. Ни жена, ни мать, ни любовница. Ни художница. Я никто. Ну вот и все. Прощай, Игорь. Я сейчас уйду. Прощай».

Она легко и коротко дотронулась до плеча мужа и посмотрела на Карину:

— Ну что? Пойдем?

Та растерянно кивнула, обернулась на сына и отступила на шаг.

— Да-да, Анечка! Сейчас, сейчас! Давай выйдем на улицу, а? просто подышим. А уж потом... — Она замолчала, виновато глядя на подругу.

— Потом? — переспросила Анна. — А что потом, Кар? Кладбище, поминки? Нет, всего этого не будет, Кара, ни кладбища, ни уж тем более поминок! Я туда не пойду, разве не ясно?

Каринка кивнула.

— Я попрощалась, — твердо продолжала Аня. — Я попрощалась с ним, все. А дальше — она. Она и ее дети. Их дети. Я там, кажется, лишняя. Ей так будет легче. Да и мне тоже, правильно? Зачем мучить друг друга? Мы и так намучились, обе.

Каринка растерянно бормотала:

— Ты права, Анечка! Это немного... фарс, что ли? Я понимаю — две вдовы, да... Но положено же проводить! На кладбище, а, Ань? Как не проводить? И поминки — тоже положено. И тебе будет легче, поверь! Мы же решили с тобой — пережить этот день. Вот и...

Анна решительно перебила ее:

— Кара, я же сказала! Я ухожу. Ты как угодно. А помянем мы его дома. И на кладбище я с ним попрощаюсь потом. Наедине.

Чуть пошатываясь, Анна пошла к лестнице, ведущей вниз, на выход. Каринка семенила следом. У выхода она оглянулась — блондинка с детьми стояли у гроба. Вернее, стояли дети. А блондинка почти лежала на ее муже и громко рыдала.

121

Две недели после похорон Аня не выходила из дома. Лежала на диване и ничего не делала. Ничего. Не читала, не включала телевизор, не слушала любимое радио «Джаз и блюз». Просто лежала, прикрыв глаза, и вспоминала совместную жизнь с Березкиным. Ее мужем. Впрочем, если по-честному, была ли у них эта так называемая совместная жизнь? Не было ее, надо найти силы и признаться себе в этом. Хотя бы себе. И вообще — был ли Игорь Березкин Аниным мужем? Тоже нет. Их *вместе* уже не существовало давно, сто лет как. Тогда вопрос — а зачем? Зачем вообще все это было нужно? Например, ему? Лет десять-двенадцать назад у него родился сын. Потом дочка. Столько лет он жил с другой женщиной, молодой и красивой, матерью его детей. Почему он не уходил от опостылевшей жены? Загадка. Жалел Анну? Вряд ли. Березкин был не из тех, кто кого-то жалеет. Нет, все понятно — с Анной ему было удобно. Но не в одних удобствах ведь дело! Так не бывает. Бояться ему было нечего — работу бы он не потерял, осуждения бы не вызвал. Тогда почему?

Это мучило Анну больше всего. А она, эта блондинка? Почему она не настояла на том, чтобы он ушел? Она имела полное право — двое детей. Кажется, она приезжая? Тогда тем более — ей надо было устраивать жизнь, она отвечала за детей, у них должен быть отец, квартира, наконец. Или он купил им квартиру? Вполне возможно — Игорь Березкин зарабатывал хорошо, даже очень хорошо.

Ладно, оставим блондинку. Есть ее, Анина, собственная жизнь, потерпевшая крах, полный крах. Она одна, и у нее ничего нет — ни детей, ни работы, ни мужа. Только пустота. Она прокручивала свою жизнь с Игорем год за годом, припоминая давно забытые подробности.

Молодость. Ну хотя бы тогда они любили друг друга? Она — да, разумеется. А он? Кажется, да... Любил. Если не убедить себя в этом, тогда вообще край. Тогда получается, что все зря, все напрасно. Вся ее жизнь, вся их бедность, тяготы быта в отцовской мастерской. Но ведь тогда Анна точно была счастлива! Оглушительно счастлива, она это помнит.

Потом профессиональный взлет Игоря — яркий, внезапный, почти неожиданный. И она снова счастлива — у него получилось! Вот именно тогда она закрыла тему со своей работой — да, именно тогда, когда решила стать просто женой, поддержкой, пристанью, плечом, костылем.

Ее жертву Игорь принял спокойно, как само собой разумеющееся. Двум талантам ужиться трудно, невозможно. Он предложил выбор, и Анна выбрала — спокойно, без слез и истерик. Так, значит так. Пожалуйста! Буду верно служить. А что тут плохого?

Игорь ни разу не спросил, как она. Он вообще никогда ни о чем не спрашивал — разговоров по душам у них не было. Жили как чужие люди, как соседи, выходит, так.

Она сразу и навсегда решила на него не обижаться, а гордиться им. Вот смешно: ни разу — ни разу, за исключением того, последнего, срыва, — она не высказала мужу свои обиды или претензии. Золотая жена, а? Нет, конечно, бывает, обижалась, а как же. Когда он не брал ее в командировки, например, когда уезжал в отпуск один. Да конечно же, не один — это она, дура, слепо верила в эти примитивные сказочки.

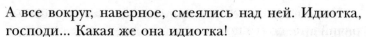

А все вокруг, наверное, смеялись над ней. Идиотка, господи... Какая же она идиотка!

Игорь вел себя так, что «делать вид было глупо» — все было так очевидно! Всем, только не ей. Потому что ей не хотелось это видеть. Знать. Признавать. Ей было удобно жить в своем коконе, в своем теплом болоте, в своей уютной и мягкой люльке.

Она выбрала комфорт. Комфорт, а не жизнь. Карина права.

Ей всегда, всегда было трудно, почти невозможно сделать выбор. Даже в ерунде, в пустяках — Каринка смеялась над ней, «продуктом советской эпохи»:

— Капитализм не для тебя. Ты теряешься в магазине, в любом отделе, где есть выбор — колбаса, туфли, платье, духи. Тебе хорошо было тогда, в Союзе, когда не надо было ничего выбирать — бери что дают и будь счастлива.

Анна и вправду никогда не могла выбрать — туфли, сумочку, цвет кофты, сорт ветчины или сыра. Всегда терялась, раздумывала, сомневалась, прикидывала, сравнивала. А что говорить про другое? Она никогда не могла решиться сразу — ни на что: выбор института, поездка в отпуск, билеты в театр.

И вот теперь она тряпка, безвольная старая кукла со спутанными волосами и сломанными руками, с испуганными глазами и глупейшим выражением лица. Всеми забытая и выброшенная на помойку.

Анна бродила по квартире, которую так когда-то любила, в которую вложила все сердце и душу. Огромная квартира, сто десять метров. Гулко раздавались шаги. Зачем она ей? Зачем ей все это, если нет ничего?

Она плакала, громко сморкалась, вставала то под горячий душ, почти под кипяток, потом под ледяной, обжигающий, от которого начинало болеть сердце. Без конца пила чай, грызла старые сушки, и мак сыпался на ее несвежую майку и на дорогой персидский ковер.

Она не причесывалась, не мазала лицо кремом — ей было на все наплевать.

Каринка улетела черт-те куда, на Аляску, в Палмеру, на какую-то серьезную конференцию по проблемам гигантских овощных культур. Анна помнила, что подруга рассказывала ей про капусту весом в сто килограммов. Дело там, кажется, в солнце.

Конечно, подруга часто звонила! Но время не совпадало, и Анино равнодушие и нежелание разговаривать Карина принимала за сонное состояние.

Саша с невестой улетели на Бали — путевки были оплачены сто лет назад, и вообще, девушка бы не поняла, если бы он отказался ехать: ради маминой подруги? Ха-ха. Он тоже звонил, слава богу, редко — ему не до нее, и хорошо, все правильно.

Каринка появилась, как всегда, внезапно. Ввалилась в квартиру поздно вечером, в полдвенадцатого и без звонка:

— Ку-ку! Я туточки! Что, не ждали?

Анна не ждала ее, правда. Страшно смутилась своего непотребного вида. Но умница подруга сделала вид, что не заметила, что все в порядке вещей — подумаешь, грязная майка!

И рано утром, когда Анна еще спала, уже вовсю гудел пылесос и раздавался роскошный запах трав и кореньев — одновременно Каринка что-то готовила.

— Многорукий Шива! — объявила она, увидев на пороге кухни заспанную и растерянную Анну. — К вам явился многорукий Шива или Гай Юлий Цезарь. Он, кажется, тоже мог сто пятьдесят дел провернуть разом. — Карина устало опустилась на стул.

Она заставила Анну привести себя в порядок, поесть и даже вытащила на улицу.

— Хватит умирать, Анька! Смысла в этом, поверь, никакого... — вздохнула она — ничего не вернешь, надо жить.

— Зачем? — коротко спросила Аня.

Каринка пожала плечами:

— Чтобы жить, Аня. Все просто. От жизни добровольно не отказываются. Если в полном здравии, конечно, — быстро и испуганно добавила она, — это же не наш случай, правильно?

Теперь пожала плечами Анна:

— Наверное.

На улице было хорошо. Падал мелкий, мягкий снег, покрывая деревья, козырьки и крыши, воротники и шапки. От снега было светло.

— Какие светлые сумерки! — удивилась Аня. — Хорошо!

Каринка кивнула:

— Жизнь.

Вечером Аня тихо спросила:

— Ты знала?

— Про нее? — уточнила подруга. — Нет, откуда? Узнала только перед похоронами, когда хлопотали. Ты... не можешь его простить?

— Не его. Себя. За что его прощать? Все правильно, логично и закономерно. Я, скажу тебе, почти не уди-

вилась. Надо же быть такой дурой! Ничего не хотела видеть, ничего. Наверное, надо мной смеялись. Он — в первую очередь. И она заодно. Но он был гений, Карка! В своем деле — гений.

— Сволочь он был в первую очередь! — отрубила Каринка. — Распорядился твоей жизнью и уничтожил тебя.

Анна покачала головой.

— Нет, он ни при чем. Это я распорядилась. Сама.

Замолчали. Первой неуверенно начала Каринка:

— Ну, знаешь... Еще далеко до конца. Не все, конечно, впереди — что уж тут говорить! Но кое-что есть.

— И что ты по поводу нее думаешь? — осторожно спросила Аня. — И что знаешь?

— Что знаю? — переспросила Каринка. — Приезжая. Тридцать пять лет. Зовут Светлана. Живут на съемной квартире в Кузьминках. Мальчик в четвертом классе, девочка с няней. В сад нельзя, она аллергик. Ну вот и все. Что я могу про нее знать?

— Аллергик, — задумчиво повторила Анна. — Как Березкин.

Каринка от волнения кашлянула и испуганно посмотрела на Аню и быстро, словно решившись, сказала:

— Она хотела с тобой поговорить, эта...

— О чем? — искренне удивилась Анна и усмехнулась: — О чем нам с ней говорить?

— Я не знаю. Могу предположить. — Она замолчала. — Знаешь, я ведь тоже... была в таком положении. Я никогда не была женой, только любовницей. Не мне ее судить, понимаешь? Но я могу предположить, что она хотела тебе сказать! Я бы на ее месте тоже хотела. Прости. Но я ее отговорила. Не разрешила

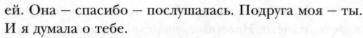

ей. Она — спасибо — послушалась. Подруга моя — ты. И я думала о тебе.

— Спасибо, — ответила Анна.

Каринка уехала — все понятно, мальчишки. Вечером позвонила:

— Ну как ты, Анечка?

— Да нормально! — бодро откликнулась Анна и неожиданно попросила: — Кара! Дай мне ее телефон! И не спорь, слышишь?

Каринка молчала, не понимая, что думать и что отвечать. Наконец, громко сглотнув, хрипло сказала:

— Ты уверена? Может, подумаешь?

Анна улыбнулась:

— Подумала уже, время-то было. Ты же знаешь — я всегда думаю и никогда не принимаю решения сразу — забыла?

Каринка вздохнула:

— Ага, как же. Помню.

— И кстати, у тебя нет юриста или нотариуса? Своего, в смысле?

— Юриста? — переспросила Каринка. — А зачем, прости за глупый вопрос.

— А, ерунда! — бодро ответила Аня. — Разобраться с квартирой — так, пустяковый вопрос.

— С квартирой? — осторожно переспросила Каринка. — Прости, что уточняю — с какой? С родительской, в смысле?

— Нет, с этой. С нашей... ну, с Березкиным.

— А что с ней, с квартирой? Что-то не так? — еще осторожнее поинтересовалась Карина.

— Да все так, не волнуйся! Просто хотела ее переписать на Светлану. И на ее детей, соответственно.

— На какую Светлану? — тупо повторила Каринка. — В смысле — на *ту*? На Светлану? — тупо повторила она.

— Карка, ты тормозишь! — рассмеялась Анна. — Или ты не расслышала? Да, на нее. И на ее детей. На их с Игорем детей, Кара! А что тебя так удивило? Я же собиралась обратно домой? Ты забыла? Мы и ремонт сделали, а? И снова будем рядом, напротив. Эй, Кара, проснись! — Она рассмеялась.

— Аня, — наконец проговорила Каринка, — ты не в себе. Может, нам нужен не юрист, а доктор? Ты совсем спятила, Аня. Я сейчас приеду, слышишь? И не вздумай уйти из дома! — с угрозой добавила она.

— Да куда я уйду, господи? — устало ответила Анна. — Некуда мне уходить. И врач мне не нужен. Поверь, со мной все в порядке. Я вполне в себе. Просто я так решила! И что тут странного, а? Они же имеют право. Просто он умер и ничего не успел.

Каринка молчала.

А Анна воодушевленно продолжила:

— Ну так вот! Все нормально и даже отлично. Мы с тобой будем рядом, как раньше. И тебе не надо будет мотаться ко мне по всякому поводу, когда тебе покажется, что надо приехать. А вечером будем гулять! В парке, а? Уток кормить. Их ведь еще не извели? Ты говорила, они все еще есть!

Каринка по-прежнему молчала.

— Слушай, Кар! — тихим и усталым голосом продолжила Анна. — Я так решила. И мне стало легко, понимаешь? Ну сама посуди — зачем мне такая квартира? Я же говорила, мне надо отсюда уйти. Иначе ничего не изменится. И вообще эти сто с лишним метров — кошмарная кубатура для одинокой женщины. Я как в лесу. Только «ау» кричать некому — не отзовутся. Я тут уже нажилась одна. И мне было плохо. А для троих — самое то! И не волнуйся, я уже давно попрощалась с этой квартирой. Еще при его жизни, помнишь?

— Я тебя поняла, — с усилием ответила Карина. — Будет тебе юрист. Есть на примете. — И она положила трубку.

Анна ходила по квартире и прикидывала, что еще надо забрать с собой в новую жизнь. Теперь многое надо было собрать — это ее жизнь, ее жизнь с мужем. Новым жильцам ничего оттуда, из той жизни, не нужно. Но сколько вещей, господи! И как их все разместить в родительской квартире? Кое-что можно свезти к Айвазянам на дачу. Например, большие картины, тяжелые и длинные гардины. Покрывало на огромную королевскую кровать. Семейную кровать. Которая никогда не была семейной, а если и была, то очень-очень давно.

Теперь, когда она все решила и почти собралась, пришло время позвонить Светлане.

Анна пыталась говорить беззаботным голосом, но голос срывался. Светлана слушала молча, не перебивая. А когда Анна закончила, осторожно спросила:

— А вы не передумаете? — И тут же смутилась: — Ой, простите! Я что-то не то говорю! Просто я ошарашена, если честно.

В общем, кое-как договорились на следующий день встретиться на Маяковке, у нотариуса, «чтобы закончить с пустяковым вопросом», — закончила свою речь Анна.

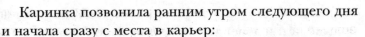

Каринка позвонила ранним утром следующего дня и начала сразу с места в карьер:

— Послушай ты, не побоюсь этого слова, идиотка! Я не могу просто так смотреть на все это! На твою несусветную дурость, идиотизм и шизофрению. Ты еще не одумалась, кстати?

— Кара! — взмолилась Аня. — Оставь меня! Очень прошу! Я уже все решила. И обратной дороги нет, понимаешь? Я уже позвонила этой женщине... — Она осеклась. — Этой... Светлане.

— Дай и черт с ней, с этой Светланой! — завопила Каринка. — Кто она тебе, кто? Сестра или подруга? Она тебе — любовница твоего мужа! Которого, между прочим, она не увела у тебя по чистой случайности, просто не успела, чуть-чуть времени не хватило.

— При чем тут она? — вздохнула Аня. — Если кто и виноват, то мы сами, Березкин и я. А скорее всего — я одна.

— И давно ты у нас святая? — желчно осведомилась подруга.

— Да какая я святая, брось! Я же все равно собиралась уходить от него. И даже почти ушла из этой квартиры. А там дети, Кар! И они уж точно ни в чем не виноваты. Да и зачем мне все это? Мне одной? Я сто раз говорила тебе — дело совсем не в моей, как ты говоришь, святости! Я это делаю в первую очередь для себя. Только так я могу изменить свою жизнь. Хотя бы попробовать. Вдруг получится, а? — Анна нервно хихикнула. — Да и потом, Кара, я устала быть несчастливой. Очень устала. Да и зачем мне эти дурацкие метры?

— Зачем? — заорала Каринка. — А чтобы продать! Или сдавать! На что ты, кстати, собираешься жить?

На пенсию? Так она у тебя через два года! Березкина больше нет, и денег тебе никто не даст. А может, у тебя накопления? Или ты свято веришь в то, что тебе зачтется? Потом, когда-нибудь? Нет, дорогая! Забудь! Единственное, что ты получишь на «сладкое», — это всеобщий радостный смех. Ты рассмешишь людей, Аня! Доставишь им удовольствие. Я подозревала, что ты с приветом! Но уж никак не думала, что ты блаженная! Знаешь, а может, тебе не в родительскую квартиру вернуться? Давай прямиком в монастырь!

— Да нет у меня ничего, никаких накоплений, — резко оборвала подругу Анна. — Так, ерунда. Ты же знаешь, он давал только на жизнь, все. Правда, давал прилично, можно, конечно, было откладывать, копить. Но я как-то тогда об этом не думала.

— А вообще ты о чем-то думала? Для того чтобы думать, милая, нужна голова, а у тебя — прости — ее нет!

— Кара, закончили! Ну пожалуйста! Как ты думаешь, мне легко будет жить, если я буду знать, что его дети без крыши над головой. Ты же сама говорила, как трудно с детьми без мужа.

— Брось! — устало ответила Каринка. — Жить будешь неспокойно? Какое тебе до них дело? Чужие люди. Знаешь, я могла бы ее понять, посочувствовать — сама такая же, все правильно ты говоришь. Только почему я должна думать о ней, об этой молодой и здоровой бабе? Я подумаю о тебе, о своей подруге! Не очень молодой и не самой здоровой. Умоляю, Анька, не делай этого! Христом богом прошу! Потом пожалеешь! Тридцать миллионов на дороге не валяются! И вообще — разве ты не заслужила спокойную старость? Всю жизнь служила ему, как... — тут она запнулась.

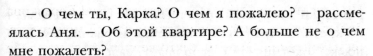

— О чем ты, Карка? О чем я пожалею? — рассмеялась Аня. — Об этой квартире? А больше не о чем мне пожалеть?

Каринка молчала.

— Вот именно! — вздохнула Аня. — А ты говоришь. И вообще, это же мое дело, верно?

— А-а-а! — с сарказмом протянула Каринка. — Значит, твое? Ну-ну. Валяй, раз только твое. А мы тут так, сбоку припека. Я поняла, Ань. Извини.

Анна попыталась объясниться, но в трубке зазвучали гудки. Конечно, она обидела Каринку. Сколько подруга возилась с ней, сколько мучилась. Сидела возле нее сутками. Кормила, поила, привозила врачей. А Анна? «Мое дело». Сволочь она, конечно, после этого.

Анна бы и дальше плакала и каялась, но времени не было — через два часа у нее встреча на Маяковке с нотариусом и со Светланой. Надо было спешить.

Через две недели она переехала.

Анна ходила по своей новой-старой квартире и вспоминала родителей, детство, детский сад и школу, подходила к окну и смотрела на двор, где прошли их с Каринкой детство и юность. Вот лавочка под дощатым навесом, окрашенная прежде в ярко-зеленый цвет — она вспомнила, как они с Каркой плюхнулись на нее, а краска еще не подсохла. Конечно, испортили платья. Аню страшно ругали родители. Ох, ну и досталось же ей тогда за «порчу имущества»! А Каринку совсем не ругали — бабушка Нина вздохнула, повертела испорченное платье, да и выбросила — подумаешь! Здесь, в этом дворе, они, совсем маленькие, лепили куличики в круглой песочнице. Позже закапывали «секретики» и играли в классики и резиночку. Еще позже кокетничали с дворовыми мальчишками и даже целовались в подъезде.

Аня поставила чайник.

— Я вернулась! — вслух сказала она. — Я вернулась домой.

Она выпила горячего чаю и легла на диван, укрывшись пледом. Оглядела свою новую спаленку, бывшую детскую — всего-то восемь метров! — и подумала: «Как мне уютно. Я ведь всегда боялась больших помещений, пространства. Как это называется? Боялась толпы — это, кажется, демофобия. Мне всегда становилось нервно и тревожно в больших магазинах и выставочных залах. Психопатка, я не спорю. Я всегда и всего стеснялась, боялась выделиться из толпы, быть замеченной. Боялась ярко одеваться, привлекать к себе внимание. Мне нравилось зарываться в своей норе и прятаться, да».

Она закрыла глаза и вспомнила встречу со Светланой. Та стояла перед дверью нотариальной конторы, смущенная и перепуганная. Увидев Анну, она вздрогнула и побледнела. Анна любезно кивнула и попыталась улыбнуться, чтобы подбодрить. В тот день Светлана не показалась ей такой уж молодой — она увидела и ее морщинки, и усталые глаза, и бледную кожу. И никакая она не демоническая красавица — обычная женщина, обычная. Ничего примечательного — таких сотни. И ей, кажется, стало полегче.

По счастью, вся процедура заняла час от силы. Анна еле стояла на ногах, держась из последних сил. Наконец они вышли из конторы, и надо было прощаться.

— Спасибо вам, — тихо сказала Светлана хриплым от волнения голосом. — Большое спасибо!

— Пожалуйста, — просто ответила Анна. — Будьте там счастливы.

Она первая развернулась и пошла к метро, чувствуя, как дрожат руки. Она успокаивала себя, приговаривая: «Ну вот, всё, всё! Все закончилось, и слава богу. Закончилась та жизнь. И началась другая». Почему-то она обернулась. Светлана стояла на том же месте и смотрела ей вслед. Анна смутилась, кивнула, махнула ей рукой и быстро, не дожидаясь ответа, вошла в метро.

Каринка обиделась и пропала. Анна позвонила ей на следующий день, и ее сын, Кирюшка, сказал, что мама улетела в командировку.

— Надолго? — спросила Аня.

Он задумался:

— Ой, я забыл, теть Ань! Сейчас спрошу у Николы!

Никола тоже помнил приблизительно — кажется, мама должна вернуться через неделю или дней через десять. Точно и он не помнил.

— Спасибо, — ответила Анна, — я ей позвоню. И кстати, мальчишки, если что-то надо — я здесь, рядом. В подъезде напротив.

Новая жизнь не начиналась. Все было по-старому. Анна сидела дома, рассматривала альбомы с семейными фотографиями, вспоминала родителей и Березкина и много плакала. Хандра не проходила. Спасали старые книжки, собранные родителями — те, что она читала в юности. Она с удовольствием перечитывала

Чехова и Тургенева, Гончарова и Пруста, Золя и Мопассана. Иногда смотрела старое кино по телевизору. Наступил март, и по утрам по окнам и подоконнику мелко стучала капель.

Каринка простила ее — конечно, простила. Но забегала нечасто — дела. Сашенька собирался жениться — прибавилось хлопот и тревог.

Как-то вечером, в субботу, сидели у Анны и пили белое вино. Молчали. Анна видела, как Каринка устала, да она и не скрывала:

— Да, Ань, устала. Командировки, кафедра, научная работа. Как хочется отдохнуть где-нибудь на теплом море, под пальмами! Лежать и не двигаться — красота! Просто смотреть на море и молчать. День, два, неделю. И чтобы — никого!

— Даже меня? — усмехнулась Аня.

— Даже тебя, прости! — улыбнулась Карина. А после спросила: — Ты все-таки простила своего Березкина?

Анна улыбнулась:

— Ты только подумай, как мне повезло. Я же ничего не знала при его жизни ни про эту женщину, ни про их детей. А как бы я страдала, ты представляешь? Как мучилась! Тогда я бы его не простила. А потом он умер, и кого мне теперь прощать?

— Знаешь, — задумчиво сказала Карина, — я тебя всегда считала такой... козой, тетехой. Одним словом, росомахой — уж прости и не обижайся.

Анна перебила ее:

— В смысле того, что я никогда не могла принять решение, да?

— Ну и это тоже, да. Не обиделась?

Анна покачала головой:

— Так правда же, на что обижаться?

— А ты такое выдала... На это способен только сильный человек, с большой силой воли. И силой характера. И еще — с огромной, необъятной душой. Короче, ты, Анька, меня потрясла.

Анна отмахнулась:

— Да брось ты! Я же не от необходимого отказалась, а от лишнего. Я ведь так хотела начать новую жизнь! А не получается, Кара, почему-то не получается. А ты говоришь — сильная. Какая я сильная? Плакса я, рева и страшная трусиха.

— Я пойду, — сказала Каринка. — Завтра будущие родственники, родители Сашиной невесты, придут познакомиться и все обсудить. Может, заглянешь? Что тебе тут одной?

— Нет, Кар, спасибо! — Анна положила ладонь на Каринкину, слегка ее пожала. — Это дело семейное, при чем тут я? Сами разбирайтесь! И ты меня не пристраивай, Карка! Хватит меня опекать и жалеть. У тебя жизнь куда сложнее — ты отвечаешь за многих! А мне надо учиться самой жить и самой за себя отвечать. Пора ведь, как думаешь?

Каринку осенило на следующее утро — вот тогда и состоялся разговор по поводу Аниной поездки на море.

Деньги, кстати, у Ани заканчивались — те, что оставались еще от прежней жизни. Какая поездка, о чем вы? Но подумала — а хочется очень, очень захотелось уехать. Куда? Да все равно! Пусть на дней десять, на неделю. Нет, недели, конечно, мало. А вот дней десять — в самый раз.

Эта мысль, дерзкая и прекрасная, так зацепилась, что стала навязчивой идеей. Мечтой. Аня пересчитала оставшееся — да, еще немного есть. На скромную жизнь — примерно на год. На разгульную — на пару месяцев. А на поездку — хватит. Должно хватить — если не очень шиковать. А что потом? Разберемся. В конце концов, однова живем. Анна сама испугалась и удивилась своей лихости.

Да уж, коза! Сорвалась с цепи смирная коза — выходит, что так.

Стала смотреть туры. Италия, сладкая греза, выходила недешево. Дороже всего остального. Но мечта есть мечта!

Решила дождаться мая — ехать в апреле было неправильно, еще прохладно и возможны дожди. А май — прекрасное время! Лучше и не придумать — жары еще нет, а тепло и солнце уже есть. И море, пусть пока холодное.

Путевку купила, не сказав Карине: решила сделать сюрприз и еще раз поразить подругу — вот я какая отчаянная! А потом подступил страх — никогда она одна в далекое путешествие не отправлялась — Ялта не в счет. Как же — она ведь такая трусиха? Господи, что она сделала? Но билеты не сдашь — дешевые, несдаваемые. Значит, потеря. От путевки отказаться можно — правда, и здесь потеряешь. Анна взяла себя в руки — вот оно, начало новой жизни! А если сдрейфить, отказаться, можно поставить на этой новой жизни крест. В конце концов, не в ссылку же она себя отправляет! Не на неизвестную работу. Не в горы, не в степи, не в прерии — все цивилизованно, все спокойно.

Ежедневные тренинги помогли. Каринке призналась за неделю до отъезда, когда почти был собран чемодан.

Та ахнула и закричала от радости:

— Ну ты даешь, мать! Вот молодчина! Нет, ты не коза — козочка! Молодая и бодрая — вон как копытцем застучала! Ох, молодец!

В тот же вечер прибежала, проконтролировала сборы, проверила билеты и путевку — с тебя, козы, станется! Успокоилась, долго пили чай, и Каринка рассказывала про будущую свадьбу старшего сына.

В понедельник, двадцать пятого мая, Анна улетала. В аэропорт ее отвез Саша. Проводил до самой стойки оформления, как велела мать.

Анна бродила по аэропорту, пила кофе, заглядывала в магазины. Зачем-то купила пестрый дорогой шелковый шарф, сама удивляясь своей смелости и расточительности. И еще — глупости. Ведь в Италию еду! Зачем? Но надела на шею шарф и посмотрела в зеркало — как он ей шел! Освежал, молодил, украшал. Вспомнила слово Нины Константиновны — «личит». «Оно тебя личит», — говорила она про новое платье. То есть — к лицу.

Полет прошел нормально, и Анна успокоилась — ничего страшного, что психовала?

В Риме должны были встретить — трансфер был оплачен. В аэропорту она растерянно оглядывалась. А, вот! Молодая, приятная женщина держала табличку с надписью «Анна Березкина». Познакомились, уселись в крошечный трехдверный «Фиат» и — вперед!

Анна глядела по сторонам — дорога, дорога, шоссе.

— Дорога из аэропорта не бывает интересной, — улыбнулась Наташа, та самая, что встречала ее с табличкой. — А через десять минут въедем в Рим! Только с погодой не повезло — у нас дожди. Льют уже две недели без остановки.

Окраина Вечного города Анну не впечатлила.

— Спальные районы, — объяснила Наташа, — они везде одинаковые.

Анна попыталась справиться с легким разочарованием.

Ближе к центру настроение поменялось — восхитительные творения архитектуры, памятники, которые она до сих пор видела только на фото, прекрасные улочки, свежая зелень деревьев и клумбы с яркими цветами.

Машина резко притормозила у скромного серого здания.

— Вот ваша гостиница, — объявила Наташа. — Завтра в девять я за вами приеду и поведу вас по городу. Поужинать можете рядом — вот прекрасная траттория, — она кивнула на маленькое кафе дверь в дверь с гостиницей. — Завтра в девять! — строго повторила Наташа и дала по газам.

Анна стояла перед входом в отель, оглядывалась и снова страшно робела. Припоминала английские слова, чтобы объясниться на ресепшен. Наконец решилась и вошла внутрь.

Гостиница была недорогой, зато находилась в центре, на Виа деи Фори Империале, недалеко от пло-

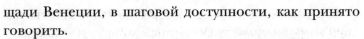

щади Венеции, в шаговой доступности, как принято говорить.

Номер был крошечным — еле-еле вмещались кровать и тумбочка. Еще был узкий встроенный шкаф для одежды и на стене маленький телевизор. «А что еще надо на десять дней одинокой женщине?» — подумала Анна.

Зато за окном был Рим! Вечный город и город вечности.

Она стояла у окна, выходящего на неширокую боковую улочку, по которой проезжали редкие машины, и вглядывалась в темноту. Распахнув окно, глубоко вдохнула — воздух показался ей замечательно свежим и чистым. Глупость, конечно, пахло бензином и чемто жареным, но Анна различала только запахи недавно прошедшего дождя, зелени и ароматы ванили и кофе.

Все зависит от настроя. Анна вдруг почувствовала, что давно, очень давно не была так оглушительно счастлива. Она провела ладонью по пылающим от волнения щекам. «Какой прилив сил», — подумала она. Кажется, нечто подобное она испытывала в далекой молодости, когда все ожидания — только подарок.

Она улыбалась. Когда она в последний раз улыбалась? Во весь рот, во все сердце, легко и светло?

Анна разобрала чемодан и вдруг ахнула, обнаружив на дне конверт с тысячей евро. Каринка! Господи, всетаки выполнила свое обещание и умудрилась подсунуть «подарок».

Что делать — придется принять. Иначе скандал! Честно говоря, Анна обрадовалась: тоненькая пачечка подняла настроение и здорово расширила ее скромные возможности.

Она легла в кровать, но сон не шел. И все-таки это была не утомительная и изнурительная бессонница — это было предвкушение. Радость. Восторг. Ожидание. Ожидание сюрпризов и открытий. Ожидание счастья.

«Умница Карка, — подумала она, — какая умница, что подала эту идею! И я умница, что решилась, не сдрейфила, не пожалела денег. Все, спать, спать! Завтра тяжелый день и наверняка куча впечатлений. Господи, помоги мне уснуть! Мне так нужны силы».

Утро было свежим и солнечным, как будто этот город наконец дождался ее и встретил хорошей погодой.

В дверь постучали, и портье принес завтрак — на маленьком подносе стояли кофейник, молочник, сахарница, йогурт, масло и два тонких кусочка ветчины. Под салфеткой лежали две теплые булочки. Красота!

Анна села у раскрытого окна, в которое отчаянно билось ярко-желтое солнце, обещая сухой, без дождей, теплый день.

Она пила кофе, жевала булочки и поймала себя на том, что улыбка не сходит с ее лица. «Наверное, вид у меня довольно дурацкий, — весело подумала она. — Ну и пусть! Кто меня видит?»

Но она ошиблась. Мимо ее окна, опираясь на трость, шел старик в широкополой светлой шляпе. Он поднял голову, увидел ее и, сняв шляпу, с серьезным видом поклонился, приветствуя ее, и помахал рукой.

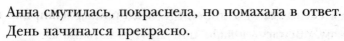

Анна смутилась, покраснела, но помахала в ответ.

День начинался прекрасно.

Ровно в девять она вышла из гостиницы и увидела Наташину машину. Та кивнула:

— Как погодка, а? Это вы привезли! Ну что, как прошла ночь?

— Замечательно! Знаете, так странно — я все время улыбаюсь! Что мне, кстати, совсем не свойственно. Наверное, это нервное, от возбуждения и предвкушения.

Наташа кивнула:

— Нормально! Этот город мастак на сюрпризы. Ну что, рванули?

Счастливая, Анна кивнула в ответ.

Экскурсии были оплачены — несколько дней счастливых открытий. Колизей — с него начали, Ватикан. Собор Петра и Павла. Испанская лестница, фонтан Треви.

— На сегодня достаточно, — объявила Наташа, — а то от впечатлений сойдете с ума.

Она оказалась хорошим экскурсоводом — информацией не грузила, мыслью по древу не растекалась. Была собранной и немного строгой — Анна даже немного робела.

Устав, присели в кафешке выпить кофе.

— Вкусно! — причмокнула Анна, слизывая с ложки густую молочную пенку капучино.

— Здесь все вкусно, — усмехнулась Наташа, — а уж кофе всегда.

Часов в пять она привезла Анну к гостинице и посоветовала отдохнуть, а потом, к вечеру, если останутся силы, можно прогуляться по близлежащим улочкам, посидеть в кафе или зайти в магазины.

— Но без меня ничего не покупайте! — предупредила Наташа. — Я вас отвезу туда, где дешево и хорошо.

Они распрощались, и Анна пошла отдыхать. Она почти сразу уснула, хотя перед глазами, как карусель, проплывало увиденное за день. Спала она долго, почти три часа, но встала бодрой и готовой к подвигам. И еще очень хотелось есть.

Она вышла на улицу и огляделась — не заблудиться бы! Но страха не было — вот ведь! Прогулявшись, зашла в маленький ресторанчик и заказала пиццу. Где, как не здесь, в Италии? Ну и пиво — пиво она любила.

Утром снова встретились с Наташей и снова круговерть — господи, как пережить все это, всю эту немыслимую красоту, древность, историю? Римский форум, Пантеон, пьяцца Навона, Испанская лестница, Замок святого Ангела, галерея Боргезе.

Так прошло четыре дня. Конечно, она уставала! Но это была усталость приятная, незнакомая прежде. Наплевать на гудящие ноги, на слезящиеся глаза — на все наплевать, она была счастлива.

Опытная Наташа повезла ее по магазинчикам — малоприметным, но, как оказалось, прекрасным. И снова Анна себе удивилась — она жадно перебирала кофточки и юбки, белье и туфли. Бежала в примерочную, огорчалась, если что-то не подходило. Радовалась, если наряд, обувь «садились», шли, были впору.

— Я никогда не была тряпичницей, — смущенно оправдывалась она перед смеющейся Наташей.

Ну и конечно, нужно было купить подарки — Каринке, Сашеньке, его невесте и близнецам. Какая, оказывается, радость делать подарки! Продумывать, подбирать, представлять, как им подойдет и понравится, как они будут рады.

Пакеты были заброшены в багажник Наташиной машины, и Анна в благодарность пригласила Наташу на ужин.

Сели в уютном ресторанчике.

— Здесь абсолютно аутентичная кухня, — объяснила Наташа, — для своих. Здесь нет туристов — настоящая итальянская домашняя еда, а не туристический хлам и обман.

Спагетти с трюфелем и морепродуктами, фокачча, бутылка белого вина. Конечно, кофе с десертом, домашним тирамису — его делала теща хозяина.

Это был их последний совместный вечер. Анна горячо благодарила Наташу:

— Вы открыли мне Рим, вы подарили мне счастье, — смущенно повторяла Анна.

И начался обычный женский разговор — как это бывает всегда.

Наташа рассказывала про себя — в Риме уже пятнадцать лет, всякое было, вспоминать не хочется. Сейчас замужем за итальянцем, родила ему дочку. Все хорошо, только очень скучает по маме. А мама переезжать не желает — там, в Псковской области, у нее дом, сад и огород, подружки и соседки. Все свое, знакомое и родное. Конечно, ее можно понять. Только на душе неспокойно — она не молодеет, хворает и все время одна.

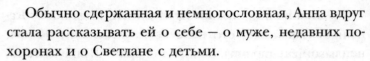

Обычно сдержанная и немногословная, Анна вдруг стала рассказывать ей о себе — о муже, недавних похоронах и о Светлане с детьми.

Наташа качала головой.

— Вот ведь как бывает. — А услышав про подаренную квартиру, почти разбушевалась: — Анна! Да как вы решились? Нет, я такого не слышала! Чтобы добровольно отказаться от денег? Да еще и в пользу кого? Вашего врага, Анна!

— Да какого врага, Наташа! И при чем тут враги? Там дети. Игоря дети. И им тяжелее, чем мне.

Анна пожалела, что так была откровенна с малознакомым человеком. И вдруг Наташа, внимательно посмотрев на Анну, начала странный разговор. Зашла издалека, и было видно, что она смущена и ей крайне неловко.

У ее итальянского мужа есть отец, Наташин свекор. Человек немолодой, что понятно, и нездоровый, что тоже понятно.

— Но еще вполне себе, вполне! — улыбнулась Наташа. — Еще франтит, любит хороший коньяк и красивые вещи. Он вдовец, и ему нелегко себя обслуживать. Мы нанимали женщин, конечно, но нам фатально с ними не везло — одна оказалась нечестна на руку, вторая не умела готовить и была страшной неряхой, а третья — третьей повезло — выскочила замуж и ушла от свекра. У нас, сами понимаете, времени очень мало, как следует опекать его мы не можем.

Анна поддакивала, сочувствовала и все еще не понимала, к чему ведет ее новая приятельница. Та, окончательно смутившись, собравшись с духом, выпалила:

146

— Анна, я вижу, что вы приличный и интеллигентный человек. Мне неловко вам предлагать, но это неплохой заработок, поверьте — полторы тысячи евро в месяц плюс питание. Дедушка наш довольно неприхотлив, хотя не без характера. Но с ним можно найти общий язык. Да и работа несложная для умелой и опытной женщины — готовка, уборка, стирка и глажка. Но что там нужно одинокому мужчине? К тому же вы, как я понимаю, свободны — обязанностей в Москве у вас нет. Вы уж простите, что я решилась на этот разговор! Но мне кажется... Словом, это не оскорбительно, верно? Накопите денег, и весь мир будет у ваших ног — путешествия, наряды. Все удовольствия! Знаете, любая работа не грех — я тоже тут прошла не только Рим, но и рым, — она горько усмехнулась, — пока не встретила своего Джино. И нянькой работала, и официанткой. И за бабулей слепой смотрела. Всякое было.

Анна молчала, пытаясь переварить услышанное.

Наташа подняла на нее глаза:

— Вы обиделись, Анна?

— Нет, что вы! Спасибо вам за доверие. Вы правы, никакого греха в работе нет, и в деньгах тоже. Любая работа почетна. Только простите, но нет. Я даже не могу объяснить вам толком. Вы не обиделись?

— Нет, что вы. У всех своя правда и свои резоны. У всех своя жизнь. Только все же подумайте еще, а? У вас есть мой телефон. Я подожду.

И все же возникшая неловкость не исчезала — это чувствовали обе. Наташа отвезла Анну к гостинице, и они распрощались.

Войдя в номер, Анна даже не раскрыла пакеты, чтобы рассмотреть свои обновки. Она сникла, почувствовав, как из нее ушли силы — словно ее сдули, как воздушный шар. Не раздеваясь, она легла на кровать и заплакала. Она снова ощущала себя такой одинокой и никому не нужной. Никому. У Карины своя жизнь и большая семья. Предсвадебные хлопоты, семейная радость. А у нее? У нее ничего. Нет, она не обиделась на Наташу. Тогда отчего ей так грустно, тоскливо и одиноко? Отчего ей так плохо?

Оставалось два дня, но она уже очень хотела домой.

И еще очень хотела на море. Узнав у портье, как добраться до ближайшего прибрежного городка, поехала на вокзал, в который раз удивляясь своей смелости и отчаянности. Поезд шел полтора часа. Она вышла на нужной станции и взяла такси. Погода испортилась, и пошел дождь, небо серело и темнело на глазах.

Анна вышла на набережной и уселась на влажную скамью. Дождь прекратился, ветер немного стих, но было пустынно и тихо. Пляж тоже пуст — не сезон. Однако море было величественно и прекрасно. «Как давно я не видела моря», — подумала она и пошла по мокрому песку к воде. Вода неожиданно оказалась теплой. Анна помочила руки и, оглянувшись, лизнула мокрую ладонь. Как восхитительно пахло свежестью и волной! Как пахло море!

Она почувствовала, что замерзла, и быстро пошла в город. Согревшись в кафе горячим кофе и бокалом «Мартеля», она заспешила на вокзал. Послезавтра она уезжает. Остался последний день, и его надо провести на отлично — хватит хандрить. В конце концов, это

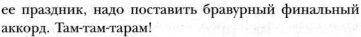

ее праздник, надо поставить бравурный финальный аккорд. Там-там-тарам!

Это означало долгую и приятную прогулку — дай бог, чтобы не было дождя, — последние мелкие покупки и сувениры и прощальный ужин в одиночестве. Тоже неплохо.

Все сложилось — правда, небо морщилось и капризничало, но дождь лишь покрапал, попугав прохожих и Анну.

Вечером она собирала чемодан.

Самолет улетал днем, и она успела выспаться и привести себя в порядок.

Попрощавшись с милым портье и поблагодарив его, Анна вышла на улицу. Возле отеля стояла машина, незнакомая, не Наташина. Из нее вышел незнакомый парень, представился и подхватил ее чемодан.

— А где Наташа? — осторожно спросила Анна.

Парень ответил, что Наташа слегка приболела. Анна почему-то расстроилась.

А в Москве было жарко. Так бывает в наших широтах — жаркий май, а дальше — холодное лето. Все наоборот.

Встречал ее Сашенька, верный дружок. Она почувствовала, что очень рада тому, что дома. За окнами был родной и знакомый город.

Зайдя в квартиру, Анна выдохнула — ну вот, слава богу! Путешествие-авантюра закончилось. Наверное, ура. Нет, точно — ура! Она дома. А что может быть лучше своего дома?

Она позвонила Карине — доложилась и сговорились назавтра увидеться.

— Соскучилась! — призналась она.

— Эх, лягушка ты путешественница! — почему-то грустно сказала подруга.

Назавтра был выходной, суббота. К обеду пришла усталая Карина — заботы перед предстоящей свадьбой ее окончательно измотали. Ели прошутто, вяленую домашнюю колбасу и, конечно, сыр. Запивали всю эту роскошь красным итальянским вином. Анна делилась впечатлениями, подробно рассказывала про море и Рим, Вечный город. Показывала фотографии. А потом вспомнила про последний разговор с Наташей и рассмеялась:

— Сейчас я тебя повеселю, Карка!

Ну и рассказала. Карина усмехнулась:

— И что, отказалась?

Анна удивилась вопросу подруги:

— Ну да, а что тебя удивляет? Неужели ты...

Карина ее перебила.

— Ну и дура! — с серьезным лицом припечатала она. — Вышла бы замуж за старичка и быстренько его уморила. Прожила бы новую жизнь на берегу моря и стала бы наследницей состояния. А кстати, он богат? Ты узнала?

Анна не сводила с подруги удивленного взгляда.

Каринка не выдержала и прыснула. А следом расхохоталась и Анна.

— Завтра поеду на дачу, — отсмеявшись, вздохнула Карина, — надо глянуть, чего и как. Неохота страшно, спала бы себе и спала поутру часов до двенадцати, а? Но надо открывать, так сказать, сезон.

Анна обрадовалась:

— Возьми меня с собой! Я так давно там не была — целую вечность! К тому же я тебе помогу.

 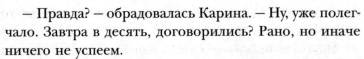

— Правда? — обрадовалась Карина. — Ну, уже полегчало. Завтра в десять, договорились? Рано, но иначе ничего не успеем.

Вёз их Саша, вечный помощник. По дороге болтали о том о сем и, конечно, обсуждали предстоящее торжество.

На даче уже вовсю цвела сирень — светлая, темная, махровая и белая. В окна било солнце, переливалось в цветных стеклышках веранды, самой уютной на свете. Карина ходила по дому и ахала:

— Господи, сколько же грязи накопилось за зиму!

Долго пили чай на веранде, в открытые окна которой врывались запахи сирени и свежести.

Ну а потом взялись за работу. Привели дом в порядок. Вечером засобирались домой.

Анна, уже умывшись и собравшись, стояла на крыльце и смотрела на сад — на распускавшиеся белым цветом яблони и вишни, на молодую яркую траву, на первоцветы, проклюнувшиеся на клумбах. Она словно замерла и не могла отмереть — ей было чуть зябко, тревожно, но спокойно, уютно, знакомо и хорошо. И вдруг она тихо сказала подруге:

— Слушай, Кар! А что, если... если я тут поживу? Дня три? Или два?

Карина посмотрела на нее с удивлением.

— Побудешь? Да ради бога! Только, — она поежилась, — еще прохладно. Не задубеешь? Хотя кофты и куртки есть, если что.

Счастливая, Анна с благодарностью обняла подругу. Потом она стояла у ворот и махала отъезжающей машине.

— Аня всегда эту дачу любила, — тяжело вздохнула Карина и посмотрела на сына, — я ненавидела, а она любила. Такие дела.

Сын промолчал — не в его привычках было задавать лишние вопросы.

Ночью ухал филин, а рано утром размеренно застучал дятел. Знакомые звуки наполняли дом — все как в детстве.

Анна встала с кровати, потянулась и подошла к окну. Было так торжественно и тихо, что у нее защипало в горле. Она быстро оделась, выпила чаю и поднялась на чердак. На чердаке было полно разного хлама — впрочем, как на любой даче. Она узнала потертую бархатную куртку Аветиса Арамовича, суконное зеленое пальто Нины Константиновны, красные резиновые сапоги Каринки и люльку от Сашенькиной коляски — синюю с белой полосой посредине. На чердаке пахло прелью, мышами и старыми одеялами. Сквозь узкое оконце пробивались лучи пыли, освещенные солнцем. Она уверенно подошла к правому углу, в котором стоял старый, пыльный и темный комод, и решительно рванула ручку. Комод поддался с большим трудом — конечно, дерево рассохлось и разбухло, но она справилась. Из ящика пахнуло знакомым запахом, и Анна в волнении замерла. Потом достала оттуда кисти, краски и лист плотного коричневого картона.

Потрогала засохшие кисти.

Да, вряд ли их можно омочить. Хотя наверняка есть скипидар или керосин — на дачах всегда есть керосин и скипидар. А уж хозяйственное мыло — самый проверенный способ! В глубине комода увидела зна-

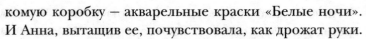

комую коробку — акварельные краски «Белые ночи». И Анна, вытащив ее, почувствовала, как дрожат руки.

Ну здесь все совсем просто — несколько капель воды, и краски оживут, «проснутся».

У лестницы стоял ее старый мольберт, укрытый вязаным, в старых дырках, жакетом. Его так любила тетя Нуне.

Анна осторожно спустилась по шаткой лестнице, стряхнула с волос паутину и разложила свое богатство на веранде. Вспомнила и побежала в сарай — скипидар отыскался. Потом она распахнула окно и села на стул.

Долго не могла решиться подойти к мольберту, взять в руки кисть, развести краски, вдохнуть их запах — давно забытый, но такой знакомый. Такой родной и любимый.

Анна решилась, взяла себя в руки. В конце концов, она теперь смелая — она назначила себя смелой. И ей уже почти ничего не страшно. Нет, все-таки страшно. Но разве это страшнее путешествия в одиночку в незнакомую страну?

Сколько прошло времени, она не знала. Не заметила. Час, два, пять? Ей казалось, что вечность. Руки занемели, устали. Заныла спина. Она почувствовала, что страшно, нечеловечески проголодалась и глянула на часы — восемь вечера! Значит, получается... Десять часов? Она стояла у мольберта десять часов? Нет, невозможно. Но, оказывается, нет ничего невозможного.

На улице уже были сумерки, и на веранде стало прохладно и мрачновато. Свет, как говорят художники, кончился.

Свет кончился, а жизнь... Кажется, началась.

Анна боялась посмотреть на свою работу. Тянула время, готовила чай, делала бутерброды. Чай пила на кухне, не решаясь войти на террасу. Потом наконец собралась. Она нащупала выключатель, повернула его, и веранда осветилась желтоватым и теплым светом.

Она смотрела на свою работу и задыхалась от счастья. Нет, ничего особенного — совсем ничего! Просто на холсте распустилась сирень — твердые, плотные, прохладные и крепкие кисти. Светло-сиреневая, нежная. Темная, махровая, почти чернильная. Белая, нежная, воздушная, как невеста.

Цветы были такими живыми, что их хотелось потрогать, понюхать, вдохнуть, зарыться в них лицом. А на ветке сидела птица. Маленькая синица с любопытными и пугливыми глазками. Такая живая, что стало страшно — вот сейчас она вздрогнет и полетит.

Что тут скажешь — весна! И кажется, новая жизнь.

Високосный февраль

Устроил все Митя, муж. Конечно же, при поддержке мамы. А когда они вместе, это уже сила. Мощная сила, куда там Маше!

Справедливости ради, их беспокойство она понимала, но разделять не собиралась. А хандра была крепкой. Сжала железными лапами — не вырваться. Маша и не пыталась. Валялась весь день в кровати — не подходи, убьет. Нервы сдавали. Но и причина была веской, что уж тут. Ну и Митя засуетился, подключил маму, и началось — врачи, психологи, тренинги и прочее, прочее.

Маша от всего этого отказывалась:

— Только не трогайте, умоляю!

Потом умолять перестала и начинала скандалить:

— Оставьте меня в покое! Достали.

Но ни Митя, ни мама не соглашались — вообще они были людьми действия. А уж молча смотреть и вздыхать, когда пропадает родной человек — нет, никогда. А Маша не волновалась — так бы и валялась в кровати месяц, два. Год. Нет, хорошо ей не было. Но еще тяжелее было вставать, чистить зубы, причесываться, одеваться, завтракать и куда-то ехать, а главное — разговаривать, общаться. Была у нее заветная мечта — чтобы все отвалили. Митя, например, в командировку, желательно в длительную. А мама... С мамой было сложнее — пенсионерка мама была «при доме». Нет, можно в санаторий. Или в путешествие. Но не тут-то было — командировки у мужа действительно случались, но тогда бывала брошена «тяжелая артиллерия» — тут же, в этот же день, приезжала мама, и начиналось...

Правда, из множества «специалистов», с которыми Маше пришлось познакомиться в эти дни, понравилась одна — та, которая тихо шепнула Мите:

— Оставьте ее в покое! Ей сейчас нужен только покой, а не ваши суета и тревога. Этим вы вгоняете ее *туда* еще сильнее.

Упертый муж попытался поспорить, но психологиня, явно уставшая от пациентов с нестабильной психикой и их родственников, тоже далеких от нормальных — а где они сейчас, нормальные? — махнула рукой:

— Ну как хотите! Мое дело вам подсказать.

После этого визита Маша слышала, как муж подолгу разговаривал с тещей. Пытались полушепотом, а Маше было по барабану — слышать и знать ничего не хотелось, можно и громко.

Через пару дней Митя, наклеив на бледное лицо ослепительную фальшивую улыбку, за ужином, приготовленным им же, радостно объявил:

— Мусик! Ты едешь в санаторий! В прекрасный санаторий, заметь. Я все узнал и проверил — ты знаешь, как глубоко я вникаю в тему. Так вот. Чудесное место —

Волга, густой лес, замечательный номер и классная кормежка. Машка, там такая кормежка! Веришь, читая меню, я пускал слюни!

Маша молча уставилась на мужа. Не услышав моментальных возражений, он воодушевился и продолжил:

— Мусь, а природа? Сумасшедшая красота, ты мне поверь! Все-таки не наше загаженное Подмосковье — Средняя Россия, почти Поволжье. Точнее, Ивановская область. Четыреста верст от Москвы. — Он вскочил с места и бросился за планшетом, чтобы показать Маше расчудесные фото санатория.

Маша раздумывала. В конце концов, идея не так уж плоха! А даже и хороша — она там будет одна. Ни Митиных приседаний, ни маминых восклицаний. Да и не близко — вряд ли им придет в голову приехать ее проведать. Значит, полное, тотальное уединение. Есть, спать, возможно — гулять. Смотреть телевизор — дурацкое американское кино, боевик. Или читать — там наверняка есть пыльная библиотека с толстенькой тетенькой, гоняющей чаи с печеньем. И добрые старые книги — хорошие детективы из детства, например, Кристи или Сименона.

Митя вернулся с планшетом и принялся листать фотографии. Маша делала вид, что смотрит. А на самом деле ей было все равно. Какая разница? Что ей до размера номера, меню в столовой и красоты окрестностей? Ей был нужен только покой. Покой и тишина. И чтобы никого, никого.

А Митя заливался соловьем:

— Мусик, какой бассейн, а? Красота! А вид из окна? Нет, ты посмотри! Ну совершенно ведь сумасшедший вид, Машка! Елки, березки! Пишут, что белки и даже зайцы, Мусь! И ничего, что зима. Зимой еще красивее, правда? Зеленые елки и белый снежок, да? И лыжи! Ты же любишь лыжи, да, Машка?

Она кивала головой, как китайский болванчик: да, красота. Да, зайцы и белки. Спасибо, что не слоны. Да, лыжи. Да, любила. И зиму всегда любила больше, чем лето. Да-да, да. Только отстаньте.

Из ванной услышала, как Митя с воодушевлением рассказывает теще о том, что все получилось.

— Она согласилась, Ирина Борисовна! Ну что, я молодец?

Маша, сплевывая зубную пасту, усмехнулась: ага, молодец! Митя любил, когда его хвалили. Но это не его заслуга, это ее решение. Не захотела бы — фиг бы уговорил. Она такая — никогда против воли. Маленькая, худенькая, бледненькая девочка с милым и детским кукольным личиком и огромными голубыми глазами. Девочка-подросток. А за этой мягкой, светлой личиной — кремень, алмаз. Непробиваемая скала. И все это знали. И на работе в том числе. Поэтому все так и вышло. Все, все. Главное — не вспоминать, опять затянет тоска. Такая тоска и обида — хоть в петлю. Скорее бы закончился этот бесконечный високосный февраль. Скорее бы весна.

Отъезд был назначен через два дня. Конечно, приехала мама — руководить сборами. Мите, при всей их взаимной любви, этого она ни за что не доверила бы.

Маша сидела на диване и вяло кивала. Мама доставала из шкафа вещи и смотрела на дочь: это? А это? А может быть, это?

Маша кивала и давила зевок. Мама пыталась скрыть раздражение — все-таки дочь не совсем здорова. Делаем скидку. Впрочем, а когда с ней, с ее милой Машей, было легко? Вот именно.

Наконец чемодан был собран, и Машу — слава богу — отпустили спать. Сквозь дрему Маша слышала шепот, доносящейся с кухни — понятно, опять секреты, опять дружба против нее. Ну и черт с вами. Завтра она тю-тю! Поминай как звали.

Утро было морозным, зябким и голубоватым — красиво. Иней укрыл и украсил черные голые ветки деревьев, как нарядил.

Прорвались по Кольцевой и, слава богу, встали на Ярославку. Замелькали коттеджные поселки, белые поля, темные перелески, и начались деревушки — низенькие, темно-серые, с покосившимися кривобокими домиками, из кривых и коротких печных труб которых вился слабый дымок, рассеивавшийся в атмосфере. Частоколы ветхого штакетника, скворечники и скамейки, маленькие домики сельпо, оббитые пластиком — для красоты. Леса становились все более густыми, а деревеньки — более жалкими, работающих печных труб все меньше. Российская глубинка, что вы хотите.

Маша уснула, а когда открыла глаза, увидела узкую дорогу вдоль сказочного Берендеева леса — высоченные, темные ели, густо присыпанные снегом, стояли плотной стеной вдоль дороги, петляющей и бесконечной. Воздух дрожал от мороза, малиновое солнце слегка прикрывала легкая синеватая дымка.

— Уже близко! — сказал муж, увидев, что она проснулась.

Через полчаса проехали привокзальную площадь и старое здание вокзала в К. — маленьком, уютном городке. По нечищеным тротуарам осторожно скользил местный народ, прикрывая варежками рты, из которых вылетал пар, в нахлобученных платках и шапках — мороз. Вскоре появилось и здание санатория — величественное, кирпичное, крепкое — на века.

— Строили для космонавтов в семидесятые, — объяснил Митя. — Средств, как понимаешь, не жалели — престиж! И внутри все по полной — бассейн, сауна, тренажеры и прочее. Ну и столовка, естественно! Хрусталь, белые скатерти, картины, скульптуры — с социалистическим щедрым размахом, у нас это любили.

— У нас и сейчас это любят, — равнодушно отозвалась Маша, — в смысле, размах. — И шумно зевнула. Хрусталь и размах ее не волновали. Ее волновало другое.

В огромном фойе с мраморными полами и действительно огромными хрустальными люстрами было неуютно и довольно прохладно — Маша, не терпящая холода в помещении, поежилась. Митя оформлял ее на полированной стойке и кокетничал с девушкой-регистратором. Маша снова зевнула и равнодушно отвела глаза — она не была ревнивой, да и знала: муж — балагур, но все это наносное. Человеком он был преданным и верным, брак их был счастливым и крепким, друг другу они доверяли. А прочие сантименты и глупости были Маше чужды.

К тому же она устала и хотела спать. А еще — поскорее остаться одной. Поскорее!

На пафосном лифте с красным куском ковра на полу приехали на третий этаж — именно там и располагались люксы. Митя распахнул дверь и присвистнул. Оглянулся на Машу, торчавшую за его спиной, и, шутовски поклонившись, пропустил вперед.

Маша вошла, скинула угги и тут же увидела белые махровые тапочки — ага, все как надо, научились.

А вот номер ее рассмешил: он был огромным, размером со стандартную трехкомнатную квартиру — гостиная с полированной мебелью, бархатными диваном и креслами и хрустальной люстрой, с баром и торшером и, конечно, с красным ковром и малиновыми шелковыми гардинами — советский шик. Но паркетный пол давно рассохся и скрипел, форточка открывалась плохо, в большущей ванной наличествовало биде, из которого подтекала журчащая вода, и в раковине, узкой змейкой, назойливо вился старый, ржавый след. Вторая комната, спальня, была тоже из советского времени — полированные завитушки на спинках кровати, настольные лампы с бордовыми шелковыми кистями абажура и тумбочки со следами от горячих чашек.

— Блеск и нищета соцреализма, — пошутил слегка разочарованный и смущенный муж.

— Нормально, — отрезала Маша. — Ну что? Ты поехал?

Он покраснел и слегка нахмурился:

— А что, надоел? Уже прогоняешь?

— Да брось! Просто тебе еще долго ехать, — равнодушно отозвалась Маша.

Митя сдержал обиду и кивнул. Подошел к ней, крепко обнял и почувствовал, как напряглась и задеревенела ее узкая спина. Маша вздрогнула, когда

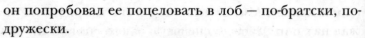

он попробовал ее поцеловать в лоб — по-братски, по-дружески.

— Давай тут, не балуй! — Митя дурашливо погрозил пальцем.

Маша отстранилась от него и попробовала улыбнуться, но улыбка получилась кривой.

— Ладно, попробую! — отшутилась она. — Но ты же знаешь — могу и сорваться.

Митя облегченно рассмеялся — на минуту ему показалось, что вернулась прежняя, остроумная и веселая Маша, совершенно своя. Однако, поймав ее моментально потухший взгляд, он понял, что ошибается.

Несколько минут Митя неловко топтался в прихожей, и было видно, что уходить, а тем более уезжать так далеко от нее ему страшно не хочется. Но, будучи человеком тонким от природы, он понимал, что уединение ей нужно как воздух. В конце концов, за этим он и привез ее сюда — сам так решил. Он еще раз попытался обнять жену, но, увидев гримасу раздражения на ее лице, быстро вышел из номера.

Он долго сидел в машине, даже закурил, хотя бросил это занятие уже два года как, но для экстренных случаев все же возил в бардачке пачку «Винстона». Сейчас был именно экстренный случай.

Во рту стало горько, а на душе было горько давно. «А может, она меня разлюбила?» — подумал он, и тут же его словно ошпарило. Нет-нет! Этого не может быть! Его Машка, Маня, Маруся — больна. Есть заключение врачей. Ну, не больна — нездорова, так будет правильнее. Ведь говорили, что можно обойтись и без лекарств — его Маруся сильная. Очень сильная. По правде — сильнее его. Это он всегда понимал.

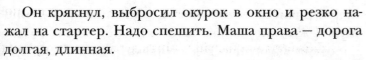

Он крякнул, выбросил окурок в окно и резко нажал на стартер. Надо спешить. Маша права — дорога долгая, длинная.

— Дорога длинная и ночка темная, — сказал он вслух и усмехнулся. Да все будет нормально — отступит Марусина хрень и... ух, они заживут! Еще как! Надо переждать, набраться терпения. И все будет как прежде. В конце концов, он так любит ее. Нет, они так любят друг друга.

Маша стояла у окна и смотрела на темную улицу. Во дворе возвышалась наряженная елка. Вдруг она вспыхнула, зарделась, засверкала десятками красных и золотистых лампочек. Чуть поодаль находилась гостевая стоянка, и Маша увидела, как Митина машина резко выехала с территории санатория.

Она вздохнула, задернула шторы и легла на застеленную кровать. Свернулась калачиком, поджав под себя длинные, стройные ноги. «Кузнечик! — называл ее Митя. — Ты мой кузнечик».

У нее и вправду была очень тонкая кость. «Аристократка! — смеялся Митя. — И кровь у тебя наверняка голубая». Это был намек на ее бледность. Действительно, она не знала, что такое румянец, при любом волнении бледнела как полотно, а не краснела.

Странно, но мама была как раз плотно сбитой, со смуглой кожей и вечным «персиком» на щеках. А уж когда волновалась, на ее лице вспыхивали малиновые пятна, которых она очень стыдилась. Маша совсем не была похожа на нее — ни в чем, совершенно! Мама была черноглазой — Маша голубоглазой. У мамы были нежные тонкие и светлые волосы, моментально кудрявившиеся от влажности, у Маши волосы темно-русые, жесткие, непослушные. Ей подходила только короткая мальчишеская стрижка. Мама была чуть курносой, а у Маши нос был тонкий, с еле заметной горбинкой. Они были совсем разные, мать и дочь. Но был же еще отец!

Свернувшись калачиком, Маша закрыла глаза и подумала: «Вот бы уснуть!» Теперь у нее была одна мечта — спать. Спать, спать, спать. Потому что во сне ничего не болит.

Она проспала ужин и, открыв глаза, поняла, что хочет есть. В рюкзаке, собранном мамой, обнаружила пачку вафель, пакетик кураги и плитку шоколада — любимые лакомства. Налила чаю и села в кресло у телевизора. Там что-то орали, перебивая друг друга, и присутствующие были похожи на безумцев, вошедших в раж — ей-богу, шабаш.

Она поморщилась и быстро выключила. Господи, как мама может смотреть все это! Тоска и кошмар. Вытащив из чемодана книжку, Маша попробовала читать. Но читала рассеянно, невнимательно, то и дело возвращаясь к только что прочитанному абзацу, который снова забывала через несколько секунд. Она отбросила книжку, снова свернулась калачиком и зарылась лицом в подушку: «Господи, когда же отпустит? Ну пожалуйста, господи! Помоги! Я так устала...»

Она тихо скулила, подвывала, как больной щенок, и в который раз удивлялась, что не было слез. Совсем не было слез — глаза абсолютно сухие.

Вспомнила слова психологини: «Вы плачете? Нет, совсем? А плакать надо! Вот если заплачете, значит,

дело пошло на поправку». Маша сморщила лицо, пытаясь выдавить хоть слезинку. Не получалось.

Она отоспалась ранним вечером, поэтому ночной сон к ней не шел, и это было самым мучительным, самым тяжелым — опять мысли, воспоминания. Боль и обида. Такая обида, что хоть рыдай. А вот слез по-прежнему не было. Она пыталась отогнать все это — то, что ее убивало, терзало, рвало на лоскуты, выворачивало наизнанку, вытряхивало из нее все то, что внутри. Ей казалось, что там, внутри, ничего нет — совсем ничего, одна пустота — ничего, кроме боли. Зато *эта гадина* заняла все пространство — места теперь было навалом. Ведь все остальное, из чего состояла Маша Мирошникова, исчезло по чьей-то злой воле.

Она в сотый, в тысячный раз перебирала в измученной голове и болеющем сердце те самые события, которые с ней произошли. События... нет, не то слово. Не то. С ней произошла беда. Горе. Страшное горе. Трагедия — так будет правильнее. Всё, всё. Забыли. Приказывала же себе — больше не вспоминать.

Отца Маша почти не помнила — так, что-то расплывчатое, размазанное. Последняя встреча с ним была сто лет назад, когда Маше было лет шесть. Встреча была короткой — на детской площадке возле их с мамой дома. Стояла поздняя осень, и было ветрено, с раннего утра шел колкий и острый дождь. Мама держала ее за руку и смотрела на дорогу. Лицо ее было хмурым, недовольным, злым. Наконец Маша увидела, как к ним не спеша, вразвалочку, идет высокий мужчина.

Мама недобро усмехнулась:

— Явился! Не прошло и часа.

Маша посмотрела на маму с тревогой, ничего не понимая, но ясно чувствуя, что что-то не так.

Мужчина подошел к ним, молча кивнул маме и присел на корточки.

— Ну что, малыш? — спросил он. — Как поживаешь?

Маша испуганно посмотрела на маму. Мама, поджав губы, хмыкнула и отвернулась.

Маша совсем растерялась. Мужчина был вполне симпатичным — голубоглазый, бледный, с подбородком, заросшим щетиной, которая, кстати, его совсем не портила. Он был без зонта и без кепки, капли дождя стекали по его лицу, и казалось, что он плачет.

Маша, сдержанная Маша, вдруг провела ладошкой по его щеке, смахнув капли. Провела и испугалась — что скажет мама? Но мама промолчала, только еще больше нахмурилась. А голубоглазый мужчина вздрогнул, часто заморгал и отвел глаза.

— Ну? — спросила мама. — И что будет дальше?

Мужчина пожал плечами:

— Ну можно в кино... Или... В парк.

Он был растерян — это было заметно.

— Еще чего! — вскинула подбородок мама. — В такую погоду? Да она заболеет!

— А что ты предлагаешь?

— Я? — Мама рассмеялась незнакомым холодным и колким смехом. — Что я тебе предлагаю? Ну ты как всегда!

Они стояли напротив друг друга, и Маша почувствовала, что эти люди, мама и незнакомый дяденька, очень друг друга не любят. Как, например, она сама

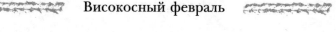

не любит воспитательницу Клару Васильевну, злую и громкую.

Наконец мама решительно сказала:

— Ладно, пойдем! Только ради нее! — Она кивнула на Машу и, не дожидаясь ответа незнакомца, схватила дочь за руку и потащила ее к подъезду.

Дома Маша быстро отогрелась, подержав озябшие и красные руки под струей горячей воды, и улизнула к себе в комнату — там ее ждала любимая кукла Матрена.

Спустя какое-то время она захотела есть и пошла на кухню, где сидели мама и тот самый мужчина. Перед ним стояла пустая чашка от кофе — Маша увидела на ней черный ободок.

Мама курила. Курила она редко, только в гостях или когда волновалась. А тут пепельница была полна окурков — маминых, с помадой на кончике фильтра, и других, без помады.

— А вот и Маша! — странным чужим голосом сказала мама.

Мужчина развернулся к ней и улыбнулся. И Маша снова подумала, что он очень красивый.

Мама была взбудораженной, нервной, как после педсовета. Мама ненавидела педсоветы, где всегда выступала — она преподавала немецкий и была завучем в школе. Или после скандала с бабушкой, что тоже случалось нередко. Мама и бабушка часто ругались. Мама кричала, что ее поздно воспитывать, а бабушка отвечала, что надеется на то, что еще не все потеряно.

— Что, Маруся, — спросила мама, — проголодалась?

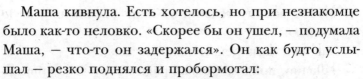

Маша кивнула. Есть хотелось, но при незнакомце было как-то неловко. «Скорее бы он ушел, — подумала Маша, — что-то он задержался». Он как будто услышал — резко поднялся и пробормотал:

— Ну я пошел, Ира! Спасибо за кофе.

— Может, останешься пообедать? — усмехнулась мама. — Тарелки супа не жалко, налью.

— Нет, спасибо, я уж поеду. Нужно поторапливаться — вечером спектакль. «Утиная охота», Вампилов. В театре перекушу.

— А-а-а! — насмешливо протянула мама. — Ну, если спектакль! — И коротко, неприятно хохотнула: — Тогда вперед! Вампилову пламенный привет! — выкрикнула она в коридор, где незнакомец с усилием натягивал мокрые ботинки. — И кстати, где ты пе-ре-ку-сишь, — с издевкой передразнила она, — мне абсолютно неинтересно!

Он ничего не ответил и посмотрел на Машу:

— Ну, девочка, до свидания?

Последняя фраза была вопросительной, и растерянная Маша, ища поддержки, обернулась на маму. Та стояла, отвернувшись к окну, и снова курила.

Маша неуверенно кивнула.

Мужчина подошел к ней, внимательно оглядел с головы до ног.

— Будь здорова! — сказал он и неловко чмокнул ее в затылок.

Маша испугалась, дернулась и подскочила к маме. Та погладила ее по голове:

— Не бойся, Маруся. Все хорошо.

Но голос у мамы дрожал.

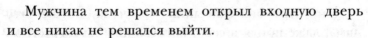

Мужчина тем временем открыл входную дверь и все никак не решался выйти.

— Ира!.. — хрипло начал он.

Но мама его перебила, словно хотела остановить:

— Иди уже, а? С меня, кажется, хватит!

Он быстро вышел.

Мама стояла столбом, как говорила вредная Клара Васильевна.

Маша потянула ее за рукав:

— Мам, а есть?

Мама вздрогнула, словно очнулась:

— Да-да, девочка! Сейчас, сейчас! Сейчас будем обедать. — Она засуетилась, принялась греметь кастрюльками, зажигать плиту и доставать тарелки и ложки.

Маша сидела на табуретке и болтала ногами. Дождь за окном усилился и барабанил отчаянно громко. Маша ела куриный суп и украдкой запивала компотом, что делать было категорически нельзя — страшный вред желудку.

Но сейчас мама молчала, она была как будто не здесь: крошила кусок хлеба, отодвигала свою тарелку, вскакивала, снова садилась, что-то уронила, обожглась о кастрюлю и в конце концов, плюхнувшись на стул, горько заплакала.

Испуганная Маша замерла с ложкой во рту, а потом заплакала.

— Мамочка, ты заболела? — кричала она, теребила маму за плечо, а та все плакала и хлюпала носом, вытирая его рукавом халата, что делать, естественно, было тоже категорически запрещено, но Маша сделала вид, что не заметила.

169

День этот она запомнила навсегда, потому что мама, даже придя в себя, остаток дня была грустной и молчаливой. С Машей не разговаривала, сидела в кресле, не зажигая в комнате света, и смотрела перед собой.

Маша была напугана, но маму не теребила. Уже в шесть лет она была чувствительной, сообразительной и тактичной. А на следующий день по дороге в сад сказала маме:

— А ты его не пускай больше, этого дядьку!

Мама с удивлением посмотрела на нее:

— Какого — «этого»? А, вчерашнего! Он что, тебе так не понравился?

Маша промолчала — понимай как знаешь. Хотя по правде он ей понравился. И даже очень — красивый. Не понравилось ей, как вела себя мама.

А мама делано рассмеялась:

— Да ты не волнуйся, он и так больше к нам не придет, я в этом уверена.

Маша удивилась, но ничего не спросила. К тому же маме она доверяла — раз мама сказала, значит, так и будет.

Дядька с небритым подбородком и голубыми глазами больше и вправду не появлялся, а когда подросшая Маша поинтересовалась, где, собственно, ее папаша, мама ответила коротко:

— Был, да сплыл! Никчемный человек, не о ком говорить.

Машу этот ответ не удовлетворил, и она устроила маме настоящий допрос: кто, откуда, как зовут. Почему развелись? Почему он ни разу не приехал к ней,

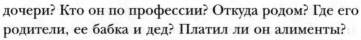

дочери? Кто он по профессии? Откуда родом? Где его родители, ее бабка и дед? Платил ли он алименты?

Маше было тогда одиннадцать, но она все понимала и почти все знала — по крайней мере, ей так казалось.

Отвечать маме не хотелось, и это было понятно. Но от Маши просто так не отделаться — это она тоже хорошо понимала. Дочка — упрямый осел! Уж если задумала что-то, только держись.

Мама рассказывала вяло, нехотя, коротко:

— Зовут Валентин, фамилия Мирошников. По образованию — актер театра. Учился в Ярославле, сам из Костромы. Познакомились на турбазе, там же, в Костроме. Начался роман. Я впервые влюбилась. Да как! — Мама надолго замолчала, а потом с глубоким вздохом продолжила: — Собой был хорош. Очень хорош. Но характер паршивый. Много из себя мнил, считал себя большим талантом, даже гением. Это его и погубило в дальнейшем. Был капризен страшно и при этом ленив. Но до поры, а точнее — до нашей скороспелой женитьбы я этого, конечно, не замечала, слишком была влюблена.

А был ли он влюблен? Не уверена. Он вообще любил только себя. Даже к родителям был равнодушен. Кстати, весь в своих родственников — ты им тоже была до фонаря! Та еще семейка, ты мне поверь! Друзей у него не было — он уверенно считал, что ему все завидуют. К тому же не прочь был выпить и в подпитии становился скандальным.

Маша хмыкнула — картинка была неприглядной, увы.

— Полгода мы ездили друг к другу — в основном, кстати, я, он не особо стремился, если по-честному, — продолжила мама. — Ну а потом я забеременела. Он страшно испугался, даже захныкал — что теперь и как? А как же его карьера? Это волновало его больше всего. Ну а потом сообразил — скоро диплом, распределение. А невеста — москвичка, да еще и с отдельной квартирой — вот свезло так свезло! А он, дурак, расстраивался. Поженились, и он переехал в Москву. Жили с моими родителями, и жили плохо. Твои бабушка и дед все тут же про него поняли и стали нашептывать мне. Я отбивалась, защищала его, но постепенно поняла, что родители правы. И все-таки оправдывала, потому что очень любила.

Потом ты родилась. К тебе он был абсолютно равнодушен. Хотя... — Мама задумалась. — Ты, Машка, его полная копия! Он худощавый, белолицый, русоволосый и синеглазый. Красавец.

Итак, папаша твой получил диплом и стал показываться в московские театры. Но его никуда не брали. Никуда! Наконец взяли в Пушкина. Театр-то был так себе, если честно. Взяли не сразу — мотался он к ним долго и, кажется, в конце концов просто их достал. Но ролей не давали, поняв его слабые способности — на роли героев он не тянул. Денег не хватало, бабушка и дед твои зятя не выносили, на меня злились. Требовали, чтобы мы съехали на съемную квартиру. Но денег не было. Какая там съемная квартира! Смешно. Зарплата в театре крошечная, семьдесят рублей. А отец твой любил приодеться — как же, для статуса!

Родители, конечно, нас кормили, но попрекали без конца, особенно Валентина. Некрасиво, конечно, но и их осуждать нельзя. Они же все видели. Я ругалась с ними, скандалила, снова пыталась его защитить. Но все было напрасным. Наконец я уговорила его сходить на «Мосфильм» — попытать счастья. Предлагали ему разную ерунду — съемки в массовке, даже не эпизод. Он отказывался, продолжая считать себя гением, театральным артистом.

Сама понимаешь, в итоге мы разошлись. Ничего не могло из этого получиться! Ничтожный он был человек, родители правы. А я дурой была. Любила. Долго страдала, искала его по Москве. Мне говорили, что он уехал куда-то далеко, черт-те куда. Кажется, на Дальний Восток. А потом мне сказали, что он живет с женщиной старше его лет на десять. Ну все понятно — пристроился. А может быть, все это было враньем. Кто его знает. Вот тогда я и поняла все окончательно — кто он и что.

— А фото? Фотографии есть? Хотя бы на него посмотреть?

—- Нет, я все выкинула. Все до одной. Не хотела, чтобы что-то от него оставалось. Кроме тебя, конечно. — Мама улыбнулась. И тут ее осенило: — Мань, а ты же его видела, папашу своего! Помнишь, он приходил? Кажется, это было поздней осенью, шел страшный, непрерывный дождь, помнишь? Приходил, сидел тут, на кухне. Пил чай или кофе, не помню.

— Кофе, — твердо сказала Маша. — Не чай, а кофе.

Мама подняла на нее удивленные глаза:

— Да? А ты помнишь?

Маша кивнула.

Помолчали.

— А что было потом? — спросила Маша.

— А что потом? — удивилась мама. — Не было этого «потом»! Вообще не было! К тебе он больше не приходил, подарков не посылал. Денег — копейки! Смешно говорить — семь рублей, десять. Это твои алименты. От кого-то я слышала, что с карьерой по-прежнему не складывалось. С женщиной той он разошелся, пил, уехал из того города. А может, опять сплетни. Как он жил, где? А черт его знает! Мне, слава богу, это стало неинтересно. Но ни разу — ни разу! — я не слышала про такого артиста!

Да, кстати! Знаешь, какой он взял псевдоним? — Мама рассмеялась. — Золотогорский, каково? Нет, ну ты мне скажи! Может нормальный человек взять такой псевдоним? Ведь это обо всем говорит — о его амбициях, глупости, бахвальстве. Разве не так?

Маша кивнула.

Она не страдала от того, что у нее не было отца. Ни минуты не страдала — во-первых, в Машином классе по пальцам можно было пересчитать ребят и девчонок, которые росли в полных семьях. А во-вторых... Во-вторых, ей всегда было достаточно мамы. Ее прекрасной, умной, заботливой и веселой мамы.

Маша была совершенно уверена — детство у нее было счастливым. Мама никогда ничего не требовала и почти ничего не запрещала — растила сильную личность. Училась Маша хорошо, во дворе торчать не любила, непонятно кого в дом не таскала — закадычных подруг у нее не было, Маша была «вещь в себе». Им хватало друг друга: мама — лучшая подруга, товарищ, который посоветует самое правильное.

Жили они дружно, много путешествовали — на что хватало средств, разумеется. А хватало их, увы, на немногое. Путешествия их ограничивались маленькими среднерусскими городками, старинными усадьбами и, конечно, любимым Ленинградом. Туда они ездили каждый год, жили у дальней родни. Старенькая и одинокая тетя Люся была счастлива их приезду — милая старушка оживала и переставала хандрить. «Маша — ребенок тихий, послушный. А Ирочка, Машенькина мама, — вообще прелесть! Веселая, умненькая, всегда в настроении. И вот ведь — одна! Ну что за несправедливость», — сетовала старушка.

Жила она в центре, в старинной, полутемной коммуналке с классическим питерским двором-колодцем. Окна узкой и темной комнаты выходили во двор. Смотреть в окно было жутковато — каменная яма, а не двор. Достоевский.

А комнатка была уютной — потертые плюшевые гардины синего цвета, этажерки с остатками «прежней роскоши» — несколько калечных статуэток, серебряный кофейный сервиз, старинный, но все еще работающий будильник от Буре и фотографии. Фотографиями в рамках были уставлены все поверхности, включая широченный черный мраморный подоконник. Больше всего Маша любила рассматривать чужие фотографии. Она вглядывалась в незнакомые, строгие, прекрасные, одухотворенные лица и замирала.

Маша с мамой вставали рано и тихо-тихо, стараясь не разбудить старушку, одевались и выскальзывали за дверь.

Завтракали в кафе или в пышечной, и это было очень приятно — горячие пышки, пончики по-московски, посыпанные сахарной пудрой, Маша обожала.

Ну а потом бежали в музеи. Вечерами гуляли по улицам, а если везло, ухватывали билетик в театр, конечно, на галерку — на другое денег не было.

При всей экономии — обед в дешевой столовой или пирожки с молоком на скамейке — поездка вставала в копеечку. Но зато это было незабываемо: музеи, парки, Нева, неповторимая архитектура сдержанного, немного сурового города, отличающегося от вечно суетливой Москвы.

В их последний приезд совсем старенькая, постоянно болеющая тетя Люся подарила Маше браслетик. «Последнее ценное, что осталось», — грустно вздохнула она. Браслетик был червонного темного золота, плоский и узкий, на девичью руку, украшенный темнозелеными, тусклыми, удлиненными изумрудами.

— Фаберже, — между делом сказала старушка.

Мама охнула и замахала руками:

— Люсенька, милая! Такое богатство! Нужно продать и ни в чем себе не отказывать! Зачем вам держать его?

Люся царственно покачала головой:

— Продать? Кому, Ирочка? Новым русским, как их теперь называют? Нет уж, увольте! Этот браслет наследный, еще от моих пра-пра! И носили его прекрасные дамы! И кстати, не продали, даже в самые жуткие дни! — гордо добавила она. — Браслет передавался только по женской линии — дочкам и внучкам. Никаким невесткам — ни-ни! Только родне по крови. Но ни дочки, ни внучки у меня нет. А вы какая-никакая, пусть дальняя, но родня. И к тому же — по женской линии. Все, разговоры закончены, и новая владелица — Маша, Мария Мирошникова!

Равнодушная к украшениям, Маша отдала подарок маме: «Носи или спрячь, решай сама». Носить мама не стала — куда, господи? В школу? Ну нет. Браслетик хранился в «сейфе» — так мама называла их схрон, когда-то обнаруженную дырку под подоконником.

Тетя Люся довольно скоро умерла, и Маша с мамой ездили ее хоронить.

В четырнадцать лет Маша поняла, что у мамы есть мужчина. Нет, она не приревновала ее — ума на это хватило, — но испугалась: а вдруг? Вдруг мама захочет замуж? Что тогда будет? Ах, как нарушится их прекрасная жизнь! Страшно представить. Но замуж мама не вышла. Просто иногда уходила — убегала на свидания, страшно смущаясь при этом.

Маша ни о чем не спрашивала. Но и мама ничего не рассказывала, что странно. Все-таки они были близки и откровенны друг с другом.

Маша выжидала. Но через полтора года мамины свидания закончились, и она пребывала в отвратительном настроении.

Маша не выдержала.

— Ну, — с усмешкой сказала она, — и где наш кавалер?

Мама покраснела:

— Уехал. И скорее всего, не вернется.

Маша строго вскинула брови:

— А поподробнее?

Подробности оказались таковы: кавалеру предложили работу — читать лекции в университете в Санта-Барбаре. Он лингвист.

— А тебя с собой не звал? — ревниво ухмыльнулась Маша.

— Как же, звал, — вздохнула мама. — И даже очень настойчиво звал. Но...

— Ты отказалась? — вырвалось у Маши.

Теперь усмехнулась мама:

— А ты предполагала другой вариант? Что я уеду и оставлю тебя?

Маша смущенно выдавила:

— Ну... Я не знаю.

— Какие здесь могут быть «ну»? — отрезала мама.

Спустя какое-то время она рассказала: мужчина этот был милым и вполне достойным — ровесник, разведен, успешен в карьере. Любви не было, но была симпатия, точно была. Да, увлеклась. Но уехать? Нет, это невозможно — пожилые родители и дочь-подросток. О чем тут говорить?

— Мне есть для кого жить, — поджав губы, закончила мама.

Но Маша видела — переживает. Может, этот лингвист и был ее судьба? Или просто с ним она могла бы устроить жизнь — а что тут плохого?

Маша знала, что они переписываются. А потом переписка заглохла — наверняка лингвист завел семью и маму забыл.

После школы Маша легко поступила в университет на журфак. Это была ее давняя мечта — быть журналистом. Училась легко и с удовольствием, чувствуя, что журналистика — ее призвание.

А на четвертом курсе встретила Митю. Митя уже окончил биофак, специализировался на биоинженерии и биоинформатике и трудился в солидной английской фирме. Был он хорош собой, прекрасно образован и отлично воспитан. К Мите прилагалась замечательная семья — мама Майя Николаевна и папа Григорий Ильич. Машу замечательно встретили, тут же приняли и полюбили — такая девочка, как же нам повезло!

Сыграли скромную свадьбу, без помпезной и ненужной роскоши, в хорошем ресторане, с небольшой компанией родни и знакомых. После свадьбы молодые улетели на Мальорку, а по приезде родители мужа вручили им ключи от новой квартиры.

Машина жизнь складывалась прекрасно — мужа она любила, а он, будучи по натуре человеком пылким и страстным во всем, просто ее обожал. Денег им вполне хватало — Митя хорошо зарабатывал. Жили они в своей квартире, в родном городе. Маша окончила университет и стала искать работу. И здесь повезло — правда, помог замечательный свекор: Маша устроилась в хороший журнал, совсем негламурный и очень популярный, который читали интеллигентные люди. С коллективом тоже сложилось, и начальство не давило, как это часто бывает. В общем, жаловаться было не на что. Жизнь открывала новые возможности и перспективы.

Маша была бодра как никогда. Бодра, довольна и счастлива. И с радостью и упорством взялась за работу.

Но даже в раю бывают дождливые дни. Машины удача и везение, увы, дали сбой.

Началось все со статьи, с репортажа. Маша относилась ко всему с повышенной ответственностью, писала вдумчиво и долго. Работа была кропотливой — собрать сведения, перепроверить их, найти людей, знавших героя. Сопоставить и только тогда начать писать, толково, внятно, честно, а главное — интересно.

Главный вообще обожал бомонд в любом виде — скорее всего, сказывалось провинциальное прошлое и его странный, почти невозможный столичный взлет — нищий мальчик из глухого уральского села и такая карьера! Это была та самая история, когда действительно человек сделал себя сам. Именно он и придумал новую серию репортажей. Тема звучала так: «Две звезды. Всю жизнь вместе» — о том, как сосуществуют в одной семье два состоявшихся человека. Можно ли построить счастливую семейную жизнь, будучи страстно увлеченным своей профессией и понастоящему успешным человеком.

Решили начать с уходящего поколения, а уж потом взяться за более молодых. Короче говоря, назревал долгий, интереснейший проект, который поручили Маше Мирошниковой. И она была счастлива.

Героиней первой истории стала престарелая балерина, в прошлом звезда Большого, кумир поколений. А муж балерины — знаменитый кардиохирург, известный не только на родине, но и далеко за ее пределами. Существовала даже школа, названная его именем. А уж ее успех был поистине грандиозен. Но звезда не только сияла на творческом небосклоне — ничто человеческое было ей не чуждо: и замуж успешно вышла, и сына родила. И карьере это не помешало — после родов, спустя всего полгода, уже вовсю танцевала, как всегда, сольные партии.

Дама не сразу согласилась на интервью — мурыжила Машу месяца три. Кокетничала: «Ах, кому это надо!

Я осколок прошлой жизни, кто про меня помнит!»
Ну и так далее. Наконец согласилась. Маша страшно
волновалась перед первым визитом — как сложится,
найдут ли они общий язык? С пожилыми людьми
вообще сложно, а уж с этой дамой... Слухи про нее
ходили разные и довольно противоречивые. Многие
вообще отказались о ней говорить — например, уче-
ник ее гениального мужа, ныне и сам светило и бог
кардиологии.

— Нонна Васильевна? — переспросил он. — Нет уж,
увольте! Ничего говорить о ней не стану. Причины? —
Он даже повысил голос. — А вам нужны причины? Так
придумайте сами, милая девушка! А что вы там сочи-
ните — мне все равно.

Еще была весьма пожилая дама, отказавшаяся говорить про Нонну Васильевну:

— Оставьте! И тему эту оставьте, и старуху эту чу-
довищную! — И бросила трубку.

В Сети информации было немного — красавица
Нонна Вощак, приехавшая из провинции покорять
столицу, быстро сделала карьеру, потом вышла замуж
за успешного врача, родила сына, и карьера ее еще
стремительнее пошла вверх.

Нонна Вощак танцевала лучшие партии, восхища-
ла поклонников. Словом, статьи были все как одна
только хвалебные. Имела Нонна Вощак и всевозмож-
ные правительственные награды и даже была депута-
том Моссовета.

Потом была травма спины, очень серьезная, после
которой, как предрекали, не было никакой возможности снова выйти на сцену. Но Нонна Вощак на сцену
вышла. Да как! И снова стала звездой, исполнительни-

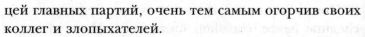

цей главных партий, очень тем самым огорчив своих коллег и злопыхателей.

Да, и еще — ее знаменитый муж до нее был женат на своей коллеге, враче. Но, встретив Нонну, ушел почти сразу.

Маша разглядывала фотографии молодой Нонны Вощак — хороша, без спору, хороша. Эдакая бестия с огнем в глазах. Записей балетов тех лет почти не сохранилось — так, жалкие отрывки. Маша по сто раз пересматривала их, но ничего не понимала — в балете она была полным профаном. Однако рецензии на спектакли подняла, а как же. Были они, надо заметить, скучными и довольно однообразными: Вощак — прима, и все тут. Гениально исполненные партии Офелии, Феи Драже, Джульетты, Фригии. «Искусство великолепной Вощак выше всяких похвал», «Нонна Вощак в который раз подтвердила звание примы». И так далее.

Случайно попалась и статья более поздняя, написанная уже в перестройку, где говорилось, что Нонна Вощак была любовницей одного из членов политбюро. Правда, здесь слухи не совпадали — наряду с Вощак упоминались другие дамы.

Это потом, спустя много лет, когда Нонна Вощак не танцевала, ее стали безбожно критиковать — бездарь, косолапая и короткорукая, музыку не слышала. Радостно хихикали, припоминая ее покровителей: дескать, когда умер последний из них, звезда Вощак закатилась.

Нашлись и те, кто с радостью был готов облить Нонну Васильевну помоями, и те, кто искренне восторгался ею.

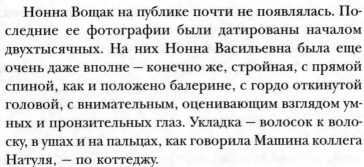

Нонна Вощак на публике почти не появлялась. Последние ее фотографии были датированы началом двухтысячных. На них Нонна Васильевна была еще очень даже вполне — конечно же, стройная, с прямой спиной, как и положено балерине, с гордо откинутой головой, с внимательным, оценивающим взглядом умных и пронзительных глаз. Укладка — волосок к волоску, в ушах и на пальцах, как говорила Машина коллега Натуля, — по коттеджу.

И вот настал день икс. Маша купила букет белых роз — любимые цветы Нонны Васильевны — и прихватила коробку пирожных. Жила бывшая примадонна, как ни странно, в ничем не примечательном спальном районе в обычном девятиэтажном доме с вонючим подъездом. А как же ее роскошная квартира на Кутузовском, в знаменитом доме, где проживал когда-то генсек?

Дверь открыла домработница или, может, приживалка — было видно, что из простых, из прислуги.

В узенькой, метр на метр, прихожей, Маша разделась — повесила куртку и сняла сапоги. Домработница пристально, недобрым взглядом отслеживала ее действия.

Наконец ее пригласили пройти.

В небольшой комнате с низким потолком, в старом потертом велюровом кресле сидела старушка. Обыкновенная тщедушная старушка с седенькими жидкими волосиками, сморщенным личиком и затянутыми старческой пленкой глазами.

Эта старушка совсем не была похожа на ту пожилую даму на последних фотографиях, которые Маша сто раз разглядывала и изучала.

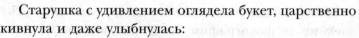

Старушка с удивлением оглядела букет, царственно кивнула и даже улыбнулась:

— Садитесь, деточка! Очень вам рада!

Маша выдохнула, присела на стул и тут же достала диктофон.

— Ах, подождите! — жеманно вздохнула хозяйка. — Нам надо же слегка привыкнуть друг к другу!

Это было абсолютно правильно: живое знакомство, личный контакт перед интервью — журналистское правило, о котором неопытная Маша позабыла. Именно от первого знакомства зависит многое, если не все — насколько раскроется человек, насколько будет открыт и откровенен.

Домработница Нюра — ох, как традиционно, как в старом кино, — внесла поднос с чаем. Маша отметила, что пирожные из французской кондитерской, принесенные ею, Нюра заныкала — наверняка старушки не избалованы подобным и съедят их без нее. Что ж, грустно, но объяснимо.

Нонна Васильевна была мила, тихо смеялась, шутила, кстати, весьма остроумно, и вообще была вполне расположена к Маше.

Начали издалека — детство, юность, молодость. Приезд из далекой Караганды, начало карьеры, встреча с будущим мужем.

Увидев, что старушка устала, Маша закончила интервью и договорилась о следующей встрече через два дня.

Дома снова копалась в Сети — о сыне Вощак и гениального хирурга говорилось мало, какая-то это была мутная история. Он пошел по стопам отца, но гениальным не стал, карьеры его не повторил. Работал в Склифосовского, оперировал. Но потом уволился, кажется, не дождавшись пенсионного возраста. И все, больше никаких сведений. Ни одной строчки.

Маша копала дальше. И накопала — была история у этого сына: нелепая смерть пациента по его же вине. Дело замяли, но именно тогда он и уволился и с делом врачебным покончил. Жил в Кратове, на даче, построенной гениальным отцом. Всё. Про внука тоже почти ничего — кажется, обалдуй, ничего из него не получилось.

Муж Нонны умер в начале восьмидесятых, совсем нестарым, в пятьдесят четыре года — сгорел на работе, инфаркт.

Она тогда уже не танцевала, но выходила на сцену в образе королевы.

Через два дня Маша снова стояла перед дверью балерины и в руке так же держала коробку — на сей раз с большим тортом. Пусть старушки полакомятся.

И снова суровая Нюра, и Нонна Васильевна в кресле, и слабый, плохо заваренный чай из липковатых чашек. И три часа беседы — больше Нонна Васильевна не выдерживала. Она все так же была сдержанна, обдумывала каждое слово, и это было очень заметно, просто бросалось в глаза.

Таких встреч было четыре. Маша слушала записи и понимала — так себе, ни о чем. Да, трудное детство — а у кого в те времена оно было легким? Да, кошмарный мир театра, зависть и пакости — куда же без них. Сплетни и конкуренция — обязательно. Но это все давно известно, написано об этом сто или тысячу раз, никого это не взбудоражит и не зацепит — секретов тут нет. Информацию о личной жизни и семье Нонна Васильевна тоже выдавала строго порционно и скупо — брак был счастливым, потому что у каждого было свое дело. Вы спрашиваете, в чем секрет успешного брака? Вот именно в успешности супругов! И Маша вполне была с этим согласна. И даже провела параллель с собственной жизнью — и у нее, и у Митьки есть дело. Значит, все у них сложится.

Вощак продолжала рассказывать:

— Мой муж был прекрасным человеком, бесспорно! А каким он был специалистом! Знаете, кого он оперировал?

Маша робко пожала плечом — нет, она, конечно, знала кого, но умышленно сделала вид — а вдруг что-то еще? Какая-нибудь новая инфа?

— Виделись мы, — Нонна вздохнула, — нечасто. — На глазах выступила скупая слеза. — Да, нечасто. У него — кафедра, студенты, отделение. Ну и у меня, как вы понимаете, гастроли, репетиции, премьеры. Мы тосковали друг по другу, но! — Слегка корявый указательный палец взлетел кверху, и хитро прищурились глаза. — Но это наш брак и спасало! Ах, — взгляд старушки затуманился, — какие у нас были встречи! Как первые свидания, ей-богу! — И снова скупая слеза.

«Неискренняя она, — подумала Маша. — Фальшивая. А может, просто очень старая, в этом все дело? Ну хочет бабушка сохранить созданный образ — зачем ей порочить себя откровениями?»

Маша пыталась вытащить хоть какие-то подробности про мужа, но при любом наводящем вопросе подбородок мадам каменел и брови недовольно взлетали:

— Кажется, я вам все рассказала!

И Маше приходилось кивать и соглашаться. Но вечерами, проматывая разговор, она чувствовала, что что-то не так. Мутновата в реке водица. И еще очень чувствовалось, что жизнь мужа была Нонне Васильевне не очень известна и, скорее всего, мало интересна. Хотя, рассуждала Маша, это, наверное, нормально для много и успешно работающей женщины.

Когда Нонна рассказывала о сыне, снова лился сплошной елей: рос хорошим и скромным мальчиком. Пошел по стопам отца.

Гением не был, увы, но прекрасным хирургом — конечно!

— Личная жизнь сына? А я в нее никогда не вмешивалась! — гордо, с достоинством произнесла бывшая прима. — К чему? Часто ли вижусь с сыном? А вы? — Недобрый прищур. — Вы часто видитесь со своими родителями?

Ответить Маша не успела, старуха опять начала говорить:

— У сына давно своя жизнь. Человек он крайне занятой, у него отделение — какие частые встречи, о чем вы? Нет, разумеется, он меня навещает, привозит продукты, лекарства. Все как у всех.

И снова Маша видела, что балерина врет. Кстати, ни одной фотографии, ни мужа, ни сына, она в квартире не заметила. Ничего себе, а? На всех стенах, на выцветших и убогих обоях, одна Нонна Васильевна Вощак, прима и звезда. Всё.

Маша решилась спросить, почему Нонна Васильевна уехала из престижной квартиры на Кутузовском. Та нахмурилась:

— Я ее разменяла. А что тут удивительного? Сын женился, и пришлось подвинуться. С невесткой жить я не хотела — это любому понятно. Жалко ли мне роскошной квартиры? Ах, оставьте! Хоромы нужны в молодости, а в старости хватает малого. Здесь две комнаты — мне и Нюре, к тому же есть чудесный балкон, — она оживилась, — где я с удовольствием гуляю. Зачем мне те огромные метры? Нюру гонять с пылесосом и тряпкой?

«Нет, она хорошая, — уговаривала себя Маша. — Не жадная, все понимает, все знает про жизнь и Нюру, между прочим, жалеет! Что говорит о ней как о добром и сердечном человеке. А что скрывает, так здесь все понятно — кому охота вываливать семейные тайны?»

Но почему ей все-таки не нравилась эта Вощак? Почему не вызывала сочувствия, жалости? Такая яркая жизнь, такая звезда — и такая убогая старость.

Статья получилась, серой, пресной, унылой — словом, никакой.

«Провалила, — с ужасом думала Маша. — Первое задание и — провалила!»

Главный пробежал глазами и скорчил гримасу:

— Ну я не знаю, Мари! — Он обожал перекраивать имена на иностранный лад. — Скучно, красотка! Уныло и скучно!

Маша обиделась, но понимала — главный прав. Кажется, она загубила проект, а это означало, что его наверняка передадут другому.

Она перестала спать, все время перебирала одни и те же мысли: «Неужели дело во мне? Получается, что это я никчемный журналист. Ведь любой материал можно подать так, что люди заинтересуются. Дело не в материале, а в авторе». И после долгих терзаний решила: «Надо снова копать. Без этого в журналистике никак не получится».

Накопала — первая жена хирурга пыталась отравиться, но, по счастью, выжила. Выхаживал ее, кстати, бывший муж, и операцию делал тоже он — реставрировал сожженный кишечник.

Раскопала она и еще кое-что — например, бывшая коллега Вощак с большим удовольствием доложила и про любовника из политбюро, с подробностями, и про «необыкновенную карьеру» Нонны Васильевны, и про главные партии, и про зарубежные гастроли, устроенные тем же любовником. И про купленные там тряпки — а на какие, спрашивается, деньги? Тряпок-то были чемоданы, вагоны! А суточные — копейки! Все мотались по дешевейшим магазинам типа Тати — для бедных и черных, а она покупала на Фобур-Сент-Оноре, на виа Монтенаполеоне! А, каково? А бриллианты?

— Вы видели ее камешки, моя дорогая? — с ненавистью проговорила завистница. — Так вот, цацки эти были не просто бриллианты, не просто продукция Якутского ювелирного завода — это были дра-го-ценно-сти! Вы меня слышите? Раритеты, Фаберже и Шопар! И снова — откуда? А квартира? Вы бы видели эту обстановку! Картины на стенах, посуду, мебель! А спальня карельской березы? А мебель от Тура? А вы говорите!

— Может быть, это приобрел ее муж? — неуверенно пискнула Маша.

— Какой там муж! — возмутилась бывшая коллега. — О чем вы? Да, зарплата у него была приличная, это понятно: профессор, завотделением, хирург с мировым, можно сказать, именем. Ну, четыреста рублей в месяц, не больше, со всеми степенями. А взяток тогда не брали — честное имя было дороже. У людей еще оставалась совесть, поверьте. Это не то что сейчас — смотрят только на руки. Не муж на это заработал, деточка, не сомневайтесь. А любовники? У Нонки их была армия. Ар-ми-я! Дяденька из политбюро — далеко не единственный. А мальчики? Молодые мальчики из наших, балетных? Никого не пропускала, старая стерва. Мессалина, ей-богу! А сын? Бездарь! Были там какие-то темные истории из его практики — говорили, больные мерли, как кони в падеж. И пил вроде бы, хотя утверждать не стану — так говорили, я лично не видела. Но то, что сынок Нонкин неудачник — точно! И квартиру он ее разменять заставил. И еще, говорят, все оттуда забрал — все, подчистую. Оставил ни с чем. А внучок, — дама оживилась, что-то припомнив, — внучок еще хуже! Говорят, наркоман — вот ведь ужас!

Нет, Маше как-то не верилось. Нонна Васильевна так горячо говорила о муже, вспоминая их жизнь и любовь. «Лучшие годы» — вот как она говорила. Святой человек, гений. Да, вряд ли эти слухи правда, скорее всего, зависть. Конечно, зависть. Сплетницу, вывалившую на Машу все эти ужасы, оставил муж, да и карьера ее не задалась. Но все-таки что-то смущало.

И она решила найти сына Нонны Васильевны. Это было несложно.

Адрес узнала легко — дачу Вощак знал всяк. Ну и поехала. Кратово было прекрасно — старые дачи, огромные лесные участки — красота. Дача балерины стояла близко от станции — минут пять ходьбы. Старый, довольно ветхий забор и древний дом в глубине большого, густо заросшего участка. Наверное, среди лета и пышной зелени его было бы и не разглядеть. А вокруг напирали особняки-коттеджи. Дом балерины Вощак казался убогим бомжом, инвалидом, хотя в прежние времена наверняка был шикарным. Маша толкнула калитку, озираясь и оглядываясь, прошла в глубь участка, к дому. Было страшновато, если честно. А вдруг этот сынок-пенсионер и вправду алкаш и хулиган? Маша осторожно поднялась по прогнившим ступенькам, постучала в приоткрытую дверь. Тишина, никто не отозвался. Заходить было страшно. Она прошла по участку. За домом слышались звуки — кажется, рубили дрова. И действительно, там, за домом, у рассыпанной дровницы, неопрятный, бомжеватого вида пожилой мужчина в ватнике и резиновых сапогах махал топором. У забора лежала приличная гора пустых бутылок.

— Здравствуйте, — громко сказала Маша.

Незнакомец повернулся. Она увидела лицо сильно пьющего человека — помятое, серое, с мешками под потухшими глазами. Но агрессии и грубости не было. Он отложил топор и пригласил нежданную гостью в дом.

А в доме, когда-то, судя по всему, ухоженном и красивом, была совершеннейшая тоска: на диване валялись старые подушки в грязных наволочках, скомканное одеяло с прорехами, из которых торчала желтоватая вата, на столе, на липкой и грязной клеенке, стояла сковорода с остатками засохшей яичницы, мутный граненый стакан и остатки батона. По давно немытым окнам ползали и жужжали сонные осенние мухи. Отвратительно пахло кислым старьем. Маша поморщилась. А Виталий Евгеньевич — так он представился — извинялся и был явно смущен:

— Знаете ли, гостей не ждал! Уж простите великодушно!

Теперь смутилась Маша.

Хозяин предложил чаю, Маша отказалась и осторожно завела разговор.

— А-а! — протянул он. — Матушкой моей интересуетесь! — Кажется, он был удивлен и разочарован. — А зачем она вам? Мой отец был гораздо интереснее, поверьте! Вот о ком надо писать. А ушел очень рано. — Он замолчал. — Да, рано ушел. Сердце. Впрочем, неудивительно — он очень страдал. Мать, знаете ли... Жизнь ему здорово укоротила. — Он отвел взгляд. — Что о ней говорить? Всю жизнь жила для себя. Страшный эгоизм, страшный, махровый! Не эгоизм — эгоцентризм. Но рассказывать я про нее не буду — какая ни есть, она моя мать. Извините. Мы с ней не общаемся, совсем.

— Но она же очень пожилой человек, наверное, она нуждается в вашем внимании, — заметила Маша.

— Да, человек очень пожилой, я согласен. Но я за нее спокоен — у нее есть Нюра, так что она накормлена и обихожена. И со здоровьем у нее, знаете, все неплохо. А для ее лет — так просто отлично! Мне повезло куда меньше, поверьте. — И он рассмеялся, вытирая грязной ладонью щеку.

Было очевидно, что от этого человека Маша ничего не узнает. Что ж, молодец, честь ему и хвала — он приличный человек и сын. Только снова потерян день и статья по-прежнему стоит. Скучная, серая, унылая. И никому не интересная. Это провал. Конец ее журналистской карьеры. Вот так сразу, с первого задания и — конец.

Маша совсем перестала спать, почти ничего не ела — страдала. Потеря реноме, поражение — вот что было самым ужасным. Она ломала голову в поисках выхода. Позвонила главному — посоветоваться.

— Мари, ну что ты как маленькая! — с упреком сказал он. — Прикидываешься или делаешь вид? Если сделать все чинно-благородно, ни черта не получится, прочтут и сплюнут на эту тоску. Нужна история, трагедь, если хочешь. Предательство, подстава, истерика. Драма! А без этого — сама понимаешь. Так что думай, Мари! Уверен: захочешь — нароешь! И помни о сроках, кстати! У тебя, моя птичка, есть пять дней! Мы хоть и не желтая пресса, но без перца, радость моя, не проживем. Эх, долюшка наша! Горек наш хлеб.

Маша совсем сникла и пала духом. Лезть в эти дебри, стряпать чернуху и желтуху ей совсем не хотелось. Казалось бы, вполне благопристойная тема — ровня, сильные и успешные пары. Должно хватить материала и без дерьма. А не хватает. Или мы так привыкли копаться в грязном белье, что все остальное уже скучно и вяло? Она перечитывала статью в сотый и тысячный раз. Успешная Вощак, крепкая и сильная духом. Вышла на сцену после жестокой травмы. Прекрасный кардиолог, спасший сотни жизней. Любовь и страсть. Общий ребенок. Прожитая жизнь. За плечами — война, голод, разруха, одиночество, трудности. Казалось бы! А скучно! Может, дело не в теме, а в том, как Маша ее изложила? Она правила статью, выискивала ошибки, переписывала и перекраивала. Ничего не получалось. Вернее, получалось до оскомины скучно: слишком приглаженные, прилизанные герои. Благостные и постные.

Тогда она решилась еще на одну встречу. Нюра была сурова и никак не хотела подзывать к телефону Нонну Васильевну.

— Что еще? — гаркнула она. — Все вроде закончили! Хворает она, давлением мается. И чего все никак не отстанете?

Но в конце концов все-таки позвала хозяйку. Вощак еле говорила, хлюпала носом и жаловалась на здоровье. Но на встречу все-таки согласилась:

— На полчаса, Машенька! Не больше, я вас умоляю!

Маша явилась на сей раз с сумкой подарков — банка красной икры, твердая колбаса, здоровенный кусок сыра, банка растворимого кофе, коробка конфет и печенья, пирожные и, конечно, цветы — растопить суровое Нюрино сердце. И кажется, растопила — через минут пять Нюра вкатилась в комнату с подносом: чай, кофе, конфеты.

Нонна Васильевна выглядела плохо, казалась вялой и усталой, было очевидно, что все это ее тяготит.

Маша попыталась объяснить суть дела: статья получилась скучной, вялой, герои получились целлулоидные, неживые. Гладкие, как фарфоровое яйцо. Слишком благополучные, невзирая на трудные времена, в которые они жили.

— В конце концов... — отважилась Маша. — Может быть, у вас были увлечения?

Вощак скрипуче рассмеялась:

— И что?

— Ну, увлеклись кем-то, а потом поняли, что для вас главное — муж! Скажем, — Маша запнулась, — ходили слухи, что у вас был покровитель. Важный покровитель, с самых верхов.

Вощак усмехнулась, махнула сухой птичьей лапкой и повторила:

— И что? Даже если так? Думаете, я вам сейчас все выложу? Распахну душу? Пущу туда всех — вас, ваших читателей? Ми-ла-я! — по складам произнесла она. — Я рассказала вам то, что сочла нужным. Всё! Остальное вас не касается. А покровитель... — Нонна Васильевна усмехнулась. — А вы не знали, что у всех балерин были высокие покровители? Балетные всегда притягивали сильных и властных мужчин — тем казалось, что балерины хрупкие, нежные, слабые, нуждающиеся в сильном мужчине. А на деле... Никого нет сильнее балетных. Они не могут быть слабыми — сожрут в один день, понимаете?

Маша понимала одно — Нонну Васильевну ей не пробить, не одолеть.

— А может быть, про театр? — продолжала канючить Маша. — Про интриги? Про завистников. Все же знают, что там творится!

Вощак широко зевнула.

— А, это... Ну да, всем известно. Тогда к чему в сотый раз об этом говорить? К чему повторяться? Ну было. А где не было? Вы думаете, только в театре? Нет, моя милая! Это везде — и в науке, и в писательских

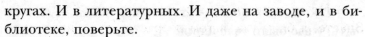

кругах. И в литературных. И даже на заводе, и в библиотеке, поверьте.

— Нонна Васильевна! Тогда давайте о детях подробнее, хотя бы чуть-чуть. Про сына и внука, — взмолилась Маша.

— А что про них говорить? Я же вам все сказала! — Нонна искренне удивилась. — Они ничем не отличились в этой жизни. Ничем! Обычные люди — кому это будет вообще интересно? Сын — врач, вы знаете. Пошел по стопам отца, но знаменитым не стал. Внук тоже обычный. Работает где-то. Я с ним не очень в контакте. Нет, я уверена — никому они не интересны.

— А почему не сложилось? — осторожно спросила Маша.

Вощак с удивлением посмотрела на нее — в каком смысле?

— Ну, с сыном, например. Он вас разочаровал?

Вощак недовольно качнула головой:

— У вас, кажется, нет детей?

Маша развела руками:

— Пока нет.

— Ну так вот, — продолжила балерина, — когда народятся, тогда и вспомните мои слова. Не всегда они оправдывают наши надежды. Понимаете? Не всегда.

— А после смерти мужа, — Маша испуганно глянула на старуху, — ну, после того, как он ушел...

Вощак обдала ее ледяным взглядом, но Маша нашла в себе силы продолжить:

— У вас ни разу не появилось желания...

Вощак оборвала ее:

— Нет, не появилось. А что, вас это удивляет?

Маша виновато взглянула на нее.

— Не появилось, — жестко повторила прима. — Знаете, я была уже в том возрасте, когда интимные отношения с противоположным полом далеко не на первом месте и даже не на втором.

«Да уж, — подумала Маша, — а мальчики эти, балетные? Или опять — сплетни?»

Нонна Васильевна разозлилась и не скрывала этого — нервно постукивала ладонью по столешнице и на гостью свою не смотрела. Все, точка. Маша поняла, что ничего, больше ничего она из нее не выжмет.

— Хорошо, Нонна Васильевна! — Маша поставила чайную чашку на поднос. — Я поняла. Спасибо большое и извините. Статью вам на подпись я принесу через дня три.

Вощак холодно оглядела ее и царственно кивнула.

На следующий день Маша снова поехала в Кратово, к Нонниному сыну. Он встретил ее недовольно.

— А, это опять вы! Чем же я еще могу быть вам полезен?

Но в дом пригласил. Чаю, к счастью, уже не предлагал. Было сильно натоплено, и у Маши разболелась голова. Она попыталась объяснить ситуацию, говорила смято, скомканно, неубедительно — сказывались растерянность, усталость и головная боль.

— Да при чем тут, простите, я? — искренне удивился ее собеседник. — Вы договаривались с матушкой, меня никто не спросил. У вас не получается — простите, но это ваши проблемы. Мне что, вам посочувствовать? Своих проблем, знаете ли... — Он нахмурился. — Нет, вы не обижайтесь, пожалуйста! — Он встал со стула и прошелся по комнате. — Ну и профессия у вас! — усмехнулся он и покачал головой. — Врагу не пожелаю. Рыскаете, ковыряетесь, копаете, словно кроты. В надежде отрыть сенсацию и прославиться, да? Чтобы заметили?

Маша не поднимала глаз.

— Извините, но больше ничем помочь не могу, — твердо добавил Ноннин сын. — Я вам уже говорил, отношения с матерью у меня сложные. Да, я к ней не езжу. Не навещаю. Сволочь? Наверное. Но я за нее спокоен. А если что, не приведи бог, так Нюра меня тут же поставит в известность, у нас такая договоренность. — Он снова сел на стул и внимательно посмотрел на Машу. — Ну, я думаю, вы все уже поняли — матушка моя человек сложный и противоречивый. Себе на уме. Отец ее очень любил и избаловал. А она жила своей жизнью, не слишком заботясь о нем, да и обо мне тоже. Что поделать — творческий человек, карьера и прочее. Привыкла к цветам, аплодисментам, поклонникам. Это нормально. Был ли с ней счастлив отец? Я не знаю. Догадываюсь, что нет, не был. Но это ведь его выбор, верно? Но как-то я видел, что он плакал, мой суровый и сильный отец. Он был женат первым браком — вы наверняка об этом знаете. От той женщины он ушел. Подробности мне неизвестны, мы никогда не разговаривали с ним на подобные темы — у нас это было не принято. Да и дома его почти не было — он был чертовски занят. Всегда. Уходил рано, приходил в ночь. Мать тоже на кухне у окна не сидела — спектакли, концерты, приемы, гастроли. Дома оставалась одна Нюра. Конечно, у меня была полная свобода. Полнейшая. Нюра со мной не справлялась. Да кто ее слушал? Прислуга. Вот я и отрывался по полной — выпивал, рано женился. Развелся. Снова женился. Конечно, в восторге родители не были. К тому же я не любил свою профессию — на медицине настоял отец — как же, династия. А мне было по барабану. Так, значит так, только бы отстали. К тому же я понимал, что с этой фамилией у меня огромная фора. Но ничего не вышло. Работать врачом без любви к этой профессии невозможно. А мне было все отвратительно — запахи эти, больные. Одним словом, не получился из меня доктор, что тут поделать! Отец все понимал и, конечно, страдал. Винил себя за то, что заставил меня выбрать медицину. А мать... Матери было все равно. Она жила своей жизнью и упрямо считала, что я все выдумываю.

— А их отношения? — осторожно спросила Маша. — Может быть, у кого-то из них были романы на стороне?

Он хмыкнул и покачал головой:

— Ну вот, я, конечно, оказался прав! Дай вам палец — вы всю руку откусите! Выдал вам порцию откровений, а вы уже пошли дальше. Нет, моя дорогая. Вот про это я точно говорить с вами не буду. Это их личная жизнь. Отца давно нет на этом свете. Мать — древняя старуха. К чему ворошить?

— А ваш сын? — спросила Маша и испугалась. Прогонит! Вот сейчас скажет: «Пошла вон» и будет прав.

— Сын? — растерянно переспросил ее собеседник и вздохнул. — Сын, Мария, у меня неудачный. Вот и все. На этом закончим, — твердо добавил он и прихлопнул ладонью по столу.

Маша торопливо поднялась со стула, надела куртку, намотала на шею шарф и, поблагодарив хозяина, вы-

199

катилась на улицу — очень хотелось глотнуть — нет, хлебнуть от души прохладного свежего воздуха.

Она быстро дошла до станции, купила билет и села на скамейку в ожидании поезда. Было зябко, но дышалось легко, и голову начало отпускать.

Чего она добилась? Да ничего. То, что отношения Вощак и ее сына были плохими, и так понятно. То, что ее сын был неудачником, тоже понятно. Ни он, ни она этого и не скрывали. Маша снова подивилась его сдержанности — ничего плохого про мать. А там — наверняка! — было много всего. И что на выходе? Ничего. Результат нулевой. И тогда Маша приняла решение. Сама.

Квартира внука Вощак находилась в неплохом районе — уже не центр, но и не совсем занюханный спальник — в Дорогомилово, на Славянском бульваре. Да и дом в отличие от старой бабкиной девятиэтажки был посвежее и поприличнее — годов девяностых, отделанный веселой синенькой плиткой.

Дверь долго не открывали. Наконец заворочался замок, и на пороге возникла заспанная босая девица.

— Вам кого? — хмуро спросила она. Маша объяснила. Девица некоторое время бесцеремонно ее разглядывала и наконец крикнула: — Влад! К тебе! — и тут же скрылась за дверью комнаты.

Маша услышала: «А я почем знаю? Да девка какая-то!»

Появился и хозяин квартиры. Это был высокий, полный парень с длинными, почти до плеч, волосами, с опухшим и злым лицом. Ничто не предвещало теплого приема.

Не поздоровавшись, парень произнес сквозь зубы:

— Чего тебе?

От такого приема Маша растерялась. Торопливо объяснила причину визита:

— Пишу статью про ваших бабушку и деда. Про вашу семью. Ну и хотела поговорить с вами.

Парень ухмыльнулся:

— Про бабку, говоришь? Ну проходи. Будет тебе про бабку!

Маше стало немного не по себе.

— Ага. Спасибо большое.

Они прошли на кухню, где был такой бедлам и бардак, что Машу затошнило. Сковородки с чем-то засохшим, не сразу и разберешь, банки из-под лечо и баклажанной икры, обрезки колбасы и сыра, заплесневелый хлеб в грязной тарелке. «Ну и свиньи! — подумала Маша. — Это у них семейное, что ли?»

Влад плюхнулся на табуретку — Маше сесть не предложил. «Ну и черт с ним», — подумала Маша и осторожно уселась напротив.

— Ну и чего? — спросил Влад. — Давай свои вопросы! Валяй.

Маша уже открыла рот, как на пороге кухни возникла девица, подружка хозяина. Она поманила его пальцем:

— А ну-ка пойди сюда.

Тот послушно встал и поплелся за ней. Маша не слышала, о чем они говорили — дверь на кухню он плотно закрыл.

Минут через десять Влад появился, еще более хмурый, чем прежде. Он смущенно кашлянул и, отведя глаза, сказал:

— Слушай, ты, корреспондентка. Бесплатно я с тобой говорить не обязан. Не маленький — знаю, что за такие вещи вы платите! Так что давай бабки и спрашивай. А нет — вали, поняла?

Маша кивнула, лихорадочно соображая, сколько денег лежит у нее в кошельке.

— А сколько надо? — тихо спросила она.

— Пять штук! — выпалил Ноннин внук. — И прямо сейчас.

Маша облегченно выдохнула — пять тысяч у нее было. Одной бумажкой. Она вытащила деньги и протянула ему.

— Ну давай спрашивай! — разрешил он.

Вопрос был короткий:

— Расскажи все, что знаешь о бабке.

Упрашивать его не пришлось — Влад был словоохотлив и откровенен. Бабка — стерва, каких мало. Да просто сука! Маша поморщилась, но промолчала. Парень был трезв — запаха алкоголя не было. Наркотики? Трава? Непохоже. Впрочем, опыта в этом деле у нее не было. Но глаза у него были нормальные.

Итак, стерва и сволочь. Мать Влада, свою невестку, ненавидела. Да что там невестку — сына родного не признавала. Дед? Деда он почти не помнил, дед умер, когда Владу было три года — восемьдесят второй год, кажется. Но, разумеется, о деде он многое слышал — дед был замечательный. И врач, и человек — все его уважали. Влад призадумался, вспоминая:

— Дед мне книжки читал и подарками заваливал. Помню железную дорогу — вообще улет! Фантастика, а не дорога. Правда, отдали мне ее лет в шесть, кажется, и тогда, — он хихикнул, — я быстро ее раскурочил!

Кажется, он гордился своими «подвигами».

— Бабка ко мне вообще ничего — ни одной эмоции, — продолжал он. — Вообще ко мне не приезжала. Я ж говорю — мать мою ненавидела, ну и меня заодно. «Чертово семя» — ее слова. Подарки? Не помню. Нет, не было ничего. Точно не было. Холодная она была. Я ее даже боялся. На похоронах деда, — как говорили, — вообще не плакала. Все рыдали, а она нет — стояла столбом. А, да! Помню еще, как она орала на мою мать, обзывала ее по-черному — шлюхой, курвой, холерой. А когда мать моя умерла, сказала: «Да так ей и надо!» Нет, ты представляешь? — Влад посмотрел на Машу глазами, полными слез. — Человека только похоронили, а она? Сука, я ж говорю! С отцом тоже всю жизнь срались — орали друг на друга так, что мухи дохли. Выгоняла нас из дома, кричала: «Уходи и забери своего выродка!». Это меня. Ну мы и разменяли квартиру. По суду. Иначе бы не получилось.

— Не общаешься с ней совсем? — спросила Маша и торопливо добавила: — Нет, я тебя понимаю!

Он отрицательно покачал головой:

— Сдохнет — плюну вслед, веришь?

Маша сочувственно на него посмотрела и спросила:

— Ну а отец? Как ты с ним?

— Да никак. Тоже почти не общаемся. Жить вместе не получается — разные интересы. Ну, короче... Он свалил на дачу. Там ему хорошо — воздух, природа. Для пенса самое дело. Сидит там себе, в огороде копается. За грибами ходит. Нормально.

— В общем, — Маша вздохнула, — каждый сам по себе. Я поняла. А что ты еще про бабку знаешь? Ну, про театр. Или как с дедом жила?

На пороге возникла девица и, в упор глядя на Машу, сказала:

— Все, концерт окончен! На пятеру он уже наболтал! Хочешь дальше — плати!

Влад, кажется, смутился и опустил голову.

Но платить было нечем, да и незачем — Маша понимала, что про молодость бабки Владу ничего не известно. Какая ему разница, что было у ненавистной бабки в театре или как она жила с его дедом?

Она встала, поблагодарила хозяина и с достоинством, полностью игнорируя наглую девицу, холодно распрощалась. Она ждала лифта, когда из соседней квартиры выглянула женщина.

— Эй ты! — окликнула она Машу. — Поди сюда, слышь?

Маша испуганно оглянулась, но к двери подошла:

— Что вам?

— Да заходи! — свистящим шепотом проговорила соседка. — Заходи, чего боишься? Не съем! Про энтого, — она кивнула подбородком на дверь квартиры Влада, — расскажу!

Маша, конечно, зашла. И бабка все таким же свистящим шепотом начала говорить:

— Нарики эти соседи, наркоши конченые! Владик этот, сукин сын, и его девка, жена. Ну и алкашня, сама понимаешь! Менты от них не вылазят. Да и я вызываю — а что? А что мне прикажете делать? Молча терпеть?

— А что вы терпите-то? — уточнила Маша.

Та с удовольствием перечисляла:

— Крики, шум, ругань. Однажды чуть дом не спалили — чё-то там у них загорелось. В общем — кошмар, а не соседи. Скорее бы их загребли, и на подольше, лет эдак на десять! Папашу из квартиры выкинул — в деревне папаша живет, девок таскает, когда эта его куда-то уходит. Не работает. На что, спрашивается, живет? Да продает, спекулирует! Говорят, бабка у него была зажиточная — певица, что ли? Да, певица. В Большом театре пела. Он и сам мне рассказывал, что бабка была богачкой — бриллианты, золото. Сам говорил, что спер у нее. Вот и продает потихоньку — на ханку хватает. А папаша у него приличный был — врач. Давление мне мерил, уколы делал. Хороший человек — не то что этот сынок. А ты чё приходила? А? Ты из какой организации? Из медицинской? Лечить его хочете? Хорошее дело! Вот и займитесь этими нариками. Увлекитесь, так сказать. И нам, добрым людям, дайте вздохнуть. Кажную ночь боимся — спалит!

«Мерзкая соседка, — с брезгливостью подумала Маша, глядя на узенькое, востроносенькое личико с бегающими глазками. — А ведь права: такое соседство — не приведи господи!» Ну и откланялась, поблагодарив. Ситуация прояснялась: Влад этот — балбес еще тот, и это мягко говоря. Папашу сплавил на дачу и живет в свое удовольствие — не работает, покуривает травку, а может, еще и потяжелее что-нибудь. В общем, понятно.

Она пребывала в задумчивости. Ну и решилась — материал нужно было сдавать через два дня. Нет, про возможных любовников Нонны Васильевны она не писала — до этого не опустилась. А вот про сына и внука написала. А что тут такого — чистая правда! Подала под соусом «не всегда в талантливой и успешной семье бывают удачные дети». А уж тут природа явно отдохнула.

Но подпишет ли интервью Нонна Васильевна? Мучилась, мучилась и позвонила. Ответила хмурая Нюра:

— Нонна Васильевна в больнице. Когда выпишут — не ведаю. И вообще, оставь нас в покое. Хватит уже, насосалась! Наглая ты!

Так интервью осталось без визы героини — что ж, бывает. Ну не в больницу же к ней соваться с этой бумажкой.

Главному все понравилось:

— Видишь, Мари, справилась! А я что говорил? Кому нужна это преснятина без кетчупа и аджики? Ну что, молодец, пятерка.

И статья вышла. А дальше... Дальше началось. Вощак дала ответное интервью другому изданию. Называла Машу лгуньей, хамкой и журналюшкой. Рассказывала, что та проникла к ней в дом под видом приличного человека, топталась, причитала, прикидывалась, корчила из себя приличную. А оказалась мелкой и низкой лгуньей.

И пригрозила судом. Тут же состряпали передачку на ТВ — оскорбленная и униженная звезда и гнусная журналюга.

Что ее так возмутило? Понятно — то, что Маша нашла сына и внука. Ну и так далее: сын — почти бомж, живет на даче, в раздолбанном доме и собирает бутылки. Внучок — здесь вообще! Бездельник и наркоман, украл и продает бабкины цацки. Короче, та еще семейка.

На Машу посыпались оскорбления и потоки грязи — как могла? Как могла оболгать прекрасного человека, гениальную балерину и ее замечательную семью? Сволочь и гадина. Маше звонили коллеги из других изданий — журналисты и просили объяснений: правда ли это или очередная клевета на работников пера? А вскоре позвонила женщина, представившаяся адвокатом потерпевшей. Требовала публичного извинения. Публичного! И признания во лжи. Маша отказалась и поменяла номер мобильного. А главный ее не поддержал — дернул в кусты:

— Судебные издержки нам не нужны. К тому же у них сильный козырь — гранки прочитаны и подписаны не были. Так что, Мари, выпутывайся сама! И мой тебе совет — принеси извинения! Через журнал, разумеется. Покайся! А нам такая репутация ни к чему.

Через месяц он предложил Маше уволиться.

Вот это и было самое подлое, самое отвратительное предательство. Коллеги, надо сказать, вели себя прилично — кто-то сочувствовал Маше, кто-то подсмеивался и давал советы: «Да забей! Все мы это прошли! Такая наша доля журналистская».

Но извиняться Маша не стала и оправдываться тоже. Ничего криминального она не написала, ни на кого поклеп не навела, ничего от себя не придумала, все чистая правда. А что касается неподписанных гранок, это да, чистая правда. Но ведь так сложились обстоятельства, правда?

Домашние, разумеется, делали все и даже больше, чтобы хоть как-то привести ее в порядок.

Мама не выдержала первая:

— В конце концов, — кричала она, — что случилось? Что произошло, нет, ты мне объясни! Кто-то заболел или умер? Нет, ты ответь! Да, неприятности, большие неприятности, не спорю. Но всего лишь неприятности, всё! Не трагедия и не драма, не приведи господи! А ты? Ты сразу сломалась, да? Эта сумасшедшая бабка сломала твою жизнь? Быстро же ты сдалась, моя девочка! А мне казалось, что ты сильная.

Маша молча выслушала маму и спокойно, слишком спокойно ответила:

— Да, сломалась. Да, слабая. Как хочешь. Только я починюсь. Склеюсь. Соберу себя по кусочкам — не сомневайся.

Было душно и тошно — от их заботы, от их уговоров, нелепых предложений типа «Поешь сладенького, успокаивает». Или «Поедем в магазин и купим тебе какие-нибудь тряпочки, а?». Или «А может, рванем в путешествие? Например, на море или за тысячу верст, в какую-нибудь экзотическую страну типа Мексики или Вьетнама?».

Нет. Ничего не хотелось. Ничего и никого. Хотелось лежать в своей комнате, укрывшись с головой одеялом, и никого не видеть, а главное — не слышать.

Единственное, о чем она попросила Митю, — написать от ее имени заявление об уходе.

— Больше на эту тему я говорить не хочу, — отрезала Маша, предупреждая любые расспросы.

Журнал опубликовал извинения от своего имени и от имени журналистки Марии Мирошниковой.

Последняя информация от адвоката Вощак — Нонна Васильевна госпитализирована с гипертоническим кризом. И короткое интервью Нюры, Анны Ивановны, домработницы и старинной подруги Нонны Васильевны: «Эта дрянь — так она назвала Машу — проникла в наш дом обманом, назвавшись работницей собеса. Морочила голову старому человеку, вытягивая из несчастной, больной женщины нужную информацию. Наглая и беспринципная гадина, такую только судить!»

Так и было написано — «гадина».

Но это, как оказалось, вранье про работницу собеса было еще цветочки. Буквально на следующий день Анна Ивановна Власова, «компаньонка» — теперь это звучало так — великой балерины, обвинила журналистку Мирошникову в воровстве. Дескать, после ее визита у балерины пропала старинная брошь — подарок любимого мужа.

Ну здесь не выдержал главный, пригрозив балерине Вощак обвинением в клевете и судом. Он, надо сказать, дал гневную отповедь, и дело это быстро сошло на нет, адвокат Вощак это тут же спустил на тормоза.

Но Маше было не легче — слова «воровка и гадина» колотились в висках. Нет, это не просто потеря репутации — это конец, смерть.

Она поняла, что профессию потеряла и никогда — никогда! — ни под каким соусом не вернется в журналистику.

Митя твердил, что никому нет дела до журналистки Мирошниковой, что у всех своя жизнь — прочитали и забыли. Через полгода, да нет — через месяц никто и не вспомнит. В конце концов, можно сменить фамилию. Например, взять фамилию Машиной бабушки — прекрасную, между прочим, фамилию, аристократическую даже, — Голицына. А что, Мария Голицына — красиво, а? Митя был счастлив, что именно ему в голову пришла эта гениальная мысль.

Да разве в этом было дело? Можно уйти из профессии — любимой профессии. Можно сменить фамилию — сейчас это делается на раз, можно вообще поменять город или страну — уехать куда-нибудь на периферию — например, в Калининград или Светлогорск. Маша всегда мечтала жить в маленьком городке у моря.

Нет, не поможет. Поможет только время. Возможно, это так. Только самое страшное — унижение и ложь. Обвинение в том, чего ты не делал. Порушенная репутация. И отсутствие истины.

Работа была для нее страшно важна. И больше всего ее потрясла несправедливость. То, что от нее отказался главный. То, что посмеивались коллеги, предлагая сменить профессию: «С такой тонкой организацией тебе, Маша, в другую дверь!» Да, она не привыкла проигрывать — всегда и во всем старалась быть первой — синдром отличницы. Да, она честолюбива и крайне тщеславна. Но что тут поделать — это данность. Это черты характера, натура. В чем ее вина? В том, что она сделала честный и правдивый материал? В том, что рассчитывала на справедливый резонанс и похвалу? Да, а что? Что тут такого? Это вполне нормально. Но в ответ она получила предательство и унижение. И еще — страшные, позорные обвинения. Нет, она понимала: Вощак — выжившая из ума старуха. Но стыд и обида были велики. Она потеряла землю под ногами. Это и называется «мордой об стол».

Да, она гордый человек, и ей трудно, невыносимо трудно все это пережить. Но она справится, потому что она — борец! И всем, прежде всего себе, докажет, что она профессионал.

Но сил на доказательства и борьбу у Маши не было. Она страдала дни напролет. Видела, как хлопочут, сбиваются с ног родные, но и не думала «прекращать эту Голгофу» — мамина фраза. Даже ловила себя на мысли, что страдать ей немного нравится.

Но кое-что поняла — надо уменьшить амбиции, иначе не выжить. Смирить гордыню, а то пропадешь. И еще — понять наконец, усвоить, что в жизни есть не только мама и Митя, но и все те, кто вокруг — злые, черствые, нечестные. Чужие.

И вообще жизнь — это не киндер-сюрприз, а довольно жестокая штука.

Маше не в чем было упрекнуть родных — Митя и мама сходили с ума и днями крутились возле нее. Про маму нечего и говорить, а вот Митя, и без того худощавый и поджарый, похудел на десять килограммов и сам стал похож на больного. Перепуганная свекровь заставила сына сделать анализы. Казалось, Маше надо было успокаивать мужа, да и свекровь не отставала — приезжала через день, привозила пирожки, когда-то нежно любимые невесткой, экзотические фрукты типа манго и личи и прочие вкусности. Но Маша не

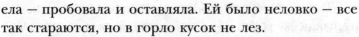

ела — пробовала и оставляла. Ей было неловко — все так стараются, но в горло кусок не лез.

По настоятельному требованию мамы бедную Машу положили в клинику неврозов. Ничего плохого там не было — прогулки, электросон, массаж и гимнастика. Уколы витаминов и барокамера.

Маша послушно и равнодушно выполняла назначения врача. Но по-прежнему была тиха и неразговорчива, стремилась поскорее остаться одна. Мама с тревогой вглядывалась в лицо дочери, ища в нем хоть крошечные позитивные изменения. Маша слабо, измученно улыбалась и отводила глаза. И обе вздыхали — Маша тихо, мама чуть громче.

А после выписки все продолжилось почти в том же духе. Мама взяла отпуск и переехала к ним, Митя срывался с работы после обеда и торопился домой. Свекровь все так же таскала сумки, а Маша спешила уединиться, закрыться в своей комнате и лечь на кровать.

Мама продолжала ее уговаривать:

— Да наплевать. Тебе, как разумному человеку, должно быть интересно мнение только тех, кто интересен тебе. Рожай ребенка и сиди дома — год, два, три! Ребенок отвлечет тебя, хлопоты закрутят, и все, что с тобой произошло, тебе покажется смешным.

Мама обрадовалась своей светлой мысли о беременности дочки. Страшно робея и стесняясь, она попыталась изложить любимому зятю эту идею. Митя сразу все понял, грустно усмехнулся и сказал:

— Нет, Ирина Борисовна, увы, не получится. Никак не выйдет, по крайней мере сейчас. — И, извинившись, быстро вышел из комнаты.

«Так, все понятно. Она с ним не спит. Господи, ну какая же дура! Не спать с молодым, здоровым, симпатичным и успешным мужчиной. Он уйдет от нее! — ужаснулась и запаниковала Ирина Борисовна. — Конечно, уйдет. Зачем ему больная, со странностями, жена, когда вокруг столько здоровых и нормальных!»

Прошло три недели после выписки. Маша много спала и все так же ни с кем не желала общаться. Она все так же ждала звонка от главного — пусть он сказал бы два-три слова, хотя бы так! Она не ждала от него извинений, покаяний. Но позвонить-то можно? Позвонить и утешить. Просто сказать пару слов, справиться о здоровье — наверняка он знал, что ее положили в больницу.

Но он не позвонил.

Однажды Маша проснулась — время было сумеречное, ближе к вечеру — и услышала тихий шепот на кухне. Она встала, накинула халат и вышла из комнаты.

Мама, муж и свекровь озабоченно что-то обсуждали, наверняка говорили о ней. Увидев ее, замолчали и испуганно переглянулись.

— Ну, что? — усмехнулась Маша. — В доме покойник? Или уже поминки?

Все продолжали молчать, боясь сказать слово.

— Так вот, — продолжила Маша, присев на стул, — поминок не будет. Покойник скорее жив, чем мертв. И хватит вам. Траур отменяется, ясно? — Маша взяла большое розовое яблоко, лежащее на столе, и громко и сочно хрустнула им.

213

Родные сидели в оцепенении. Первой опомнилась мама:

— Доченька, ой! А супчик? Супчик погреть?

Свекровь тоже вскочила и засуетилась у плиты.

Никакой супчик Маша есть не стала, а вот кофе с пирожным выпила, чем доставила несказанную радость окружающим. Она видела их ожившие счастливые глаза и думала: «Как же они меня любят! И главное — за что? Знали бы, бедные, какая я стерва».

С того дня стало чуть легче. По крайней мере она не лежала целыми днями в кровати, упершись лбом в стену. Начала понемногу есть, Митя скачал ей на планшет фильмы, вкус у него был отличный. Только на улицу не выходила — страшно. Почему-то было страшно и совсем не хотелось видеть людей. Митя по-прежнему был тактичен и невыносимо нежен. «Господи, и за что? За что меня так наградили?» — думала Маша.

Потихоньку она стала выходить во двор — именно во двор: тридцать шагов вдоль подъездов туда и обратно. На большее не было ни желания, ни, признаться, сил. Но и это прогресс, что говорить.

Про то, что случилось, не говорили ни разу. А ей, дуре, хотелось обсудить это с мужем, в который раз убедиться в предательстве главного и, конечно, получить поддержку.

Когда она осторожно начинала об этом, Митя тут же расстраивался и обрывал ее:

— Мань, ну опять? Мы же договорились — ни слова! Зачем ты растравливаешь себя?

Маша плакала и оправдывалась. Митя убеждал ее, что дело в гордыни. Она привыкла быть лучшей, пер-

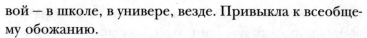

вой — в школе, в универе, везде. Привыкла к всеобщему обожанию.

— Но жизнь, — говорил он, — штука такая. Иногда дает по носу. И с этим надо смириться. Надо вообще уметь смиряться, принимать жестокую и несправедливую действительность, в которой живет человек. Хватит иллюзий, Марусь! Тем более — в условиях нашей страны. Тем более — в журналистике, где... Ну, ты все понимаешь! Недаром твою профессию называют второй древнейшей.

Маша обиделась. Господи, на Митю, на святого человека, собственного мужа. Мама пыталась ее образумить. Свекровь тоже вмешалась, но осторожно, понимая, что она не мама, а всего лишь свекровь.

И Маша снова обиделась — теперь уже на всех сразу. Нет, она понимала — они прекрасны, ее родные, это она невыносима. Так же, как понимала и то, что ее обиды от нездоровья. От недуга. И невыносимая жажда уединения, даже одиночества — тоже от этого.

Вот тогда и сказала мужу:

— Знаешь, сейчас мне лучше одной. Извини.

И вот теперь она здесь, в этом санатории, в заточении, правда, в добровольном.

Назавтра она взяла себя в руки. От стола, заставленного немыслимой кучей еды — молочной кашей, котлетами с пюре, капустным салатом, булочкой с повидлом и плошкой с творогом — ее затошнило. Еле проглотила ложку творога и покрошила булочку. После завтрака — визит к врачу. Молодой и симпатичный доктор, кажется, стеснялся своей пациентки.

И уж точно робел. Ему было явно неловко задавать вопросы о самочувствии этой молодой и красивой столичной жительнице. Маша из вредности ему не помогала — сидела на стуле и с насмешкой наблюдала за ним.

Доктор, справившись с волнением, протянул лист бумаги с указанием назначенных процедур. Маша вздохнула и, словно делая одолжение, взяла листок и принялась изучать.

— Из всего перечисленного, — наконец проговорила она, — я возьму только бассейн, массаж и жемчужные ванны. Жемчужные — потому, что мне нравится это название. А все остальное — бред и ерунда. Ну зачем мне ваш кислородный коктейль или сонотерапия? Вы сами-то в это верите?

Врач, красный как рак, что-то неловко забормотал в свое оправдание.

Маша усмехалась и качала ногой.

«Наглая столичная штучка! — подумал доктор. — Они все там такие».

— Ну, это ваше право, — холодно сказал он. — Я ни на чем не настаиваю, только советую. И эта ерунда, как вы выразились, приносит ощутимую пользу.

Маша кивнула, встала и вышла из кабинета. Перед тем как прикрыть дверь, обернулась и насмешливо и дурашливо сказала: «Спасибочки».

Доктор откинулся на спинке кресла и вытер со лба пот — бывают же дамочки! Ох, какой же я молодец, что не рванул в столицу! Надо признаться себе — не справился я бы там, ох не справился бы. Лучше здесь с простым народом. Без этих капризов и столичного пафоса.

Бассейн был по расписанию — сорок минут в назначенное время и — тю-тю, досвидос. Все рассчитано до минуты.

— А поплавать тогда, когда хочется? — удивилась Маша. — Когда мне удобно?

— Нет, нельзя. Это санаторий, а не частная лавочка. Здесь все по плану, по расписанию. И кроме вас — вон еще сколько больных, — резко ответила тетка в белом халате, презрительно оглядев столичную цацу. — Будут тут свои правила заводить!

Маша дернула плечом и вышла прочь — хамство! Какое хамство! Митя, ну как же? Куда ты меня отправил, господи? Просто машина времени в советское прошлое. Есть же прекрасные частные пансионаты, где все улыбаются и прислушиваются к твоим пожеланиям? Разозлилась на мужа, напрочь забыв, что добровольно согласилась сюда приехать, потому что хотелось подальше сбежать.

Она снова обиделась на всех — на врача, на тетку в бассейне. И, конечно, снова на Митю — вот он, виновник ее унижений.

Кстати, на телефоне было три вызова пропущенных от мужа. Она хмыкнула и бросила телефон на кровать — пусть поволнуется. Потом быстро оделась и пошла на улицу.

А как там было хорошо! Маша встала на пороге и задохнулась от восторга — высоченные темные ели были припорошены свежим снегом, который все шел и шел, был пушист и мягок и падал аккуратно, нежно, сказочно красиво. А какая стояла тишина! В голубоватое, в слабой дымке небо резко взлетели, словно

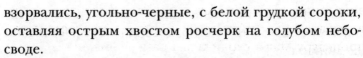

взорвались, угольно-черные, с белой грудкой сороки, оставляя острым хвостом росчерк на голубом небосводе.

Гулко ухнул филин, и Маша вздрогнула от неожиданности, словно опомнилась. В лес вела узкая утоптанная тропка, и она смело пошла вперед. Идти было легко, снег был мягкий и еще неглубокий.

С верхушки ели спорхнула сорока, и на Машу посыпался пушистый и мягкий снег. Чуть запыхавшись, она остановилась и огляделась — здание санатория скрылось за поворотом, и ей стало немного страшно. Маша остановилась, чтобы развернуться, но увидела большой и пышный сугроб, подбежала к нему и упала. Упала навзничь, широко раскинув руки и ноги, как в мягкую старую и добрую перину у бабушки. Ах, как же сладко!

Она зажмурилась и задохнулась от восторга. Красота!

Вот только не уснуть бы тут, в этой неге. Она была счастлива. Странно, да? Вот так просто — нырнуть в сугроб и стать снова счастливой. Пусть на пять минут, пусть!

Счастье долгим не бывает, верно? Только бы не уснуть. А как хочется! Как хочется блаженно закрыть глаза и ждать, ждать. Чего, господи?

Маша испугалась собственных мыслей, резко поднялась и, отряхнув снег, быстрым шагом, почти бегом, направилась к зданию санатория. Начинало темнеть. Сердце отчаянно билось.

А в общем дни тащились так серо и однообразно, что, если бы не вылазки в лес, можно было совсем сойти с ума. Утром и днем процедуры — успокаиваю-

218

щие ванны, сауна, массаж и бассейн, соляная пещера и дыхательная гимнастика. Впрочем, на последнюю процедуру Маша сходила два раза — фигня!

Обед и сон — вот с этим все было отлично. Маша спала как сурок, а после сна торопилась в лес. В четыре наступали ранние зимние сумерки, но от белейшего снега на улице было вполне светло. Легкий морозец слегка румянил Машины бледные щеки и радовал. Она шла по тропинке и глубоко и громко дышала: вдох — выдох, вдох — выдох, чувствуя, что становится легче. Как будто с плеч, груди и спины кусками отваливались, спадали тяжелые куски штукатурки. Отступала ноющая боль в груди, расправлялись легкие, светлела голова. Устав, она присаживалась на лежащее дерево или плюхалась в мягкий сугроб. Обратно шла медленно, чувствуя, что силы быстро покидают ее. Она все еще очень быстро уставала, но и понимала, что сил прибавилось — разве еще месяц назад она могла бы пройти такое расстояние?

Зайдя в номер, Маша быстро скидывала с себя влажные брюки и куртку и тут же залезала под горячий душ, а после ложилась в кровать под одеяло и смотрела на часы — ждала ужина. «Проголодалась, — удивлялась она. — Как давно я не испытывала чувство голода».

С мамой и Митей разговаривала по вечерам коротко. Маме давала скупой отчет:

— Да, плавала. Да, на массаже была. Да, съела кашу и выпила сок. На обед суп. Какой? Да я не помню, господи! Разве это так важно? Кажется, грибной. Или рыбный.

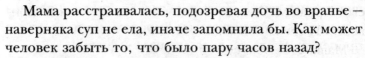

Мама расстраивалась, подозревая дочь во вранье — наверняка суп не ела, иначе запомнила бы. Как может человек забыть то, что было пару часов назад?

А Маша и не думала врать — она и вправду съела суп. И вправду забыла какой. Так с ней бывало.

По вечерам, через день, в пансионате крутили кино — конечно, старые и добрые советские комедии. Маша смотрела их с удовольствием.

И вообще эта размеренная, монотонная и однообразная жизнь ее умиротворяла. Она чувствовала, что почти смирилась с дурацким расписанием, еще более дурацкими санаторными правилами и даже исполняла все если не с воодушевлением и восторгом, то точно без охов и вздохов.

Митя рвался к ней — правда, говорил об этом осторожно, деликатно, не навязываясь:

— Мань, как я соскучился.

Но она по-прежнему не приглашала его, отвечала сдержанно и немного рассеянно:

— Да-да! Я тоже, Митенька. Но пока подожди, а?

Митя соглашался. Здоровье и Машин душевный покой — это главное. Зато выговаривала мама:

— Твой эгоизм, Маша, мне известен как никому. Ладно я, меня ты видеть не хочешь, хотя мне это странно! — В голосе явно звучала обида. — Но Митя? Зачем ты отталкиваешь его? В чем он виноват? Митя — святой человек и замечательный муж. Не хотела тебе говорить. — Ирина Борисовна сделала паузу, потом решительно продолжила: — Ты не понимаешь, что играешь с огнем. Молодой, симпатичный и успешный мужчина и не очень здоровая, постоянно раздражительная и капризная жена. К тому же отвергающая

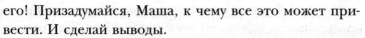

его! Призадумайся, Маша, к чему все это может привести. И сделай выводы.

Маша ответила сухо и коротко:

— Если так, значит, так тому и быть. От судьбы не уйдешь. Значит, еще одно предательство. Ничего, я привыкла. Переживу как-нибудь. Знаешь, мне казалось, что брак — это и в горе, и в радости. А если нет...

Мама перебила ее:

— Да какое у тебя горе, господи?

В общем, повздорили, и Маша обиделась. Но понимала — мама права.

Как-то в бассейне женщина из отдыхающих поделилась с ней информацией — оказывается, в этом городке есть свой театр. Да-да, настоящий драматический театр! Кстати, довольно известный. И даже назвала фамилию известного московского актера, когда-то игравшего в этом театре.

Маша удивилась и вечером того же дня отправилась на разведку — в конце концов, надо проветриться — засиделась. Скоро совсем одичает в своем любимом лесу. Городок оказался довольно симпатичным — по крайней мере его центральная часть. Все как обычно: центральная площадь, двухэтажный, недавно отстроенный торговый центр, старый рынок и несколько кафешек по кругу. Маша побродила по торговому центру, зашла в кофейню и выпила чашку кофе со вкусной булочкой с изюмом — как из детства. А уж потом отправилась к зданию театра — идти всего ничего, минут десять. Дороги и тротуары были не чищены — народ пробирался по сугробам и колдобинам, матеря местную власть.

И вот здание театра — обычное, типовое. Сразу видно, что театр.

В кассе сидела пожилая женщина и с любопытством оглядывала залетевшую пташку. Перед ней стопкой лежали билеты. А вот желающих приобрести их не было.

Маша разглядывала афишу: Горький, «На дне»; Чехов, «Три сестры»; Горин, «Забыть Герострата». «Ого! — усмехнулась она. — Ну просто как в столице — тот же репертуар».

— А что сегодня *дают?* — с чуть пренебрежительной ухмылкой обратилась она к кассирше.

Та важно насупилась и с гордостью отозвалась:

— Сегодня у нас рассказы Чехова — совсем новый спектакль! Кстати, премьера была всего две недели назад и прошла с большим успехом, заняты почти все наши звезды. Две недели полный аншлаг. А сегодня пятый спектакль.

Кассирша говорила об этом с такой неподдельной гордостью, что Маше за свой снобизм стало неловко. Она сделала серьезное лицо и поинтересовалась, остались ли билеты на сегодня.

— А как же! — обрадовалась кассирша. — Вон сколько! Вам, наверное, партер? Первый ряд?

— Зачем же первый? Меня вполне устроит и третий.

И подумала: «Вот он, чистый и наивный провинциальный народ — ни подвоха не заметила, ни иронии. Совсем другие здесь люди, совсем».

До начала спектакля оставалось сорок минут, и по улице шататься не хотелось. Маша, попросив разрешения у кассирши, села на стул в предбаннике кассы.

— Да сиди! — Та тут же перешла на «ты». — Замерзла небось? А хочешь чайку горячего? У меня в термосе вот. — И, не дожидаясь ответа, протянула Маше чашку с горячим чаем. — Пей, пей! Полезный, шиповниковый — из своей, между прочим, розы!

Маша прихлебывала кисленький, вкусный чаек, хлопала глазами и всерьез задумалась о переезде в провинцию — здесь, кажется, тебя не предадут и не подставят. Другой народ, совершенно другой, определенно.

А через двадцать минут она стояла в фойе театра страшно смущенная — народ был разряжен и надушен. Женщины с прическами и украшениями смущенно и торопливо надевали туфли. Мужчины были в галстуках и светлых рубашках. Только Маша стояла с легинсах, заправленных в угги, в толстом вязаном свитере с оленями — подарок свекрови.

Она отправилась в буфет и там приятно удивилась — бутерброд с красной рыбой, которой ей тут же страстно захотелось, стоил всего пятьдесят рублей, а чашка приличного — как оказалось — американо из хорошей кофемашины — всего-то тридцатку. Ну и плюс пирожное картошка, ее любимое. За двадцать пять, между прочим, рублей. Еще одна приятная сторона провинции.

Маша оглянулась — зал был полон. Действительно аншлаг, кассирша не наврала. И если бы не удушающий запах слишком сладких духов, исходивший от ее соседки, немолодой дамы в блестящих кружевах, то все было бы замечательно. Но что делать? Придется терпеть и носик не хмурить — подумаешь, фифа какая.

Открылся занавес, и зал замер. Заиграла музыка, на сцену выпорхнула актриса. Декорации, конечно, были наивными и бедными — все понятно, какие деньги у провинциального театра? А вот высокий голосок актрисы звучал мелодично и звонко. Минут через десять, после ее заливистого монолога, в глубине сцены возникла долговязая мужская фигура.

Машина соседка наклонилась к ней и, обдав удушливым запахом духов и копченой колбасы из буфета, свистящим восторженным шепотом проговорила:

— Наш премьер Валентин Золотогорский. На него и ходим — огромный талант! А голос! Нет, вы прислушайтесь к голосу! До мурашек, а? А красавец какой! Наша гордость!

И довольная — нет, счастливая — тетка отпрянула, моментально опознав в Маше чужую. Конечно, да разве в таком, простите, наряде придут на премьеру приличные люди?

Маша вздрогнула, услышав фамилию премьера. Господи боже... Только этого ей не хватало! Вот же занесли черти в этот театрик! Она почувствовала, как сильно забилось сердце и кровь отлила от лица. Валентин Золотогорский. Премьер, огромный талант. Ведущий актер, на которого ходят полюбоваться и послушать его голос — голос красавца и любимца публики, чтоб до мурашек. Валентин Золотогорский. Премьер и любимец публики. И ее, Машин, папаша. Вот так.

Маша закашлялась, и соседка гневно на нее глянула. Маша пробормотала «извините» и вся превратилась в слух. Но напрягаться не пришлось — голос Золотогорского звучал мощно, величественно и красиво. Не признать этого было нельзя.

Он вышел на авансцену, и Маша принялась жадно его разглядывать. Сухощавый, скуластый, он был красив, но сильно потрепан, если честно. И все же глаза горели священным огнем — Валентин Золотогорский был в образе.

Как он играл? Да наверное, неплохо. Даже, возможно, вполне себе прилично, делая упор на сокровище, данное природой, — голос, глубокий и выразительный. Кроме того, хорошо поставленный. Наверное, мастерство не пропьешь. Явной лжи, переигрывания, фальши Маша не заметила. Или не хотела заметить?

«Надо уйти в антракте, — осенило ее. — А может, прямо сейчас? Да, именно так — сейчас! Вот проберусь между рядами и — на улицу, скорее на улицу, на чистый воздух, белый снег». Но она почему-то сидела, словно приклеенная к своему креслу. Нет, конечно, это не было магией актерской игры — да бросьте! Может, любопытство? Тоже нет. Скорее всего, это была растерянность, эффект внезапности, неожиданности.

Маша почти не слышала, что говорят актеры. Она смотрела на отца жадно, пытаясь разглядеть все — мельчайшие подробности его фигуры, лица, мимику, жесты, походку. Она искала в нем сходство с собой и находила. Это не приносило ей радости, не утешало ее, наоборот — ей было от этого неловко и даже огорчало. Этот абсолютно чужой, незнакомый и неизвестный человек, ее родной отец — надо же. И такие узнаваемые и знакомые жесты — например, взмах руки или чуть пружинящая походка, над которой посмеивался Митя. Или глаза — большие, очень светлые, почти прозрачные, как у нее.

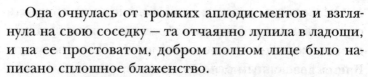

Она очнулась от громких аплодисментов и взглянула на свою соседку — та отчаянно лупила в ладоши, и на ее простоватом, добром полном лице было написано сплошное блаженство.

— Ну как вам? — повернулась она к Маше.

— Нормально. Неплохо, — отозвалась та, погруженная в свои мысли.

Соседка ошпарила ее презрительным взглядом и стала пробираться на выход — антракт. А Маша сидела, не в силах подняться. Ей было понятно, что нужно уходить. Наконец она встала и пошла в гардероб. Гардеробщица посмотрела на нее с удивлением:

— Что, не понравилось?

— Нет, что вы, отличный спектакль. Просто мне нужно спешить. Я тут недалеко, в санатории. Ужин уже пропустила. Режим.

Гардеробщица протянула ей куртку.

— Счастливо!

На улице было тихо и бело. Так бело, что Маша зажмурилась — под светом фонаря только что выпавший снег искрился и переливался мельчайшими осколками алмазного стекла.

Она шла по безлюдной улице чужого, незнакомого города и впервые за эти долгие месяцы плакала. Зачем? Зачем это все было нужно? Зачем судьба послала ей эту встречу, это испытание, когда ей и так тяжело? Так тяжело, как никогда. Она здесь совсем одна, в этом дурацком чужом городе, одна во всем мире, хотя у нее есть и Митя, и мама. Она еле справляется с собой, еле, по капле, приходит в себя. Чуть-чуть начинает дышать. А тут... Зачем ей еще и это? Разве не хватит? Не достаточно разве? Позвонить

Мите! Срочно, сейчас же позвонить Мите и сказать ему, чтобы он сегодня же забрал ее отсюда. Она уже достала телефон, как ее осенило: «Какая же я дрянь. Время восемь. Митя только-только приехал с работы. А может, еще стоит в пробках. Даже наверняка. А он ведь, услышав мой голос, рванет, можно не сомневаться. А зимняя дорога в почти четыреста верст? А гололед, а метель? Сегодня обещали метель. Нет, ни за что я не буду ему звонить. И маме, кстати, не буду. Потому что начнутся вопросы, много вопросов, а еще охи и ахи. И снова вопросы — впечатления, ощущение и так далее. А потом мама заплачет и начнет причитать и жалеть нас обеих — и себя, и меня. Надо поймать такси на центральной площади — их там навалом — и домой, в смысле — в номер. Под душ и в кроватку. Хватит, накультурилась — дальше некуда. Вот ведь! Зараза. Жизнь — зараза. Судьба — зараза. И Золотогорский этот зараза, со своим чарующим бархатным голосом. Пусть живет. А мне на него наплевать, больше я его не увижу». Она быстро дошла до площади и увидела пару запорошенных снегом машин, стоявших у кромки тротуара. Водитель одной из них, увидев долгожданного клиента, бросился к Маше как к родной.

В машине было жарко и воняло бензином. Маша открыла окно, и снег залетал ей на лицо и на куртку. Водитель покосился на нее и затараторил, зачертыхался, как все водители — ругал местную власть и нечищеные, разбитые дороги, громко сигналил встречным машинам и с интересом поглядывал на пассажирку.

«Клеит», — поняла Маша и усмехнулась. А он и вправду предложил ей «программу», увидев в ней одинокую и скучающую отдыхающую.

— У нас тут и дискотека, и суши-бар, — радостно перечислял он провинциальные радости, — и кино, между прочим! Три-дэ фильмы показывают, кстати. И пиццерия. Может, мотнемся как-нибудь, вечерком?

— Что? — переспросила его строгая пассажирка таким голосом, что он осекся. — В каком смысле — мотнемся?

— Да в самом прямом, — сникнув, кисло ответил водитель. — Ну, если, конечно, хотите.

— Я не хочу, — отрезала Маша. — И вообще, я замужем.

Водитель вяло кивнул и на пару минут замолчал.

— А театр ваш? Ну, драматический? В народе популярен? В смысле — хороший театр? — поинтересовалась Маша.

— Да я туда не хожу. И молодежь не ходит. Так, бабки одни и дедки. А чё им делать? Их ни кафе, ни танцы не интересуют, ясное дело. Мать моя в театр ходила, пока не заболела. Говорила, что нравится. Искусство. А по мне... По мне это все — скука.

Маша кивнула, дескать, понятно. Все понятно с местной молодежью. И чего уточняла, что хотела услышать?

Водитель резко затормозил у ворот санатория, и Маша с радостью выбралась из машины — от бензиновой вони ныли виски. Два круга вокруг здания, моцион на ночь, вдох — выдох. Хорошо. Она почти успокоилась и толкнула тяжелую входную дверь.

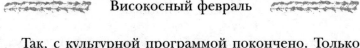

Так, с культурной программой покончено. Только процедуры, прогулки по лесу и крепкий, по возможности, сон. До отъезда оставалась неделя, точнее, восемь дней. Хочется ли домой? Этого она еще не поняла. Зато поняла, что страшно промерзла. Но где? В машине было тепло, даже жарко. Однако знобило здорово, и Маша долго стояла под горячим душем, потом выпила крепкого сладкого чаю, улеглась в кровать и позвонила мужу.

У Мити был грустный голос. Сказал, что страшно соскучился. Маша ответила, что тоже. И это, кажется, было правдой. Разговор был недлинный — Маша отчиталась о процедурах и прошедшем дне. Про вылазку в город и поход в театр ничего не рассказала — как решила, так и решила. Незачем, правильно. Митя не из болтливых, но уж эту новость он точно расскажет любимой теще. А мама, конечно, уговорит его назавтра приехать. Впрочем, уговаривать его не придется — примчится он с радостью, была бы причина.

Распрощались на том, что, к счастью, осталась неделя.

— Какая-то неделя! — радостно повторил Митя.

— Восемь дней, — уточнила Маша.

А ночью ее накрыло. Да как! Вспомнилось все — позор последних месяцев, старуха Вощак, злобная Нюра, главный с его предательской отповедью, насмешливые взгляды коллег: «А ты как думала? Наша профессия такая, милочка!» Вспомнилось нервное отделение больницы, куда ее укатали родные — бесконечный удушливый запах валерьянки и пустырника, капающий кран в туалете — динь-динь по голове, всю ночь. Холодное и тугое вареное яйцо на завтрак и обветренный кусок хлеба на краю тарелки с ненавистной остывшей геркулесовой кашей. И глаза мамы и Мити, полные отчаяния и тревоги за нее. А ей от этого только хуже, только больней.

Ужас и позор, потеря профессии в самом начале пути, крах всей жизни, идеалов, надежд. И полная неизвестность впереди. Отчаяние. Зачем? Зачем вся эта жизнь, если с ней так поступили?

Может, Митя прав — махнуть в теплые края, например, в Таиланд или на Гоа. Можно на какие-нибудь дальние острова, Мальдивы или Тенерифе. Зайти в море и, блаженно закрыв глаза, плыть вдаль, к горизонту, к солнцу, свободе. Она свернулась калачиком, поджала под себя ноги и захлюпала носом. Ей было жалко себя — маленькую, слабую, обманутую девочку. Мало мне, мало! Надо же было добавить — чтобы здесь, в этой глуши, встретить Золотогорского этого! Биологического, так сказать, папашу.

Кое-как на рассвете уснула, замучив себя окончательно. А в восемь позвонила мужу. Рта открыть не успела, как Митя объявил о срочной командировке — опять в Казань, да. Третий раз за этот месяц. Надоели это мотания. Как я хочу к тебе, Мань! Ну ничего — еду как раз на шесть дней. И по приезде сразу же за тобой! Машину брошу в аэропорту на стоянке — даже домой заезжать не буду. И сразу в твой санаторий, Мань! А?

— Да, — мертвым голосом отозвалась Маша, — конечно.

Муж коротко спросил ее о самочувствии — он торопился, она это понимала и ответила дежурным «нормально».

Оставалась еще мама. Нет, машину мама не водила. Но если бы Маша позвонила ей, мама примчалась бы тут же, как говорится, на вечерней лошади. И даже на дневной. Дорога в одиночестве Машу страшила — автобус, поезд, снова автобус. Да еще и вещи! Нет, одна не доберусь — страшновато.

А мама хлюпала носом, чихала и кашляла.

— Ой, Марусь! Подхватила какую-то гадость! Вирус, наверное. В автобусе или в метро. Все чихают и кашляют, неудивительно.

Маша грустно поддакивала:

— Ага. Ты лечись, мам! И еще Митька уезжает.

Мама приняла это на свой счет:

— Да-да, Митя звонил. Обещал перед аэропортом привезти молоко и лекарства. За меня не волнуйся, девочка!

Положив трубку, Маша подошла к окну — день был солнечный, светлый, морозный. Поле перед окном, ровное и гладкое, прорезала свежая лыжня. Может, взять в прокате лыжи? Маша поежилась. Не хотелось ни лыж, ни снега, ни леса. Ничего не хотелось.

Она заставила себя надеть спортивный костюм, бросила в сумку купальник и полотенце и пошла в бассейн.

В коридоре столкнулась с врачом, который назначал ей в первый день процедуры. Страшно смущаясь и краснея, он поинтересовался ее здоровьем и посетовал, что она игнорирует его.

Маша вздыхала, смотрела по сторонам и думала: «Как вы мне все надоели! Со своими расспросами в первую очередь: как я, что я, что хорошего? Да нормально я, в полном здравии и рассудке. А что, не похоже?»

Она махнула рукой и пошла прочь. Врач растерянно смотрел ей вслед. «Хамка какая, — в который раз обиженно подумал он, — московская фифа. Тощая, неприятная. Глаза колкие — бррр! Ледяные. А ведь замужем! И как ее муж с ней справляется?»

Он вспомнил свою милую и тихую жену, местную девочку, медсестру, на которой он женился уже здесь, после распределения. Вспомнил и ее пирожки с капустой — размером с ладонь, — и шерстяные носки из козьей шерсти, связанные ее заботливыми руками. И казанок с тушеной картошкой, заботливо укутанный в три одеяла: придешь и поешь горяченького, Ванечка! Он облегченно и счастливо улыбнулся и быстро пошел по коридору.

После обеда Маша поехала в город, на площадь. Наверняка тот самый говорливый водила по-прежнему там торчит. Попробует сговориться с ним по поводу поездки в Москву — сколько заломит? Неизвестно. Наверняка много — парень-то ушлый. Ничего, Маша собьет с него спесь. «И не с таких сбивали», — подбадривала себя она.

И, как чеховские сестры, повторяла: «В Москву, в Москву! Наотдыхалась».

Но «Жигулей» цвета «баклажан» на стоянке не наблюдалось — другой водитель, тоскующий в ожидании пассажиров, сказал, что Володька уехал обедать и будет через минут сорок, если не завалится спать.

Маша кивнула:

— Хорошо. Через сорок минут подойду.

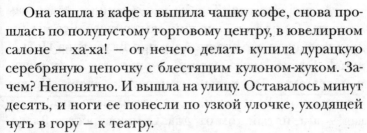

Она зашла в кафе и выпила чашку кофе, снова прошлась по полупустому торговому центру, в ювелирном салоне — ха-ха! — от нечего делать купила дурацкую серебряную цепочку с блестящим кулоном-жуком. Зачем? Непонятно. И вышла на улицу. Оставалось минут десять, и ноги ее понесли по узкой улочке, уходящей чуть в гору — к театру.

Сегодня давали «Дядю Ваню». Маша разглядывала размытую снегом афишу, носком сапога ковыряя рыхлый снег. Потом, опасливо оглянувшись, словно ее кто-то мог уличить в чем-то неприличном, зашла в билетную кассу.

Знакомая кассирша узнала ее и улыбнулась как родной.

— А Валентин Золотогорский, — почему-то шепотом спросила Маша, — сегодня играет?

— Приболел, — скорбно вздохнула кассирша. — Замена сегодня. Василий Бычков. Хороший артист, но куда там до Валентина Петровича! Это я вам по секрету, — добавила она.

— А что с Валентином Петровичем? — удивляясь своему беспокойству, спросила Маша. — Что-то серьезное?

— Да нет вроде. Гипертония. Мучает она его, бедного! Говорят, «Скорую» вызывал. Бедолага. Одинокий ведь, некому проследить.

— А вы не знаете, — Маша от волнения закашлялась, — где он живет?

Кассирша с удивлением и подозрением посмотрела на нее.

— А тебе-то зачем?

— Да журналистка я, из Москвы. Пишу вот материал про провинциальный театр.

— А, вот оно как! Так бы и объяснила. Знаю, как не знать. Город-то маленький, сама видела. Все мы тут друг про друга все знаем. А уж про Валентина Петровича! Легенда наша, кумир! Значит, так — выйдешь и налево, по Театральному переулку, вверх. Потом свернешь на Власова и, — она замолчала, прикидывая, — ага, пятый дом от угла. От перекрестка Власова с Театральным — скромный такой домик с зеленой крышей. Домик неприметный, обычный, а крыша новая — по ней и найдешь. Номер, конечно, не помню. Если что, спросишь. Золотогорского все знают. Найдешь, — ободряюще сказала она. — Не заплутаешь.

Маша горячо благодарила ее и уже собралась уходить, как кассирша ее остановила:

— А до тебя ли сейчас ему? А? Болеет ведь человек! А тут ты!

Маша уверила добрую женщину, что обязательно поинтересуется состоянием Валентина Петровича, и если она не вовремя, то уйдет. Настаивать уж точно не будет.

Но, кажется, кассирша уже пожалела, что дала адрес.

— Ты не говори ему, что это я тебя навела, — крикнула она вслед уходящей Маше.

Маша, пообещав не разглашать тайну, быстро пошла вверх по Театральному, свернула на улицу Власова и тут же увидела серый, давно не крашенный дом, укрытый новой веселенькой крышей.

Она резко остановилась и словно очнулась. Зачем она здесь? Какого черта она притащилась сюда? Совсем спятила, совсем! Зачем ей этот дом с зеленой крышей, эта улица, этот тусклый и тоскливый городок? Зачем ей этот абсолютно чужой и незнакомый человек? Зачем? Кто он ей? Кто он для нее? Кем он был в ее жизни? Никем. Никем. Господин Никто. Он не приезжал к ней, не интересовался ею. Дочь вообще не волновала его. Он не помогал им деньгами — по крайней мере так говорила мама. А маме Маша привыкла верить. Да и зачем ей врать? Он жил всего-то в четырехстах километрах от Москвы — смешно! Наверняка в столице бывал, и не раз. Но ни разу, ни разу не вспомнил о дочери. Так зачем она здесь, у его калитки покосившейся, сто лет не крашенной, такой же жалкой, как он сам? Провинциальный премьер! Господи, какая чушь! И самое главное — невыносимая, вопиющая пошлость.

И вся эта ситуация — невыносимая пошлость: трогательная встреча дочери и отца спустя двадцать пять лет. Ах ты, боже мой! Просто сюжет для ток-шоу: неудачливая журналистка и такой же неудачливый папаша журналистки — два сапога пара! Могут поплакать друг у друга на плече и вытереть друг другу сопли. Два лузера. Значит, она в него? Хотя нет, постойте! Он-то, кажется, в полном порядке. Первый актер, известная личность, пусть в масштабах этого городка. И он не ушел из профессии — он в ней остался и, кажется, вполне удачно существует.

Это она — лузер. Она, а не он.

«Зачем я здесь, господи? Что привело меня сюда? Зачем мне нужен этот чужой и незнакомый человек? Какая же я дура!» — повторяла Маша. Она опрометью бросилась бежать от домика с новой зеленой крышей.

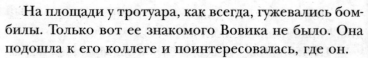

На площади у тротуара, как всегда, гужевались бомбилы. Только вот ее знакомого Вовика не было. Она подошла к его коллеге и поинтересовалась, где он.

— Да загулял, — ответил немолодой и небритый мужик лет пятидесяти. — А что, понравился? — Он криво хмыкнул и сплюнул сквозь зубы.

— В Москву мне надо, — ответила Маша. — И лучше сегодня.

— А-а! — разочарованно протянул мужичок. — В столицу! Ну-ну.

Маша нетерпеливо притопнула ногой.

— Так когда он будет, ваш, так сказать, коллега?

Мужик равнодушно посмотрел на нее:

— А кто его знает? Может, три дня попьет. Или пять. Это ж дело такое.

Вот не везет.

— А вы? — спросила Маша. — Вы можете меня отвезти в Москву? Я хорошо заплачу!

Он покачал головой:

— Не-а, не повезу, барышня. Извиняйте! Чё я там забыл, в вашей Москве? Часов шесть туда, часов шесть обратно. Бензина нажгу. Да и колеса у меня лысые, а сейчас гололед. Не, не поеду, не уговаривай.

Маша сникла. Как ей надоел этот убогий городишко! Эти нечищеные улицы, убогие магазинчики, старые, пыхтящие автобусы и маршрутки. Этот пансионат с гороховым супом и булочками с повидлом. Этот вид из окна — на пустое белое поле. Чужое белье, пахнущее дешевым стиральным порошком. Густой запах хлорки из бассейна. Ей надоело все!

— Ладно, — обратилась она к водителю. — А до пансионата-то довезете?

— Довезу, чё ж не довести? — буркнул мужик. — Садись, красивая, поехали кататься!

— Шутники вы тут все, — буркнула Маша. — Ага, кататься. Сейчас.

По дороге мужик заныл: денег мало, работы нет. Городок — сами видите.

— Чё тут делать? Только пить, извините! — закончил он.

— А в Москву? — поинтересовалась Маша. — На заработки? Все приезжают и работают вахтовым методом.

— Да знаю, — отозвался мужичок. — И наши ездят. А смысл? Семья здесь, они там. Или он кого там заведет, или жена здесь устроится — и все, пропала семья! Да и Москва ваша... Там базар, а здесь кладбище. Вот и выбирай, что тебе больше по вкусу.

— Все так, — согласилась Маша.

— А летом у нас хорошо, — вдруг оживился мужичок. — Грибы, лес, рыбалка — Волга, как ни крути. Летом я рыбалю, потом копчу и сушу. А жена зимой на базаре рыбой торгует. Вот и наш доход. Любишь, красивая, рыбку? Могу угостить!

— Спасибо, не надо, — поспешила отказаться Маша. — Рыбу я не люблю.

В номере было холодно — она увидела, что оставила открытой форточку. Горячий душ, и в постель, согреться. Она лежала в кровати и думала, что завтра рано утром, сразу после завтрака, она уедет домой. Пусть на поезде, на автобусе — черт с ним! После окончательного принятия решения ей стало легче, и она позвонила мужу.

Слышно было неважно, потому что шум и музыка перекрывали Митин голос.

— Где ты? А, в ресторане... — протянула Маша и почему-то расстроилась.

— Да, после работы зашли поужинать, — почти прокричал муж. — Как ты, Мань? Лучше?

— Лучше, — сухо ответила она и положила трубку, уверенная в том, что Митя выйдет в холл или на улицу и обязательно перезвонит.

Но этого не случилось, он не перезвонил, и это было совсем непохоже на ее Митю.

Уснуть не получалось, и она вспомнила мамины слова: «Ты страшная эгоистка, Машка! Запредельная эгоистка. Ты — пуп земли и считаешь, что все должны крутиться вокруг тебя. Самое главное — это твои проблемы, а у других проблем нет. Или они такие крошечные и незначительные, что не о чем и говорить. А это не так, Маша! А Митя? Сколько он будет терпеть твои фокусы и страдания на пустом месте? Думаешь, мало желающих на такое добро? Хозяйка ты никакая — сама понимаешь. Впрочем, вы сейчас все такие. Характер у тебя не приведи господи. Да, красивая. Умная. Сильная. Но, Маша, это еще не все, поверь. Женщина должна быть мягкой, уступчивой. Терпимой и терпеливой. Иначе семейную жизнь не построишь».

Она тогда страшно обиделась на маму и ответила ей колко, обидно: «А ты? Ты, мама? Прекрасная хозяйка — и варишь, и печешь, и вяжешь, и шьешь. И характер у тебя мягкий. Ты женщина, и это всем очевидно. И что? Ты счастливая? Не одинокая? Всю жизнь одна. Ни с отцом у тебя не сложилось, ни с лингвистом твоим».

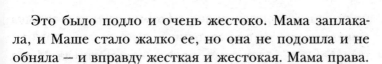

Это было подло и очень жестоко. Мама заплакала, и Маше стало жалко ее, но она не подошла и не обняла — и вправду жесткая и жестокая. Мама права.

Конечно, она думала о Мите. Ресторан, музыка. Наверняка девушки, как без них? И усталый и разочарованный, замученный болезнью жены, неприятностями, ее сложным характером Митя.

Утром на стойке регистрации узнала, что пансионатский микроавтобус повезет граждан отдыхающих и отдохнувших на станцию в два часа дня. Ну и ладно — пройдусь напоследок по лесу, продышусь и — вперед.

Маша быстро запаковала свои вещи и пошла на прогулку.

На улице заметно потеплело, и снег слегка подтаивал. С веток стекала капель. Идти было сложно — мокрый и липкий снег налипал на угги, которые тут же промокли.

Она вернулась в номер, когда на часах было двенадцать. Звонка от мужа по-прежнему не было. Маша разволновалась, представив не самые радужные картинки. С фантазией у нее всегда было прекрасно.

Она улеглась и принялась смотреть в потолок. Настроение было хуже некуда. Тоска и тревога наполняли сердце. Она подошла к зеркалу и стала внимательно разглядывать себя.

Женщина-подросток. Худенькая, даже тоненькая. Ручки-веточки. Почти безгрудая и беспопая. Тонкое, бледное лицо, огромные прозрачные светлые глаза под черными ресницами — красиво. Тонкие, изломанные черные брови. Красивые нос и рот. Очень красивый рот, заглядение. И жесткие, непокорные, прямые темно-русые волосы. Стричь только коротко, совсем коротко, под мальчика, потому что уложить невозможно — упрямые, не сладить. Такой рост волос, говорит ее парикмахер. Она и сама такая — не сладить, мама права. Но разве она виновата?

Маша смотрела на свое отражение и видела невероятную схожесть с отцом, Валентином Петровичем Золотогорским, звездой уездного театра. Она усмехнулась — вот уж судьба подбросила очередной сюрпризец! Мало не показалось. И снова задала себе вопрос — зачем? Зачем их свели сейчас, именно сейчас? Ведь этого могло никогда не случиться. Значит... нет, ничего это не значит! Что за фатализм, суеверие? Она же вполне здравый человек. И через два часа она уедет отсюда, из этой дыры, медвежьего угла. И все, все! Больше никогда не вспомнит о нем. Никогда.

Она повторяла это как заведенная. Даже тогда, когда бросилась одеваться — куртка, шарф вокруг шеи, подмокшие угги. Ей повезло — у входа стоял продуктовый фургончик, который и прихватил ее до города — всего-то пятнадцать минут.

Через полчаса Маша стояла на узкой, кривоватой и, конечно, абсолютно не чищенной улице Власова, у серого домика с ярко-зеленой крышей. А потом она решительно толкнула хилую калитку и шагнула на участок.

Две кряжистые, разлапистые старые яблони широко раскинули голые, сиротливые ветки. Сбоку торчал остов парника, укрытого кое-где рваной пленкой. У крыльца лежал полосатый домотканый, насквозь промокший коврик.

Маша машинально вытерла ноги и постучала. Ответа не было. «Ну и слава богу, — с облегчением выдохнула она, — это мне повезло. Его нет дома, а это значит, что наша так называемая встреча не состоится. Какое счастье, спасибо! И больше я сюда не вернусь, это понятно, так. Минутная слабость, от одиночества и тоски. Попытка номер два сорвалась — ура-ура, а третьей попытки не будет. Да и к тому же через пару часов я уезжаю. И снова — ура».

Она улыбнулась и пошла к калитке. Ее совесть чиста. И тут она услышала голос:

— Девушка, вы к кому?

Маша вздрогнула и остановилась, не решаясь повернуться. Она узнала его голос — низкий, чуть хрипловатый, но в то же время четкий, профессиональный и, если честно, волнующий.

«Западня, — мелькнуло у нее в голове. — Теперь не отделаться. Вот и плати, дорогая, за свои душевные порывы. За свое дурацкое любопытство плати».

Она резко обернулась и увидела Золотогорского, звезду местного театра и ее родного отца.

Он стоял на крыльце, одетый в куцую кацавейку и короткие, обрезанные валенки. В руке держал трубку — барин, пижон. Как же — местная знаменитость, элита, бомонд. Он внимательно, с прищуром разглядывал нежданную гостью.

— Вы ко мне, девушка? — повторил он.

Маша кивнула.

— Ну что ж, проходите. Милости просим.

Маша вздрогнула, почему-то оглянулась, словно ища у кого-то поддержки, и поднялась на крыльцо.

В сенях пахнуло теплом, табаком и какой-то едой — кажется, густым, наваристым бульоном. Она была страшно смущена и боялась поднять на хозяина глаза.

Растерянно посмотрела на него и кивнула на свои угги:

— Снимать?

— Нет, так, оботрите — из щелей дует, не стоит.

Маша снова вытерла ноги о такой же домотканый коврик, только сухой, и замерла.

Золотогорский смотрел на нее с интересом.

— Ну, — он улыбнулся, — вы и есть та самая столичная журналистка?

От удивления Маша закашлялась.

— Да-да, — продолжал Золотогорский. — Здесь, в провинции, все слухи распространяются не просто быстро, а со скоростью света. Вот и мне доложили. Увы, инкогнито ваше, простите, раскрыто. Даже описали с точностью — молодая, хорошенькая и очень бледная. Ну как? Все совпало?

Она подумала, что все, кажется, складывается отлично — если бы ему не донесли, что она сейчас бы бормотала? Что придумывала? А так все понятно и никаких подозрений. Ни-ка-ких. Она приободрилась и улыбнулась.

Комната, куда пригласил ее хозяин, была небольшой и, как ни странно, уютной и совсем не похожей на деревенскую — посередине круглый стол, покрытый синей бархатной скатертью. Старые венские стулья с гнутыми спинками. Низкий шелковый желтый абажур над столом. Темный комод, даже по виду тяжелый, неподъемный. И старое, даже старинное, кресло — черное, кожаное, глубокое, с высоченной спинкой и деревянными резными подлокотниками. Венчал обстановку старинный книжный шкаф — высокий, до потолка, густо-коричневого цвета, с толстым мутноватым стеклом.

«А он эстет, — с удивлением подумала Маша. — Прям помещичья обстановка. Видно, что с миру по нитке, но вполне себе ничего».

Золотогорский сел напротив и пристально смотрел на нее. Ей стало неловко под его взглядом.

— Ну, — он кивнул, — я вас слушаю.

Маша, громко сглотнув, заговорила:

— Я работаю в столичном журнале. Вы наверняка его знаете! — И назвала издание, из которого ее, собственно, недавно с позором почти поперли. — Отдыхала в вашем знаменитом пансионате, случайно попала в театр и увидела ваш спектакль. Была приятно удивлена постановкой, актерской игрой и декорациями. Вполне себе, вполне, — с некоторым столичным высокомерием заключила она.

Золотогорский усмехнулся.

Маша поняла, что ее снобство неуместно, снова смутилась, но продолжила:

— Пишу я как раз о спектаклях и актерах. И тут, увидев вашу постановку, я подумала, что неплохо написать о провинциальных театрах. Мне кажется, — она чуть запнулась, — это было бы здорово. Не все же о столичных звездах писать, правда?

— Вам виднее! — усмехнулся он. — А может, чаю, раз разговор не короткий?

Маша кивнула. Он вышел из комнаты, и она чуть выдохнула. Разговор этот, вернее, его начало, да и само знакомство дались ей с трудом.

Через пару минут Золотогорский внес поднос, на котором стояли две чашки, заварной чайник и сахарница. В изящной вазочке, явно старой, лилового стекла, горкой лежало изумрудное варенье. Он перехватил ее изумленный взгляд:

— Крыжовенное, по рецепту затейницы Молоховец, называется «Царское». Возни с ним, правда...

«Каков! — снова изумилась Маша. — Так все изысканно — кобальтовые чашки, вазочка эта, сахарница винтажная — у бабушки была такая, годов пятидесятых».

Чай был ароматным и крепким — чувствовалась рука профессионала, а не любителя. Да и варенье оказалось выше похвал.

— Итак, моя дорогая, — начал хозяин, — определите наши задачи.

Маша со стуком поставила чашку и разнервничалась — врать она не любила и не умела. Хотя здесь она врала как заправская аферистка.

Залепетала что-то невнятное:

— Хочу просто поговорить про вашу жизнь, карьеру. Хочется донести до читателя, что жизнь есть не только в столице. Что можно стать успешным, ярким, счастливым человеком и в глухой провинции. Знаете, все сейчас рвутся в Москву — дескать, только там можно сделать карьеру, стать богатым и знаменитым. Так вот, я хочу развенчать этот миф и объяснить людям, что это не так. Собираюсь опубликовать серию статей и интервью про успешных провинциалов, людей, довольных своей судьбой. Мне кажется, это должно быть интересно, — нерешительно добавила она.

Золотогорский снова усмехнулся:

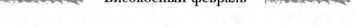

— А вы искренне считаете, что человек может быть счастлив?

Маша растерялась и недоуменно пожала плечом.

— Я имею в виду, — продолжил он, — счастлив вообще? Постоянно, перманентно, так сказать. Что человек может не роптать на судьбу, не предъявлять к ней претензии? Не рассуждать о том, что все могло быть иначе? Полегче, по крайней мере. Или поярче. Счастье, я полагаю, явление настолько мимолетное, кратковременное, что подчас и зафиксировать этот момент непросто. А уж оценить... Дай бог, если это случается потом, спустя годы.

Повисло молчание. Обескураженная, Маша смотрела на Золотогорского во все глаза.

— Ладно, о чем я? — пристукнул он ладонью по синей скатерти. — Я вижу, вы испугались. Все, все. Пространных рассуждений больше не будет, я вам обещаю. Буду собран и конкретен — ведь именно это вам нужно, верно? Знаете, — он пыхнул трубкой, — здесь, в глубокой, как вы изволили выразиться, провинции, время течет неспешно. Медленно. Почти не течет — как в колбе с глицерином. Все здесь растянуто, как в замедленной съемке. Все дни одинаковые. Время застыло. Одни и те же лица. Дома. Вид из окна. Маленький город! Вот и есть времечко, будь оно неладно, порассуждать. Вспомнить жизнь. Ну и... Вы понимаете? — Золотогорский посмотрел на нее и улыбнулся: — Вот такой я зануда.

Тут Маша взяла себя в руки и включила диктофон. В конце концов, она профессионал.

В эту минуту, когда она собралась самым решительным образом, подтянулась, ей и вправду стало казаться, что она на задании. На новом, интересном задании, данном редакцией. Будто она забыла, зачем проникла в этот дом. Она не помнила о своей драме, об уходе из журнала, о своем позоре и крахе. Она не думала, что перед ней ее отец. Она работала.

— Да-да, я понимаю. И по поводу счастья — тоже. Но вы же выходите на сцену! Слышите аплодисменты. Чувствуете, что вас обожают. Вы кумир. Разве это не дает ощущения счастья?

— Да? — Золотогорский побарабанил пальцами по столу. — Ну наверное. Но это снова мимолетно, верно? Хотя и за это спасибо. Но вы, кажется, говорили не только о карьере? Ведь счастье — это не только работа? — Говорил он гладко, неспешно, красиво. Мыслью по древу не растекался. Маше не приходилось его прерывать. Она только слегка направляла его, если он отклонялся от курса.

Она согрелась и расслабилась — от крепкого сладкого чая, от тепла, от его низкого, красивого, притягательного голоса — голоса профессионального актера. Этот голос убаюкивал, укачивал ее. Хотелось закрыть глаза и блаженно задремать.

Она попросила Золотогорского рассказать о его детстве — хотелось узнать о нем все в подробностях.

— Детство мое прошло в небольшом поселке под Костромой — счастливое детство. Мать, отец, сестра. Все любили друг друга, жили дружно и складно. Потом школа, первая влюбленность — чудная девочка с серыми глазами, тихая и молчаливая. Первая любовь. Да-да, после школы собирались пожениться — наивные дети.

Маша встрепенулась:

— А фотографии ваших родителей? Они у вас есть?
Золотогорский удивился:

— Конечно. Только зачем они вам?

И опять Маша смутилась и залепетала что-то невнятное.

Он подошел к книжному шкафу и вытащил старый альбом, обтянутый малиновым бархатом.

— Ну смотрите, коли вам интересно.

Маша принялась жадно вглядываться в старые, слегка размытые черно-белые фотографии своих бабки и деда. Высокие, статные, красивые люди. Неудивительно, что Золотогорский так красив.

— Сестра, — грустно сказал он, указав пальцем на молодую красивую женщину, — Мария. — И, помолчав, добавил: — Трагическая судьба. Умерла совсем молодой. От аборта. — Он резко встал со стула и подошел к окну. — Совсем молодой, да. Восемнадцати лет. Влюбилась до смерти в женатого человека. Забеременела. Испугалась. Пошла к бабке-повитухе и умерла. Заражение крови. Три дня горела в температуре, боялась сказать родителям. Дурочка. Отвезли бы в больницу и спасли — конечно, спасли бы! А она скрыла — стыдно было и страшно. Вот так. — Он развернулся к Маше и попытался улыбнуться. — Ну, поехали дальше?

— А что тот, от которого она забеременела? — тихо спросила Маша. — Он был в курсе?

— Да, разумеется. А что толку? Осуждали-то все ее — связалась с семейным. У него была и вправду хорошая семья — жена, двое детей. Во всем обвинили Машу. Стерва, разлучница, гадина. Поделом! Я тогда уже учился в Ярославле. Ничего не знал, приехал уже на похороны. Хотел убить ее любовника — абсолютно серьезно был на это настроен. Остановила мать — потерять еще и меня, второго ребенка — она бы этого не пережила. Я и смирился. Правда, долго корил себя за трусость. Ну, отсидел бы. Дали бы, скорее всего, немного — состояние аффекта. А я струсил — подумал с своей карьере.

— Нет, — решительно возразила Маша. — Вы не о карьере думали — о родителях.

Он развел руками.

— А та девочка, ваша первая любовь? — продолжала расспрашивать Маша. — Почему вы расстались?

Золотогорский рассмеялся:

— Ну, милая! Вы уж в такие дебри решили забраться! Зачем вам это? Подумайте — разве часто женятся на первой любви? Вот именно! Я тогда уже был студентом. Она тоже. Правда, она осталась в Костроме, где и училась. Я в Ярославле — недалеко, да. Но у каждого началась своя жизнь. Свои компании, свои интересы. Я мечтал о кино, о театре. Конечно, о московском театре. А где еще можно сделать карьеру и стать знаменитым, известным на всю страну? К тому же, — он выпустил дым из трубки, — я вскоре влюбился. В московскую девочку, свою будущую жену.

Маша вздрогнула и замерла.

— А подробнее?

— Завтра, — коротко отрезал Золотогорский, прихлопнув рукой по столу. — Завтра. А сегодня, — он глянул на настенные часы, — увы, извините! Мне надо поспать. Простите, я не совсем здоров.

Маша спешно складывала в рюкзачок вещи — тетрадку, ручку, диктофон.

— Да-да, конечно. Вечером буду, — пообещала она.

Золотогорский проводил ее до крыльца. У калитки она обернулась и махнула ему рукой. Он стоял на крыльце со своей трубкой и смотрел ей вслед. Глаза его были полны печали. Или ей показалось? Он просто устал? Конечно, устал. Свалилась на его голову журналистка, молодая столичная вертихвостка.

А ведь он мог бы ее прогнать. Кстати, он не спросил ее ни о чем — не попросил показать документы, пропуск или что-то еще. Доверчивость провинциала? Возможно. А может, одиночество и желание поговорить?

Маша быстро шла по обледеневшей мостовой, забыв о своем желании уехать. Ей хотелось поскорее добраться до санатория, съесть горячий обед — густой наваристый суп, пышную котлету, утопающую в пюре, в котором тает лужица желтого масла. И запить все это, например, киселем — тоже густым, ядовито-малиновым или фиолетовым. Кстати! Что они добавляют туда для цвета? Наверняка какую-нибудь дрянь. Но вкусно ведь, а?

На часах было полвторого. А это означало, что на обед она вполне успевает — если, конечно, поймает машину.

Уселась в машину — кстати, к незнакомому и молчаливому, словно глухонемому, водителю — и вдруг с удивлением подумала, что ей совершенно не хочется забраться в кровать под одеяло — самое любимое занятие последних месяцев. Нет, это не от возбуждения от неожиданной встречи с папашей. Это от того, что она работала, снова работала. Снова чувствовала себя журналисткой.

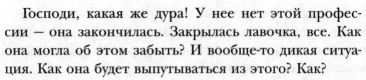

Господи, какая же дура! У нее нет этой профессии — она закончилась. Закрылась лавочка, все. Как она могла об этом забыть? И вообще-то дикая ситуация. Как она будет выпутываться из этого? Как?

«Да ладно, — успокоила она себя. — Как-нибудь! Не впервой. Такая у меня профессия».

И принялась обдумывать разговор с Золотогорским. «Странно. Как-то все не очень склеивается. Мамины рассказы о нем и то, что я увидела сегодня. Сдержанный, а она убеждала меня, что он взрывоопасный невротик и истерик. Он произвел впечатление ровного, спокойного, разумного. Или все это маска? Он же актер. Вроде бы доверчивый. А мама говорила, Фома неверующий и человек подозрительный. Рассудительный, а по маминым словам, человек абсолютно без логики».

Образ, созданный мамой, никак не вязался с тем, что увидела Маша. Хотя зачем маме врать? Какой смысл настраивать дочь против отца, принижать его, принижая тем самым и себя? А про его родителей? Она всегда хмыкала и махала рукой — дескать, о ком говорить? Какие они тебе «бабушка и дедушка»? Ни разу тобой не поинтересовались. Да, все так. Она не знала ни его мать, ни его отца. Но, как оказалось, их постигло такое страшное горе, что они так и не смогли прийти в себя. Никогда. Оправдание? Наверное. К тому же Маша была далеко и их сын развелся с ее матерью. Это неправильно, но так бывает. Она поймала себя на странной мысли, что старается оправдать совершенно чужую семью отца.

Она подумала, что ни разу за день не вспомнила о Мите, своей обиде и подозрениях. Ну и славно!

Будет как будет. В конце концов, полюбил меня беленькую — полюби и черненькую. А нет — так и суда нет. Она не из тех, кто ляжет поперек порога и будет хватать за брючину.

Маша еле-еле успела к обеду, но, как только села за стол, аппетит моментально пропал, как не было. Она вяло поковыряла вилкой в миске с винегретом, съела пару ложек остывшего супа и пошла в номер.

«Три дня, — подумала она. — Осталось три дня. Но можно сесть в поезд и уехать прямо сейчас». Идея уехать на такси сейчас показалась совсем глупой — она не имеет права так тратить деньги. Она сейчас безработная.

Маша посмотрела на собранный чемодан и отвела глаза, понимая, что завтра никуда не уедет. И послезавтра тоже. Потому что ей нужно во всем разобраться. Сложить этот пазл и сделать какие-то выводы. Узнать правду. Хотя надо честно признаться себе — ей вовсе не нужна правда. Тем более что у отца и матери правды разные — у каждого своя. А может, ей просто не хочется расставаться с ним? Ну нет, еще чего, глупости! Ей хочется еще раз на него посмотреть. Уловить что-то важное.

Маша уснула, чувствуя, как страшно устала. «Как батогами избили», — говорил дед.

Весь оставшийся день, до позднего вечера, она проспала. А после просто валялась — валялась и маялась почти до утра. Утром встала разбитая. Глянула в зеркало — страшно смотреть. Вяло прошлась по лесу и снова вернулась в номер. Ни в бассейн, ни на процедуры не пошла — неохота. Позвонила в театр. «Да, сегодня спектакль! — радостно ответили ей. — Золотогорский? Да, будет играть. Забронировать билет? Да что вы, девушка! Зачем же бронировать? Билеты в кассе есть, приходите минут за тридцать».

В пять вечера она вскочила и стала собираться в театр.

Надела новые брюки, новый свитерок — не то чтобы очень нарядный, но светлый, с рисунком, вполне симпатичный. Чуть подкрасилась, брызнула духами и вдела в уши маленькие жемчужные шарики — подарок Мити ко дню рождения.

Критично оглядев себя, осталась довольна — в конце концов, нельзя так презрительно относиться к такому событию, как поход в театр, даже провинциальный. Что за дурацкие амбиции столичной штучки? И кстати, если быть честной, актеры, коллеги Золотогорского, старались от всего сердца — это было очевидно. Не то что в московских театрах в последнее время, где не отпускает чувство, что тебя обманули, ограбили. Пообещали шоколадную конфету, а заменили ее дешевой карамелькой без обертки. Такое разочарование постигало ее множество раз.

В театре было все так же торжественно. Горели яркие светильники — на электричестве не экономили. Из буфета неслись запахи свежесваренного кофе, сдобы и копченостей.

Маша сглотнула слюну и направилась в буфет, по дороге рассматривая фотографии актеров, висящие в фойе. Фотография Золотогорского висела на самом почетном месте — возле главного режиссера и директора театра. Было сразу понятно — звезда. «Ведущий актер Валентин Золотогорский. Заслуженный артист РСФСР».

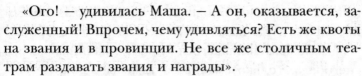

«Ого! – удивилась Маша. – А он, оказывается, заслуженный! Впрочем, чему удивляться? Есть же квоты на звания и в провинции. Не все же столичным театрам раздавать звания и награды».

Она купила программку и несколько раз перечитала фамилии исполнителей. Золотогорский играл Загорянского.

Маша неспешно выпила кофе, ловя себя на мысли, что нервничает – так, немного. Совсем чуть-чуть.

Наконец раздался третий звонок, и разряженная, возбужденная публика повалила в зал. В зале было все так же полно народу, так же пахло недорогой парфюмерией и так же чувствовались возбуждение и волнение, передавшиеся Маше.

И тут она подумала, что прежнее легкое ее пренебрежение и столичный сарказм испарились, как не было. Она, как и все остальные, предвкушала спектакль и даже слегка волновалась.

Заиграла музыка, открылся, слегка обдав пылью, занавес, и на сцене появились актеры.

Маша сидела замерев, с абсолютно прямой спиной, жадно ловя каждое слово, произнесенное Золотогорским, и отмечая – с какой-то тайной радостью, удовольствием и удовлетворением, – что он играет прекрасно. Он, кажется, действительно был в ударе. Ей даже показалось, что он увидел ее и слегка улыбнулся. Но она не была в этом уверена.

В антракте она осталась в зале – выходить ей не хотелось.

А после окончания и бурных аплодисментов, не дождавшись, пока счастливая публика повалит в гардероб, она проскользнула в фойе, быстро оделась и вы-

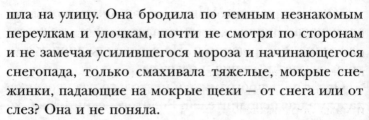

шла на улицу. Она бродила по темным незнакомым переулкам и улочкам, почти не смотря по сторонам и не замечая усилившегося мороза и начинающегося снегопада, только смахивала тяжелые, мокрые снежинки, падающие на мокрые щеки — от снега или от слез? Она и не поняла.

Маша не заметила, как долго она шаталась по улицам. Очнулась только тогда, когда почувствовала, что сильно замерзла.

Она быстро пошла к улице Власова, остановилась перед домиком с зеленой крышей и увидела, что в окне горит мягкий, желтый и теплый свет, на который так хочется идти, лететь, словно ночному мотыльку, который тут же погибнет, потому что обожженные крылья для него — это смерть.

Но она не толкнула калитку и не пошла к крыльцу. Спохватившись, Маша тихонько ойкнула и побежала к центральной площади, к стоянке машин, в надежде, что ей повезет. Она так промерзла!

Ей повезло — через двадцать минут она была в номере, сидела с ногами в кресле, укутавшись в одеяло, и пила горячий, сладкий чай. Отпускало. Позвонил Митя. Голос его был тревожным и нежным. Разговор вышел дежурным, коротким — она соврала, что очень устала, только вернулась с вечерней прогулки. Впрочем, почему соврала? Так и было.

Потом позвонила мама и, по-прежнему кашляя, жаловалась на самочувствие и требовала отчета от Маши. Обе раздражались и остались друг другом недовольны.

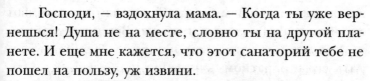

— Господи, — вздохнула мама. — Когда ты уже вернешься! Душа не на месте, словно ты на другой планете. И еще мне кажется, что этот санаторий тебе не пошел на пользу, уж извини.

Маша вяло оправдывалась, пыталась возражать, и мама бормотала:

— Ну дай бог! Дай бог, чтобы я ошибалась.

А утро порадовало — было солнечно, ярко, светло. Небо голубело, снег переливался, и от вчерашней серости и снегопада не было и следа.

Маша встала бодро, дивясь на себя. Быстро позавтракала, сходила в бассейн и на массаж, быстро оделась и поехала в город.

Она решительно толкнула калитку и постучалась в дверь. Долго не открывали. Она чувствовала, как дрожат руки.

Наконец дверь открылась, и на пороге возник Золотогорский — усталый, бледный, поникший. «Старик, — подумала Маша. — Просто старик».

Он удивился.

— А, это вы? А я, грешным делом, подумал, что вы больше не появитесь. Решил, что я вам оказался неинтересен. Ну какой от меня прок? Так, нудный старик. Бурчит что-то про свою жизнь, кому это нужно, кому интересно? Эх, знаете, я уверен — в нашем театре есть куда более интересные персоны. Например, Ольга Ивановна Барышева. Прекрасная актриса и замечательный человек. А какая судьба! Ее много снимали в семидесятые, помните? И что? Да вот что — прелестная Олечка Барышева, наплевав на столицу и карьеру, помчалась сломя голову за любимым в провинцию.

А, как сюжетец? Вам бы к ней, милая барышня, вот где история! На что я вам сдался? Вот и подумайте.

Маша замотала головой, принялась бурно разубеждать его в обратном, клятвенно пообещав, что Ольгу Барышеву она непременно навестит. Они прошли в комнату.

И снова было тепло и уютно, и снова был вкусный и крепкий чай, теперь уже с малиновым вареньем. И прелестные, тонкие кобальтовые чашки, и вишневый запах его табака, и знакомая герань на подоконнике, и рыжая хмурая кошка в кресле. И его чарующий, завораживающий голос. Голос ее отца.

Теперь Золотогорский рассказывал об учебе в Ярославском театральном, о студенчестве — веселом, шумном, загульном. О наполеоновских планах — какой солдат не мечтает быть генералом? О тайной мечте всех и каждого стать известным, знаменитым на всю большую страну, поймать свою фортуну, сделать судьбу.

— Каждый, — повторил он. — Каждый так думал. В этом я абсолютно уверен. Знаете, как человек думает? «Вот у меня все получится! Вот у них — нет, а уж у меня! Не может быть по-другому». Ну так же, как и в беде, в болезни: «Уж меня-то точно пронесет, эти истории не про меня». — Он помолчал, пыхнул трубкой и горько усмехнулся: — Так думает каждый. И слава богу, иначе было бы сложно — совсем без надежды. И почти ни у кого не сбылось. Вырвались двое. — И он назвал две фамилии, мужскую и женскую, действительно известные Маше, да и не только ей.

— Да, — тихо повторил Золотогорский. — Повезло только этим двоим. А остальные, — он постучал трубкой по чугунной пепельнице, вытряхивая старый табак, — кто где. Некоторые вообще ушли из профессии. Кто-то бесследно сгинул, кто-то спился, умер или погиб. Ну а кто-то, — он поднял на нее глаза и улыбнулся, — кому повезло меньше, но все-таки повезло, остался в профессии и даже чего-то достиг. Я, например. — Он рассмеялся. — Ну что? Еще чаю?

Маша вздрогнула и кивнула:

— Да-да! Большое спасибо.

За окном наступили плотные сумерки, и она вдруг поймала себя на мысли, что ей не хочется уходить из этого дома. Что здесь ей — вот же чудеса! — хорошо и спокойно.

Наконец она спросила:

— А в Москве? Что было, когда вы приехали туда?

— В Москве? — переспросил он. — Да, в Москве... Знаете, мне об этом нелегко говорить. Простите. Это был не самый приятный период моей жизни. Но он был, и не рассказать о нем было бы, наверное, неправильно. К тому же вас интересует именно это — почему у меня там не сложилась карьера. Ведь так?

Маша, волнуясь, судорожно сглотнула слюну и быстро кивнула. Теперь она была вся внимание, сидела с прямой спиной, вытянувшись и замерев, боясь пропустить слово, жест.

Он встал, прошелся по комнате, заправил в трубку новую порцию табака, подпалил ее, постоял у окна и наконец заговорил:

— В Москве я женился. Невеста моя была коренная москвичка. Чудесная девочка... — Он замолчал, потом повторил: — Да, чудесная! Милая, добрая, нежная. Ну и поначалу, как часто бывает, у нас было все хорошо. Замечательно было. Мы любили друг друга. Во всяком случае, нам так казалось. — Он задумался. — Да нет, так и было. Во всяком случае — у меня. Но жизнь есть жизнь — кончились праздники, ее поездки ко мне в Ярославль, мои гостевые поездки в Москву. Начались будни. Мы жили у ее родителей — тогда это было нормально. Да и откуда деньги на собственное жилье? Я только окончил училище, она — институт. Нищие и молодые. Пока еще счастливые, да. Пока. Ее родители не были в восторге от нашего брака — нищий начинающий актер, без роду и племени, приезжий. Красавец, вы уж простите — что было, то было. Эдакий герой-любовник. С гонором, с провинциальным нахальством. Уверенный в том, что уж ему-то повезет, по-другому быть не может. Конечно, мы сидели на их шее. Я бегал по театрам, показывался. Взяли на семьдесят рублей. Ролей не давали, даже «кушать подано». А я-то мнил себя героем. В училище так и говорили: «Валька, конечно, герой!» Ну и пошло, поехало. Я был вечно раздражен, злился на весь свет, обвинял всех и каждого. В первую очередь — ее родню. Дескать, попрекают тарелкой супа. Впрочем, так оно и было. Замкнутый круг. А тут еще родился ребенок. Дочь.

— Дочь? — хрипло переспросила Маша. — И что было дальше?

— Что дальше? А дальше я начал писать в провинциальные театры, поняв наконец, что в Москве мне не светит. Ну и ответили, пригласили в Х. Там был отличный театр и сильный главный режиссер. Им как раз был нужен молодой, фактурный актер на амплуа героя. Обещали златые горы — комната в общежитии на год-два, не больше. Потом квартира, двухкомнатная, нас уже было трое. Я собрался, полный сил и надежд. Не получилось быть вторым в городе — буду первым на деревне, как говорится. В конце концов, и в провинции люди живут. Да и я не столичный житель. — Он снова встал, прошелся по комнате, коротко бросил «извините» и вышел.

Маша сидела ни жива ни мертва.

Наконец он вернулся.

— Ну что? Не устали? Не надоел вам старый нытик и неудачник?

Маша горячо уверила его, что это не так.

— А что дальше? Что было дальше? — спросила она. — Вы уехали в Х.?

— И да, и нет. *Мы* не уехали. Я уехал один. Жена не захотела — точнее, ее не отпустили родители, отговорили: «Такая даль, скверный климат, комната в общежитии — зачем тебе это нужно? Здесь — столица, Москва, родной город. Собственная квартира, мы, наконец, наша помощь. У отца прекрасная должность и хорошая зарплата. Мать на подмоге с ребенком». Все так, и все правда. А то, что жена должна следовать за мужем, так какой я был муж? Одно название. Не был я мужем — ни поддержкой, ни опорой, ни кормильцем. Да и папашей я был, если честно, паршивым. Собой был увлечен. Своей карьерой. Своими неприятностями.

А девочка у нас родилась чудесная! Голубоглазая и очень спокойная. И с таким осознанным взрослым взглядом. Не ребенок — чудо такое. Но это не спасло нашу семью. Начались скандалы. Ужасные, надо сказать, скандалы. Ну и конечно, взаимные претензии.

Плохо мы жили. Плохо. Потому что кончилась наша любовь. Это часто бывает в молодости — нищета и проблемы убивают самые светлые чувства. И куда все испарилось? Как дым из трубы. Все растаяло в воздухе.

Словом, я собрался и уехал. А если точнее, сбежал — от семьи, от скандалов, от тещиных вечно поджатых губ. От презрительного и насмешливого тона тестя. От плача дочки, которую мне так и не дали полюбить. Теща моя дорогая кричала: «Не берите ее на руки, у вас микробы!» От всего отстранили — купали девочку сами, отгоняя меня от ванночки: «Идите, занимайтесь своими делами! Мы тут без вас как-нибудь». Меня презирали в этой семье, и, наверное, поделом. Словом, я воспринял свой переезд как подарок судьбы, и я хотел начать новую жизнь. Мне было так легче — один, налегке. Ни забот, ни хлопот. Я был свободен.

— А дочь? — почти шепотом спросила Маша.

— А что — дочь? За дочь я был спокоен. Она жила в любви и в тепле. Да не нужен я был ей, своей дочери! На кой? Что от меня, какой толк? Только путался под ногами.

— Вы в этом уверены? — хрипло спросила Маша.

— Абсолютно. К тому же меня в этом убедили все трое: теща, тесть и жена. А очень скоро, года через два, до меня дошли слухи, что бывшая жена вышла замуж, у ребенка появился отец, словом, не появляйся, не вреди девочке.

— Я понимаю, вам было так проще — поверить, — сказала Маша, глядя прямо ему в глаза.

Она резко поднялась.

— Ну всё, наверное, хватит. На сегодня — всё.

Он развел руками:

— Хозяин — барин. Как скажете. Понимаю — утомил. Кому интересна чужая жизнь, верно?

Маша, натягивая куртку, нахмурилась. У порога она обернулась.

— Послушайте, и все-таки. Неужели вам ни разу — ни разу! — не хотелось увидеть дочь? Хотя бы из обыкновенного человеческого любопытства — что выросло из этого человека, носящего ваши гены, в жилах которого течет ваша кровь? Возможно, вы могли бы ею гордиться. Или ей нужна ваша помощь? Или не захотели просто обнять ее, пожалеть? Порадоваться вместе с ней. Это же так нормально, не правда ли? Неужели ни разу в жизни вам не пришла в голову эта мысль?

Золотогорский удивился ее горячности, было видно, что ему неприятно. И все-таки он ответил:

— Осуждаете, милая девушка? Вероятно, у вас личная, так сказать, трагедия? Похожая история? Ну, знаете... — Он пыхнул трубкой, и сладкое вишневое облачко поплыло над его головой. — Не всегда получается! Не всегда. Я видел дочь, когда ей было лет пять.

«Шесть!» — чуть не вырвалось у Маши, еле успела прикусить губу.

— А дальше, — продолжил он, — мне не дозволили. Не допустили, и все. Толково и настойчиво объяснили, что отец — неудачник, бродяга, нищеброд — ей не нужен. Моя бывшая теща готовила свою дочь к новой жизни. К новой и светлой жизни — ну, дай бог, дай бог! Моей бывшей жене желал и желаю только хорошего, верите? Ну уж а там, в новой и светлой, очень удачной жизни, у девочки был уже новый отец. И уж конечно, куда лучше, чем прежний.

Маша молча разглядывала крохотную дырочку на пушистой варежке. Ей хотелось крикнуть ему: «Да не было никакого отца! Вам наврали! Или вы сами это придумали, чтобы было легче. Да и какая разница — был отчим, не было? Вы все равно оставались отцом!»

— И потом, — продолжил Золотогорский, — я далеко уехал. Очень далеко. Восемь часов лету, вы понимаете? У моей бывшей жены началась новая жизнь, да и я не отставал, если честно. Женщин у меня было много, не скрою. И был еще один брак — долгий, длиною в пятнадцать лет.

— И там были дети? — почти беззвучно спросила Маша.

— Не было. Сначала мы не хотели, ну а потом, потом моя жена тяжело заболела. К тому же она была старше меня.

Маша смутилась:

— Простите. Я, наверное, пойду?

— Всего наилучшего.

Маша вышла на улицу и посмотрела на небо — под желтым и мутным фонарем крутил хоровод снежинок. Снова начался снегопад.

— Да куда вам! — вдруг крикнул с крыльца Золотогорский. — Машину вы не найдете, все уже по домам. Автобус — вряд ли. Здесь с этим плохо, тем более вечерами. Да и прождете его неизвестно сколько. А времени у нас с вами мало — вы же уезжаете послезавтра, верно? Куда вам сейчас — в метель, вьюгу? Да и я не усну — буду тревожиться.

Маша кивнула.

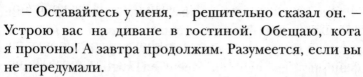

— Оставайтесь у меня, — решительно сказал он. — Устрою вас на диване в гостиной. Обещаю, кота я прогоню! А завтра продолжим. Разумеется, если вы не передумали.

Маша еще раз посмотрела на темное небо и вошла в дом.

— Кажется, вы правы, — вздохнула она. — Выбора, похоже, у меня нет.

Ей показалось, что он обрадовался.

Кот по кличке Леопольд и не думал оставлять свое законное место — улегся у Маши в ногах и недовольно, громко, ворчливо бурчал.

Маша быстро уснула — под мурчание кота, тихое подвывание вьюги, сладкий запах трубочного табака, пропитавшего диванные подушки.

Проснулась она среди ночи — на часах было полчетвертого. Метель успокоилась, и за окном было тихо и торжественно — снег лежал пышными сугробами, укрыв крыши домов и верхушки заборов, деревья и мостовую.

Эта почти деревенская улочка, усеянная старыми частными домиками, показалась сказкой из детства — вот сейчас, сию минуту, из-за угла появятся деревянные сани, ямщик в тулупе на облучке и парочка влюбленных — девушка в ярком платке и меховом полушубке и молодец в залихватски сдвинутой на затылок шапке. Или же распахнутся двери одного из домиков, и на пороге покажется какой-нибудь сказочный персонаж.

Маша стояла босиком у окна, не чувствуя, как холодит из щелей. Наконец улеглась, пытаясь согреть озябшие ступни.

Она смотрела в потолок, мягко освещенный сливочным светом фонаря, и думала о том, что с ней произошло. О том, что в соседней комнатке, за хлипкой фанерной дверцей, спит ее отец, которого она часто пыталась представить в юности. Как, например, он выглядит? Есть ли у них что-то общее? Как сложилась его дальнейшая жизнь? А вдруг однажды он все же придет и скажет ей: «Ну, здравствуй, дочь! Я все понял и вернулся. Прости. Теперь с чистой совестью могу смотреть тебе в глаза. Я кое-чего добился в жизни, и ты можешь мною гордиться». И долго, с восторгом и умилением будет рассматривать Машу, свою дочь, умницу и красавицу.

«Завтра последний день, — думала Маша, — послезавтра я уеду в Москву. И всё. Что мне делать? Я не знаю. Не понимаю. Я вообще ничего не понимаю — зачем я снова здесь, зачем я поперлась в этот театр и потом к нему? Зачем? Из любопытства? Да. А потом, во второй раз? Снова любопытство? Допустим. Да нет, я хотела услышать про себя — его версию. Хотя заранее понимала, что в нее не поверю. Скорее всего не поверю, как бы мне ни хотелось. Потому что понимаю, что он просто слабый человек, который пытается оправдаться за то, что не приехал ни разу. Прогнали, попросили не приходить? Чушь. Расстояние? Какое там расстояние? Бред. Значит, мама права. Равнодушный, холодный позер и эгоист, все у него наносное, эта печаль его, одиночество. Наверняка ходит какая-нибудь тетка пару раз в неделю и наводит порядок, подает котлетки с пюрешкой. Старательно утюжит рубашки. Ну и все остальное — приголубит и приласкает. Нет, понятно, что возраст. Хотя какой там возраст? Пятьдесят семь, тоже мне, возраст! Они и в восемьдесят детей делают, все нипочем. Слезу пустил, старый козел. С дочкой видеться запретили! Ха-ха. Да кто бы тебе запретил, если бы ты правда захотел?

Все, надо заканчивать этот дурацкий балаган. Влипла по уши, дура. Как только начнет светать, надо уйти, и поминай как звали! Это и будет самое правильное. В конце концов, я разумный человек — ну да, от тоски и безделья совершила ошибку. Все, решено — на рассвете по-тихому уйду. А что он подумает обо мне — да наплевать. Я о нем тоже не самого лучшего, между прочим! Ну решит, что я самозванка, аферистка. Правда, вещи все целы — ничего не украла. Да пусть думает что угодно! Мы больше не встретимся. Никогда. Все, ждем рассвета».

Но рассвет она проспала и проснулась от вкусного запаха — пахло жареным тестом. На маленькой кухоньке осторожно гремели посудой. Кот Леопольд сидел на подоконнике и коротко удостоил ее ленивым и презрительным, слегка удивленным взглядом.

Она быстро оделась, причесалась и в эту минуту в дверь постучали:

— Милая девушка! Маша, завтрак!

На пороге стоял Золотогорский — в домашнем переднике и в своих дурацких обрезанных валенках. В руках он держал тарелку с горкой аппетитных, румяных оладий. Маша сглотнула слюну.

«Деваться некуда — западня. Что ж, доведем комедь до конца. Сама виновата, проспала».

Ели пышные оладьи с вареньем, пили чай со смородиновым листом и мелиссой, как гордо объявил гостеприимный хозяин.

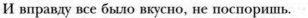

И вправду все было вкусно, не поспоришь.

Ну а после завтрака все продолжилось. Только Маша нетерпеливо ерзала и с нетерпением поглядывала на часы. Золотогорский рассказывал ей про житье-бытье в Х. Про успех в театре, про чудесного, но сильно пьющего главного режиссера. «Гений, но жизнь свою профурыкал, увы!» И про свою вторую супругу, тоже артистку, тоже приму. Звали ее Жанна Облонская. «Каково, а? Ну и вкус там у них», — подумала Маша.

— Тоже псевдоним? — с сарказмом уточнила она.

— Нет, почему? — удивился Золотогорский. — Такая фамилия.

Любил он ее отчаянно. Женщиной она была яркой, талантливой безмерно, но тихо пьющей, к несчастью. Он так и сказал: «Тихо пьющей».

Маша удивилась:

— А что, бывают громко пьющие?

— Конечно, — удивился ее вопросу Золотогорский. — Случаются запои, гульба, кураж, скандалы, истерики. Да все что угодно!

А здесь не запои — просто тихое пьянство. Тихое, каждодневное, размеренное пьянство — по полстаканчика, по стаканчику. По два. Портвейн, винцо. Дальше водка. И постоянные сборища — гости, гости, гости. Отмечали все подряд — премьеры, удачные спектакли, гастроли, дни рождения многочисленных коллег, поклонников, начальства и, конечно, родни. В доме всегда толкался народ. Я боролся как мог — разгонял эту шатию-братию, выливал спиртное. Правда, она так прятала... Алкоголики это умеют. Исхищряются будь здоров. Три раза я клал ее в больницу. Помогало ненадолго, на пару месяцев, и все сначала, по новой, по кругу. А спустя пару лет она стала злой, агрессивной — швырялась тяжелыми предметами, била посуду. Грозилась покончить с собой. — Он надолго замолчал. — Извините.

По щеке скатилась слеза. Маша молчала. Очень хотелось на воздух, разболелась голова, затекла спина. Было душно, накурено, дымно.

Золотогорский это понял, распахнул окно, впустил воздух. Стало полегче. Она смотрела на него и чувствовала одно — раздражение, даже злость. Все зыбкое очарование, флер загадочности, таинственности исчез — как не было. Он уже не казался Маше красивым — помятый немолодой мужик. И его чарующий голос теперь раздражал — какой-то бубнеж, вялый гундосый бубнеж, сплошное нытье — и все. И комната эта! Почему она показалась ей такой уютной? Такой «со вкусом»? Бред. Пыльный диван со следами от кошачьих когтей, потертое кресло с залысинами. Затертый ковер с темными старыми пятнами. Наспех заштопанный плед. Кобальтовая чашка со склеенной ручкой. Выцветший абажур — наверняка тоже полный пыли и трупов мух и ночных бабочек. Чем она была так очарована? Как он смог околдовать ее, этот никчемный и нудный старик? Да, разумеется, он неудачник — ни семьи, ни детей. Первая жена выперла, вторая спилась. Про дочь ничего не знает. И слава богу — на черта ей такая родня? Одни убытки, как говорила бабушка. И домик этот сиротский! Крышу он перекрыл — ха! Есть чем гордиться. Копил небось на эту крышу сто лет. И халат этот задрипанный — тоже мне, помещик в усадьбе! Рукав зашит, подол обтрепался. На черта этот Золотогорский мне сдался? Бубнит,

бубнит, никак не остановится. Небось и поговорить не с кем. Кому интересно слушать старого трепача?

Как он раздражал ее, господи, как выбешивал! Как ей хотелось засмеяться ему в лицо — в его значительное лицо с остатками былой красоты. Засмеяться и сказать: «Дядя, ты лузер. Сидишь в своем жалком театрике и корчишь из себя везуна, фаворита судьбы. Не надо, не стоит стараться, я все про тебя понимаю. Все вижу насквозь. Ты одинокий, усталый, немолодой дядька. И ничего у тебя нет — ни-че-го! Кроме твоих постоянных поклонников, которые — уверена — тебе осточертели. Одни и те же лица, прости господи! Каждый день одни и те же лица. Такие же потрепанные и жалкие пенсионеры, коротающие свои убогие и скучные дни. Ну сколько можно? И интриги осточертели — они безусловно есть, какой театр без них? Мелкие, провинциальные интрижки — зависть, сплетни. И дома тебя никто не ждет — кому ты нужен? Тоже мне, герой романа! Все ты пустил по ветру, дядя. Всю свою жизнь. И что в итоге? Да ничего. Нищета и одиночество. Король говна и пара — вот кто ты есть. И ты мне надоел. Вот встала бы и ушла. А неловко. Мама хорошо воспитала, твоя бывшая и оставленная тобою же жена. К тому же я человек благодарный. За ночлег спасибо, за оладушки твои, за чаек. И — будь здоров, дядя! Удачи тебе во всех начинаниях. Ну и не хворать тебе, что уж там!»

Маша невежливо глянула на часы.

— Валентин Петрович! Я все понимаю. Говорить о своей жизни можно долго и даже бесконечно. Но время, простите! — И она невежливо постучала пальцем по циферблату. — Если можно, коротко расскажи-

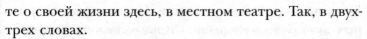

те о своей жизни здесь, в местном театре. Так, в двух-трех словах.

Он, кажется, удивился перемене ее настроения и совсем растерялся — куда делась эта тихая, вежливая и крайне учтивая девочка? «Милая девушка», как он ее называл. Перед ним сидела столичная фифа со стальным взглядом голубых ледяных глаз, недобро поджатыми губами и насмешливо вздернутым подбородком. Жесткая, хмурая и раздраженная. Нетерпеливая и недовольная. Вот только чем?

— Да-да, конечно! — поторопился ответить ошарашенный Золотогорский. — Я все понимаю — время! Осталось минут сорок, не больше, и я закончу.

— Двадцать, — холодно проговорила Маша.

Он обескураженно развел руками и расстроенно, обреченно кивнул.

Больше вопросов она не задавала.

Он говорил сбивчиво, смущенно, заглядывая ей в глаза, и было видно, что он робеет. Рассказывал ей о театре: «Да, здесь все сложилось. Здесь повезло. Наверное, настал мой звездный час. И главный оказался моим близким приятелем. Наверное, у каждого актера есть свой возраст и свои герои, которые ему удаются лучше всего. Театр — мой родной дом, а может, даже первый. — И Золотогорский жалко улыбнулся. Он видел, чувствовал, что ей все это уже неинтересно.

Маша перебила его:

— Все понятно! Спасибо, Валентин Петрович! Мы закончили. — Она резко встала из-за стола. Хотелось поскорее уйти из этой потрепанной, как старый плюшевый жакет, комнаты, сбежать от этого невыносимо сладкого, удушливого, вызывающего першение в горле вишневого табака, от его воспоминаний, в которых звучит только одно — оправдание. Оправдание самого себя, самого несчастного, одинокого и всеми оставленного. Сбежать из этого тихого городка, с его кривыми, неровными, скользкими и от того опасными улочками, плохо одетыми людьми с потерянным взглядом, обреченными на неудачи. От невыносимого запаха старых автомобилей, которым давно надлежало гнить на помойке, а не пыхтеть, отравляя все вокруг — и без того убогое и унылое до смертной страшной тоски.

А главное — сбежать отсюда, из этого дома. Подальше от Золотогорского. Теперь он и вовсе не казался ей красавцем. Со злым удовольствием она подмечала обвислые сизые щеки, острый кадык, седые щетинистые брови, неухоженные ногти. Даже подбородок с «расщелиной», наверняка восхищавший женщин, ей разонравился. Как же, это всегда считалось символом мужественности, ага.

Он, этот одинокий и всеми покинутый жалкий тип, так и не понял главного. И уже не поймет никогда. Почему Машина мать выгнала его. По его собственному мнению, потому что он был слишком гордый. А на деле — потому что он был тунеядец, не желающий идти на компромиссы, подумать о семье, о ребенке. Спокойно принимающий помощь родителей жены, но при этом ни разу не принявший их образ жизни, их правила и устои.

Он легко согласился на переезд в X., осудив при этом свою молодую жену, мать своей маленькой дочери: испугалась трудностей быта, не вышло из нее декабристки, увы! И снова ему, бедному, не повезло. Он винил во всех бедах других. Не себя.

А что на самом деле? Мать, молодая и растерянная женщина, почти девочка, испугалась переезда, долгой дороги, неустроенности, общежития. Здесь, дома, в родном городе, ей, конечно, было спокойнее. Здесь были дом, родители, помощь. К тому же она не захотела бросать институт, даже ради любимого человека. А ведь она его очень любила. Пока не осознала его колоссальный, запредельный эгоизм, нарциссизм, неумение слышать других.

Он отказывался от халтуры, брезгуя случайными заработками — это было ниже его достоинства. А она, кормящая мать, по ночам, пока он сладко спал, переводила статейки в журналы. Мама и потом всю жизнь подрабатывала — его алименты слезы, денег всегда не хватало. А ей хотелось дать дочке лучшее. Маша все помнила, как она открывала глаза по ночам и видела маму, склоненную над переводами, и тусклый свет настольной лампы, ее измученное и бледное лицо.

Вторая жена Золотогорского, по его же словам, была несчастной пьянчужкой — вот кого пожалеть. Бедняжка! Наверняка влюбилась, глупая, в молодого актера, да к тому же красавца. Конечно, он ей изменял, сто процентов! Такой, как он, не откажется. И вот на глазах стареющей примы молодой муж крутит романы. А она бьется в истерике, сходит с ума от ревности, устраивая скандалы. И пьет. Все больше и больше. Он тяготится ею в открытую, уже не скрывает любовниц. Зачем же отказывать себе в удовольствии? Наверняка все было именно так, банально и пошло. Ну и в конце концов она умирает. От пьянства, тоски или горя —

какая разница? Но после ее ухода ему стало легче — сложно жить со стареющей пьющей женщиной.

Почувствовал ли он свою вину? Неизвестно. Он снова свободен — закончился его многолетний тюремный срок. Они распрощались довольно сухо и коротко — видел, как она торопится. От крыльца до калитки Маша почти бежала. Он надеялся, что она обернется и махнет ему рукой. Но нет. Маша не обернулась.

Золотогорский стоял у окна и курил. Вспоминал свою жизнь — девочка эта странная растревожила его, да. Сильно растревожила, разворошила. Зачем он поддался на ее провокации? Чтобы получить очередную порцию славы? Надо признаться хотя бы себе, что да. А девочка эта странная, да. Поначалу такая милая, тихая, скромная. А в конце — колючки выпустила, как дикобраз. Разозлилась. На что? Непонятно. Он ее утомил? Или чем-то обидел? Да бог с ней, с этой девочкой — еще одна ненужная встреча в жизни. Таких была уйма. Неприятно, что говорить. Но пройдет. Как и все остальное.

Он вспоминал город Х. и свою тамошнюю жизнь. Сначала любовь, большую любовь. Как его Жанна была красива, талантлива и честна — как только у них все случилось, тут же обо всем рассказала мужу. А он был важной птицей, ее муженек. Первое время жили они хорошо, потому что была большая любовь. Понимали друг друга — коллеги. Но одиннадцать лет счастливой жизни закончились.

Да, грешки за ним были, водились, так, по мелочишке. Жена, конечно, догадывалась. И «добрые» люди ей доносили. Почему он ей изменял? Ведь очень любил. По глупости. Бабы вокруг ох что творили! Просто проходу не давали эти сумасшедшие поклонницы — караулили у служебного входа. Как тут устоять? Боже, как она ревновала! Какие устраивала скандалы! Он жалел ее и пытался оправдываться. А потом надоело, осталось одно раздражение. Жанна все чаще срывалась — сказалась старая болезнь. Ну и пошло-поехало. Ужас тогда накрыл его с головой. Он не знал, что такое пьющие люди. А дальше — ее болезнь и уход. Ужасный уход — ее самоубийство. Как он его пережил? Непонятно. Думал тогда, что свихнется, ей-богу — увидеть такое в собственной ванной. Но не свихнулся. Но сбежать из Х. хотелось ужасно. Нет, виноватым он себя не чувствовал. Какое там — сколько он бился за ее жизнь, сколько спасал! Она сама не захотела. Ее право, ее выбор.

Но себя ему упрекнуть не в чем. А эти бабы проходные... Да он бы и не выжил тогда без них, этих баб. Тем и спасался, уходил от своей беды. Пасынок, правда, понес по городу, что это он виноват, Золотогорский. Как будто сам не видел, что творилось с его матерью. Да бог с ним. Но было обидно все-таки, он растил его с тринадцати лет. И даже по-своему любил.

Пришлось бежать оттуда, потому что невыносимо было слышать шушуканье в спину, ловить осуждающие взгляды.

Да и климат — климат, тяжелый, невыносимый, ему тоже порядком поднадоел. Бесконечные стылые ветры, дующие с великой реки. Долгие, нескончаемые зимы и невыносимая жара летом — да еще и со стопроцентной влажностью. Плюс еще и пожары — тайга горела часто, и гарь накрывала город удушливым кислым одеялом.

И он наконец решился уехать. Правда, надо было решить вопрос с квартирой, прекрасной квартирой в каменном доме, на центральной улице города X. Золотогорский собирался ее разменять. Правда, там еще проживал Жаннин сын, вполне уже взрослый мужик. Золотогорский постарался забыть, чья это квартира, и безжалостно разделил ее.

Суды, разборки, снова суды. В суде пасынок объявил его виновником в смерти матери. Кажется, судьи были на стороне сына, но была и юридическая, правовая сторона вопроса — отчим в квартире прописан. Квартиру разделили. Золотогорский был зол на парня и безжалостно разделил все остальное: антикварную мебель, собранную родителями Жанны, — тот самый старинный темный комод, лампу с бронзовой русалкой, кресло девятнадцатого века, которые теперь стояли в его квартире. Забрал он и часть посуды, даже любимую Жаннину скатерть, якобы на память о любимой жене.

Он мечтал о юге — о маленьком городишке, заросшем густыми пирамидальными тополями и пышными, разлапистыми кустами невыносимо душистой акации. Маленький домик на тихой улочке, в пяти минутах от моря. И наконец покой. Покой, успокоение, умиротворенность. А впереди — спокойная старость.

Но надо было на что-то жить, и он листал объявления, звонил в разные города, пытался, старался, пыжился, однако ничего не получалось. Только один вариант вроде бы его устраивал — глухая провинция, четыреста верст от Москвы. Там, правда, не море — река, но тоже неплохо. Здесь на все хватало: и на маленький домик с уютным, старым, лохматым садом — несколько развесистых яблонь, две вишни и густой цветник под окном. Но самое главное — в городишке был театр, куда его с удовольствием брали. Да-да, именно с удовольствием, потому что была вакансия — ушел актер его возраста и его амплуа.

Золотогорский был в раздумьях: хотелось на юг, в тепло, а здесь — средняя полоса. Но театр! А это значит, жалованье — для провинции, кстати, совсем неплохое, жить можно. Поклонники, наконец. Обожание. Песчаный пляж, рыбалка. Умеренный климат. И он решился.

И все, представьте, сложилось весьма удачно — главный режиссер театрика оказался его приятелем по театральному институту. Удача. Домик вполне милый и уютный, сад так просто замечательный. К тому же в пяти минутах от театра. Снова везение. Городок? Да, провинция. Но и не самая дохлая, надо сказать. Кроме театра, парочка ресторанов — один даже весьма приличный, два кинотеатра. Впрочем, они ему не нужны. Рынок. Торговый центр. Все рукой подать от его дома. Но не это главное — главное то, что здесь он точно мог стать героем. Звездой.

И он не ошибся — получилось все именно так. Домик он обуютил, это он умел, его научила Жанна, умевшая жить со вкусом. Отношения с главным сложились вполне дружеские. Коллектив принял его дружелюбно, как старого друга главного, с которым считались и которого даже любили.

Поперек батьки он не лез, роли из зубов не вырывал — вполне хватало того, что давали. Сплетни и интриги обходил стороной — после X. он был сыт ими по горло. Денег хватало — жил он скромно, неторопливо. Тут же нашлись и помощники — вернее, помощница, милая дама из билетёрш. Она и помогала ему по хозяйству — уборка, стирка, глажка. Готовить он и сам умел — хотя какая готовка? К тому же был весьма неплохой театральный буфет, где добродушная, полнотелая повариха вкусно готовила для своих обожаемых «артистиков» разные блюда́, как она говорила: наваристые густые борщи, жирные, пряные гуляши, свиную поджарку.

Жизнь наладилась, и Валентин Петрович был ею доволен. Казалось, он наконец нашел свой причал. А то, что одинок — что ж, так сложилось. И ничего исправить нельзя — он сам не хотел, привык к одиночеству. По выходным, если не было спектакля, его звали в гости — все тот же главный, человек семейный, он обожал шумные застолья и беседы с философским подтекстом. Принимали в доме главного по-старосветски — на большой террасе с распахнутыми окнами в густой сад, с белой скатертью. На столе неизменно стояли вишневая наливка, над которой роились жужжащие осы, крыжовенное варенье, толстые пироги, украшенные плетеными косами. Преферанс до утра и сладкий сон до полудня в маленькой комнатке с колышащимися светлыми шторами и тихим позвякиванием посуды на кухне — гостеприимная хозяйка готовила первый завтрак. Ели обильно и тоже по-помещичьи, со многими переменами блюд.

И разговоры, разговоры. Бесконечные разговоры обо всем. Они считали себя провинциальной интеллигенцией, эдакими мудрецами, все понимающими про мироустройство и точно знающими, как далекий от совершенства мир можно изменить и даже улучшить. Вдалеке от большого города, центра вселенной, это казалось легко и очень просто. Они жили спокойно и размеренно. Ну, чем не счастье?

Здесь Валентин Петрович Золотогорский наконец получил главное — с ним считались. Словом, все сбылось, хотя и не сразу.

О женщинах он почти не думал. Нет, было пару историй — даже не историй, а так, интрижек, с одной учительницей, его страстной поклонницей — бледной, болезненной, тощей, некрасивой до жалости. Разумеется, трепетной, восторженной и слегка сумасшедшей. Она километрами писала стихи — неплохие, надо сказать. Но через полтора года его утомила. К тому же она страстно мечтала о ребенке, и, конечно, он испугался. Спасло его то, что она была вынуждена уехать из города — ухаживать за заболевшей матерью. А то бы никогда от нее не отделался. После ее отъезда он выдохнул и дал себе слово, что больше никогда — так плотно и так надолго.

Но через полгода закрутил с одной важной дамой — чиновницей из местной администрации. Надо сказать, что дама эта здорово помогала театру. Была она замужней, но с мужем не считалась — невзрачный и тихий муж служил у нее шофером, подвозил ее к дому Золотогорского и ждал на улице. Конечно, было неловко. Но дама смеялась: «Даже не думай об этом — он привык». «К чему?» — хотел уточнить Валентин Петрович, но боялся.

Дама была крупной, пышнотелой, румяной, чернобровой, как большая матрешка. Она деловито и быстро раздевалась и удивленно смотрела на него:

— Валь, ну что ты как маленький? Не знаешь, как я занята?

Это коробило его и отталкивало от нее.

Но оставить ее он не решался — боялся последствий. Ей многое было под силу. Спасло его то, что вскоре она заболела — тяжело, безнадежно. И пропала. Стыдно, но это было спасением. Однажды он увидел ее, худую, почерневшую, полуживую. Тихий муж бережно укладывал ее на заднее сиденье машины.

Золотогорский тяжело вздохнул, покачал головой и медленно пошел дальше, рассуждая о хрупкости бытия: «Такая была, прости, господи, кобыла! И на тебе. Живой труп».

Больше романов он не заводил — ни к чему. Слишком хлопотно, слишком проблемно. А он устал от проблем.

Ну а для радости и покоя души у него была семья его друга, главного, — и жена, хозяйка дома, его обожала и жалела — такой красавец и такая судьба! Уж про свою судьбу он наплел — будьте любезны. Приукрасил, конечно, здесь он был мастак. Но и правды там было немало. Его обожали обе дочери главного — умницы и красавицы. Было принято считать его не только другом семьи, но и родственником, эдаким одиноким бессемейным дядей — красивым, добрым, милым и обожающим «девочек». А меж тем «девочкам» было далеко за тридцать. «Дядя Валечка, — звали его «девочки». — Наш родной дядя Валечка». И доверяли ему, опытному ловеласу, свои секреты. Ему, а не собственным родителям.

Вот и получалось — у него была семья. Теплый и вкусный дом, опека, понимание. Но при этом не надо было отвечать за эту семью, заботиться о ней, переживать ее беды, болезни, страдания.

Эта странная девочка, столичная журналистка, удивила его — оказывается, он кому-то еще интересен. Он был рад этой встрече, этим «свиданиям». Был полон гордости, видя ее удивленные глаза на спектакле. Приободрился, приосанился, слегка возбудился. Вот оно как! Жив, курилка!

И еще — она скрасила, точно скрасила, несколько его одиноких вечеров. Жаль, что все так быстро закончилось. Да кто их поймет, этих баб...

Он еще долго стоял у окна, растерянный и расстроенный, ничего не понимающий и обескураженный.

Потом пошел в спальню — вечером предстояла репетиция, и ему было необходимо прилечь, отдохнуть, чтобы быть в форме.

Но все-таки странно, что он расстроился из-за пустяка. И все-таки — чем он обидел ее? — он снова и снова перебирал события последних дней. «Это и есть возраст, — расстроенно думал Золотогорский. — Раньше на такие пустяки я бы внимания не обратил».

С неприятным и тревожным ощущением он улегся в постель, но уснуть не удалось. А это означало, что на репетиции он будет несобран и вял. «Черт-те что! — злился он. — И зачем я пустил эту чертову девку?» Ответ он знал: из-за одиночества. Но в этом он никому не признается. Никому.

Маша лежала на кровати, не включая света. На душе было погано. Так погано, хоть плачь. И она себе в этом не отказала. И вдруг вспомнила слова психологини: «Вы плачете? Нет? А вот это напрасно. Как только начнете, сразу станет полегче».

«Я плачу, — подумала Маша. — Но стало ли мне легче? Вот это вопрос. Ладно, переживу. Остался всего один день. Всего один день и одна последняя ночь, — пыталась утешить себя она, — и я буду дома. И рядом будет любимый муж, и совсем близко — только позови — мама. И свекровь со свекром — родные люди. И все они готовы меня защитить, перегрызть горло моим врагам, поддержать, утешить и обрадовать. Быть со мной рядом двадцать пять часов в сутки. Разве это не счастье?» Маша громко всхлипнула. Да, счастье. Конечно. Только что она будет делать, вернувшись домой? Снова бесконечно слоняться по дому, не находя себе дела? Сутками валяться на диване? Жевать всякую дрянь в виде чипсов и орешков? А потом с тошнотой глядеть на пустые и смятые пакетики, брошенные на пол? Листать дурацкие журналы, полные невыносимых тупых сплетен? Осторожно, тайком, подглядывать в свой бывший журнал, следя за успехами коллег и жадно, с удовольствием, подмечая их неудачи, ловя минутное удовлетворение и даже восторг? А ведь обещала себе и Мите не брать его в руки. Обманула. И его обманула, мужа. И его — тоже. Она всех обманула. Что еще? Да ничего. Готовить она не любит, убирать дом — тоже. Никакие там торты, печенья, сложносочиненные салатики, отвлекающие женщин в депрессиях. Ненавидит гладить. А уж вязать или шить — вообще смешно. Она не разводит комнатные цветы. Не пишет картины. Не смотрит сериалы. Не любит болтать по телефону. Ненавидит бездумно шататься по улицам и зависать в магазинах. Она любит читать, слушать музыку. В театры ходить теперь невозможно, потому что смотреть взглядом обывателя не получится. Она слишком привыкла оценивать постановку взглядом профессионала. Хотя какой теперь из нее профессионал? Из профессионалов ее удалили. У нее нет никаких интересов, кроме работы.

Так что дома ей останется только ждать мужа с работы, изнывая от черной тоски, и портить ему настроение, встречая с кислой физиономией. Да, все так и будет. Временная передышка, длиною в две недели, ее не спасла. Ей не стало легче, а даже наоборот — еще хуже, еще тяжелее. Зачем она пошла к этому Золотогорскому, зачем придумала всю эту глупость?

И она снова заплакала, уткнувшись носом в подушку. Очень скоро всем надоест ее жалеть. Сколько же можно? В конце концов, у Мити — работа. Работа, которая кормит их семью. Он молодой и здоровый мужик, у него все в порядке. Зачем ему эта кислая немощь, вечно всем недовольная и несчастная? Когда вокруг — только посмотри по сторонам, оглянись — умные, молодые, красивые, здоровые. И без заморочек. У мамы свои проблемы — в конце концов, она отдала Маше всю жизнь, лучшие годы. Вложила в нее все, что могла. Отказывала себе во всем ради любимой дочери. Ей тоже нужно пожить — маме за пятьдесят, между прочим. У свекрови и свекра тоже своя жизнь — работа, поездки, загородный дом. И еще есть своя собственная дочь, которой тоже нужно внимание и любовь.

И что на выходе? Да она, Маша, только заедает чужую жизнь — ни себе, ни людям. Вот как это называется. Она всем мешает, не дает глубоко и свободно вздохнуть. Все ее близкие живут только ее проблемами, ее горем, ее неудачами. Разве это справедливо по отношению к ним? Все, она все придумала — как это оказывается просто! Она просто возьмет и уедет. Куда? Да какая разница — мир огромен! На Дальний Восток, в Сибирь. А может, в Калининград, ей нравятся тихая и прохладная Балтика и ее уравновешенный и спокойный народ. Конечно, они ужаснутся ее решению. Ужаснутся и испугаются. Но делиться своими планами она не собирается — уедет по-тихому, чтобы не останавливали. Оставит записку. Еще они, конечно, обидятся. Но вдогонку не бросятся — она строго накажет им, что так будет для нее только хуже. А ей они точно не навредят. Лишь бы их Машеньке было хорошо и спокойно. Ну а потом все привыкнут жить без нее и даже облегченно выдохнут. Всем станет легче — она в этом уверена. Она даст им передышку.

Ах да! У нее есть папаша! Он, кстати, тоже одинок и всеми заброшен. Папаша наверняка обрадуется дочурке — например, можно ему броситься на шею и во всем признаться. Повиниться, так сказать. Вот ему-то она будет точно нужна — а как же, взрослая, умная и красивая дочь. Скорее всего, он от нее не откажется. А что? Появится человек, который в старости поднесет стакан воды. Валентин Петрович выделит ей комнатку, и заживут вместе. Хотя он такой эгоист и так привык к одиночеству. На фига ему дочь? Получается, она в него такая страшная эгоистка?

Маша свернулась клубком, пытаясь уснуть. Телефон зашвырнула в тумбочку: «Да ну вас всех! Я вам в тягость, ну и вы мне не нужны. Живите своей жизнью. А я... — она всхлипнула. — Я всегда чувствовала себя одинокой. Даже при всей вашей любви и заботе». Маша уткнулась носом в подушку и захныкала — так стало жалко себя. «Да, все, решено — я уеду. И пусть все будут счастливы — даже свекор и свекровь. Уж они-то в первую очередь. Избавятся хорошие люди от нерадивой невестки — улыбки от нее не дождешься. И будут ждать новенькую — улыбчивую и милую, варящую борщ и заботящуюся об их дорогом сыночке. А что, справедливо. Итак, решено. Уезжаю. Устроюсь в какую-нибудь газету или журнал, или в школу — преподавать. Сниму комнату у дряхлой бабульки. А могу и официанткой. И уборщицей тоже могу. Не верите? Вот посмотрите. И буду жить — хорошо ли, плохо ли, но без вас и вашей опеки. Я избавлю вас от себя».

Маша хлюпала носом, ладонью вытирала мокроту от соплей и слез, снова жалела себя, тихонечко подвывала, вертелась с бока на бок, подтыкала под себя одеяло и все надеялась уснуть, уснуть, чтобы чуть-чуть стало полегче. Во сне ведь всегда отпускает. А завтра приедет Митя и увезет ее домой. А там — там недалеко и до исполнения ее плана.

Она почти уснула и вдруг, сквозь тревожный сон, услышала стук в дверь. Кто это?

Она быстро вскочила и подбежала к двери.

— Кто? — хрипло спросила она.

— Мань! Открывай! — услышала она родной голос мужа.

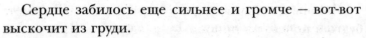

Сердце забилось еще сильнее и громче — вот-вот выскочит из груди.

Она открыла дверь. Митя стоял на пороге и улыбался во весь рот. Глаза у него были восторженные и немного испуганные. Он был небрит и бледен. Милый Митька! Любимый! Самый родной! Ей так хотелось выкрикнуть все эти слова, но они застряли в горле. И она просто бросилась ему в руки — в его распахнутые теплые и родные руки. Как упала.

Он подхватил ее, осторожно и бережно, словно дорогую, ценную фарфоровую статуэтку.

— Машка, любимая, — бормотал он, утыкаясь то в ее шею, то в жесткие волосы, то неловко тыча носом в ее мокрое лицо.

Она жадно вдыхала родной и знакомый запах — одеколона, бензина и родного пота. Знакомого и любимого — ничуть не противно.

Они стояли, обнявшись и чуть покачиваясь, и все не могли никак расцепиться. Она все еще всхлипывала, но уже тише и тише, чувствуя, как уходит дрожь из холодных рук и ног, как расслабляется и перестает ныть натянутая стрелой спина, как почти неслышно стучит ее сердце и перестают течь бесконечные слезы. Как она просто начинает жить и дышать.

Наконец они расцепились, и Митя торопливо стал раздеваться — куртка и ботинки полетели на пол, и, не отпуская рук, они зашли в комнату.

Они не решались посмотреть друг другу в глаза — почему-то было неловко. Они отвыкли друг от друга, вот и смущались. Но спустя несколько минут Митя смущенно сказал:

— Мань, я пойду в душ, а? Кажется, от меня пахнет, будто я ночевал в приемнике для бродяг. Пять часов в дороге все-таки.

Маша качнула головой и улыбнулась — ну, значит бродяги замечательно пахнут! Теперь буду знать.

Она поставила чайник — чаю, чаю! С дороги всегда хочется чаю — крепкого, сладкого. Как хорошо, что у нее есть какое-то смешное печенье — сметанное, кажется? Митька вообще любит всякую дрянь — сушки, печенье, вафли, шоколадные и лимонные, кажется, «Артек» или «Маринка». Все из детства, из советских времен. Он рассказывал, что полюбил это все с детского сада. А Маша в сад не ходила — с ней сидела бабушка. Как же — их принцессу и в сад?

Маша заваривала чай, выкладывала на тарелку печенье, нашлись и две конфеты «Коровка», чуть подсохшие, правда, твердые, как маленькие кирпичики.

Она поймала себя на мысли, что двигается легко, словно танцует. Она присела на диван и стала слушать шум воды, доносящийся из ванной — ждать Митю.

Когда хлопнула дверь ванной, она вздрогнула и выпрямила спину. Ведь она даже не глянула в зеркало, не причесалась, не подкрасилась. А видок у нее, наверное, еще тот! Она пригладила ладонью непослушные волосы, и в эту минуту в комнату зашел муж. Он сел рядом с ней и стал молча пить чай. Молчали оба. Митя пил чай, грыз печенье, а она просто сидела рядом, положив руку ему на колено.

А дальше была ночь. И бесконечная пронзительная нежность. Как они соскучились друг по другу! Как их тела были друг другу рады! Как они совпадали — всеми изгибами, ямочками, прогалинками.

А потом они уснули — два человека, которые вот сейчас, еще пару минут назад, спасали друг друга — горячо, отчаянно, бесстрашно, бросаясь, словно в омут, в бездонный колодец, борясь со своими страхами, сомнениями и болью.

Утро было холодным и туманным — машина ехала медленно, осторожно. Тихо играла музыка, и Маша чуть слышно подпевала — так, одними губами. И почему-то им снова было чуть неловко смотреть друг на друга, как будто сегодня была их первая ночь.

«Странно, — думала Маша, — ведь он мой муж. Мой родной и любимый муж. А я смущаюсь, как девочка-восьмиклассница, которую впервые поцеловал почти незнакомый мальчик».

«Странно, — думал Митя. — Ведь она моя жена. Моя родная и любимая жена. Мы так давно привыкли друг к другу. И тут эта неловкость. Вот интересно — почему?»

Проехали километров двадцать. Ехали медленно — скользко.

Вдоль дороги стояли деревья, покрытые голубоватым инеем. Лес казался волшебным — точь-в-точь как на рисунках Билибина.

Митя ойкнул и хлопнул себя ладонью по лбу.

— Боже! Какой я кретин! Машка, тебе же звонили из журнала «Новый город», женщина какая-то, представилась помощницей главного. Я посмотрел, кстати, хороший журнал. Звонили на городской — на прежней работе им дали твой старый мобильник. Сетовали, что два месяца не могут тебя найти — обыска-

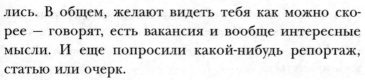

лись. В общем, желают видеть тебя как можно скорее — говорят, есть вакансия и вообще интересные мысли. И еще попросили какой-нибудь репортаж, статью или очерк.

Маша вздрогнула и спешно, словно боялась не успеть, перебила мужа:

— Слушай, Мить!

И он увидел, как загораются, оживают, вспыхивают ее глаза.

— Слушай, Мить! — хрипло повторила она. — А ведь можно придумать новый цикл — актеры провинции.

Митя задумался.

— Здорово! Здорово ты придумала, Мань! Ведь они там не очень счастливые, правда? Их даже немного жалко. Думаю, что получатся не самые веселые истории, правда? Все-таки, наверное, у них не очень-то в жизни сложилось: бедные провинциальные театры, нищие декорации, старый заезженный репертуар, полупустые залы, маленькие зарплаты. А ведь им всем наверняка хотелось вселенской славы и почестей, известности и наград, репертуара и широкого экрана. И громких аншлагов на столичных сценах.

Маша молчала и смотрела перед собой. Она вспоминала маленький домик под зеленой крышей, хлипкий забор с прорехами. Старый абажур и потертый диван, рыжего кота на подоконнике и варенье в лиловой вазочке. Она видела своего отца, немолодого и одинокого, в обрезанных валенках и старенькой кацавейке. Она вспоминала его голос, его глаза, светло-голубые, точно такие, как у нее. И запах оладий, которые он испек в то утро для нее. И запах его табака, густой вишневый аромат, от которого немного кружилась голова. Или это было совсем не от табака?

— Митя, — тихо и жалобно сказала она, — а мы можем вернуться?

— А что, Маш, очень надо? Тебе вроде там надоело? — Он с нескрываемым удивлением смотрел на по-прежнему молчащую Машу.

Она горько всхлипнула, оттерла ладонью слезу и тихо ответила:

— Мне очень надо, Мить. Да, очень надо. Я тебе потом все объясню, договорились? А ты дай слово, что не будешь меня ругать. И еще что не обидишься, ладно?

Митя резко повернул руль. Они возвращались в К.

Приезжие

Звонок раздался в половине одиннадцатого. Назавтра предстоял рабочий день, и Лагутин уже собирался спать.

— Кто-кто? — переспросил он.

Слышно было ужасно. А когда услышал короткое «Нина», сразу понял: отец.

В последние годы эта самая Нина была сиделкой отца.

— Я понял, — ответил Лагутин и поспешно добавил: — Конечно! Рано утром я вылетаю.

Отец... После смерти первой жены, матери Лагутина, он очень рьяно стал устраивать новую жизнь, но неудача — жизнь еще раз дала серьезный сбой, через несколько лет он снова оказался вдовцом. Фатально не повезло.

Отец и их отношения Лагутина волновали не очень — все давно поросло жухлой травой. А то, что отец стар и нездоров, так здесь совесть Лагутина была абсолютно, кристально чиста — уход за ним он обеспечил.

Он достал из комода бутылку виски и плеснул в стакан. Одним махом выпил и плюхнулся в кресло. Глянул на часы — похороны послезавтра. Успеет? Билет, расписание — что там еще? Да, взять денег! Конечно, снять в банкомате. А сколько? Да черт его знает. Когда хоронили маму, все было не так — другая страна, другие деньги.

Он открыл Интернет и набрал в поисковой строке расписание авиабилетов на Москву. Давненько он не был в родном городе. Ох, как давно, четыре года назад. И, что самое странное, совершенно по нему не скучал.

Билет, конечно, нашелся. Стоил он ого-го, но кто думает про это в такие моменты?

После смерти матери Лагутина, примерно через полгода, отец женился и переехал в квартиру новой супруги. Лагутин так и не смог простить ему эту поспешность и именно тогда, в те страшные месяцы, перестал с ним общаться — совсем. Чуть позже он понял, что обида его была признаком юношеского максимализма и что так яростно негодовать, скорее всего, не стоило.

Спустя лет пять он восстановил отношения с отцом, но прежней любви и близости не получилось. Нет, он бывал у него дома, в новой семье. И ничего криминального там точно не было — нормальной теткой оказалась эта новая жена, вполне нормальной — моложавой, домовитой, хозяйственной, ловкой, гостеприимной. Было заметно ее волнение, когда Лагутин впервые пришел в их с отцом дом. Тогда она расстаралась — холодцы, пироги, салаты. Все вкусно, обильно, красиво. Но в рот ничего не лезло. Он смотрел на отца, наблюдая его в совершенно других декорациях, и не узнавал. Это был другой, незнакомый ему человек. А перед глазами стоял тот, *его* отец, горячо когда-то любимый. Сейчас напротив него сидел и глупо хихикал чужой, смущенный, растерянный дядька.

Квартирка, кстати, была вполне уютная и чистенькая — жена отца, Полина Сергеевна, хвалилась ремонтом:

— Все своими руками, все! Все вместе с Петенькой. — Тут она смутилась и продолжила уже не так бойко: — Обои вот... Линолеум, плитка. А шторы какие? Петенька выбирал!

От неожиданности Лагутин вздрогнул и коротко глянул на отца. Тот все понял и опустил глаза — ему тоже стало неловко. А шторы, кстати, были ужасны — оранжевое на ядовито-зеленом. Кошмар. Мама бы такие никогда не повесила.

Лагутин диву давался: никогда за отцом подобных талантов не наблюдалось — вот чудеса! «Отец — человек неприспособленный, — повторяла мать, — и к нему лучше не обращаться — дороже выйдет». Она освободила его от всех домашних дел — мечтала, чтобы он защитился: сначала кандидатская, потом докторская. Она искренне считала, что мужчина обязательно должен сделать карьеру и отвлекать его на остальные дела неправильно, поэтому взвалила все на себя — дом, сына. При этом, конечно, работала, но на привилегированном положении, на пьедестале, всегда оставался отец. При этом мать еще и сделала неплохую карьеру — довольно быстро стала начальником отдела, кстати, самым молодым в институте. Да и, честно говоря, зарабатывала больше отца.

Жили они хорошо, без скандалов, разборок, претензий. Растили сына, ездили в отпуск, ходили в театры, принимали гостей. Лагутин рос благополучным мальчиком в благополучной семье. Все было прекрасно. А потом мама заболела. Лагутину было шестнадцать. Она долго скрывала от них диагноз — берегла. Сына — понятно. Подросток, тяжелый возраст. Но мужа? Зачем? Открылась ему поздно, когда уже не давали надежды. Почти не давали надежды.

Отец страшно растерялся — и мать же его утешала, ругала себя за то, что решилась сказать. Переживала страшно — за него переживала, не за себя. Таким она была человеком. Держалась до последнего и держала себя в руках — при них ни одной слезинки, ни одной. Только улыбка была у нее тогда какой-то дрожащей, что ли? Слабой, беззащитной, изнеможенной, истощенной, как и она сама. И было видно, что ей страшно неловко — поставила своих любимых и близких в такое вот положение.

Лагутин запомнил ее накануне смерти — в больницу он пришел в семь вечера, мама долго и подробно расспрашивала его обо всем — что едят, как справляются с хозяйством, что в школе. Он помнил, как она беспокоилась за отца — кажется, больше, чем за сына. Или ему казалось?

Он ушел в полдевятого, когда строгая медсестра его погнала — посещения закрывались. И никакого предчувствия не было. Абсолютно. Нет, он, конечно, видел, как мать плохо выглядит, как она похудела и почти ничего не ест. Он видел, как быстро она устает. Но плохого предчувствия не было — он даже сходил в кино с другом Вовкой.

А наутро позвонили из больницы.

Он помнил, что ничего не понял: что, как? Как это — мамы нет? Нет совсем? Нет, такого не может быть. Она же только что еще была — еще вчера была! Живая, даже веселая — смеялась над его шутками, учила жарить котлеты — сначала большой огонь, чтобы схватились, а уж потом поменьше, чтобы дошли.

Они говорили даже про лето, про отпуск — да-да! Мечтали поехать к морю, как всегда. Это он завел разговор, а мама поддержала.

И вот — ее нет? Навсегда?

Он замер, стоял у окна. Сколько стоял — час, два? Три?

Вздрогнул, когда услышал голос отца. Нет, сначала хлопнула входная дверь, а потом отец выкрикнул:

— Лешка! Ты дома?

Он не ответил. Рот открыл, попытался отозваться, но голоса не было — вырвался хрип, клокотанье какое-то птичье.

Отец разделся и зашел в комнату:

— Ты что? Не слышишь?

Лагутин посмотрел на него, и тогда отец понял. Сел на стул, обхватил голову руками и завыл — страшно завыл, по-волчьи. Вот тут Лагутин и пришел в себя — бросился к отцу и закричал.

Они обнялись, два человека, тонущих в своем горе, не понимающих, как им жить дальше. Как вообще — жить?

Лагутин не понимал долго. А отец понял довольно быстро — всего-то через полгода женился на этой Полине.

В шестнадцать лет Лагутин остался один — ни матери, ни отца. Сирота. Да ничего, справился. Всему научился — точнее, жизнь научила. Но как же было тоскливо! И еще — страшно.

Как это вообще могло быть, по-прежнему недоумевал он. Еще вчера, ну хорошо, не вчера, а полгода назад, была семья. Семья из трех человек. А сейчас? Мамы нет. Да и отца, собственно, нет. И он, Леша Лагутин, остался один на всем белом свете.

Он помнил, как не хотел, не желал слушать торопливые и неловкие оправдания отца: «Не могу один, не могу без женщины, не могу без мамы». Какой бред! А он, Лагутин, привык быть один? Привык сам себе стирать, готовить, молчать дни напролет — да просто потому, что не с кем было перемолвиться словом.

Как мог отец оставить его так быстро, не дав привыкнуть к тому, что нет мамы? Хотя разве можно к такому привыкнуть?

Оказалось, что можно. Правда, прошло лет десять, прежде чем он до конца осознал, что произошло. А привык ли? Вряд ли.

По прошествии времени отношения с отцом восстановились, и он — редко, совсем редко, раза два в год, на дни рождения отца и его новой жены, — даже приходил к нему домой. И во время этих встреч все никак не мог поверить, что это его отец клеит обои, шинкует на засолку капусту, бурно радуясь ее сочности, правит на даче жены забор. Бедная мама — она-то наивно считала, что он ничего не умеет.

А Полина эта Сергеевна молодец! Простая такая с виду, а как запрягла! Как перегнула через колено!

Браво, бис! Все, что не удалось матери, удалось ей, этой скромной домохозяйке.

Впрочем, пусть живут как хотят. Какое ему дело?

А жили они, судя по всему, хорошо. Только недолго, увы. Через пять лет Полина Сергеевна, кровь с молоком, скоропостижно скончалась. Как же отец тогда убивался! Ей-богу, в сто раз сильнее, чем по первой жене. Лагутин тогда обалдел: нет, все понятно — жена. Но прожил он с ней гораздо меньше, чем с мамой! А с мамой вся молодость, общий ребенок. Не странно ли? Да все понятно — отцовский эгоизм. За себя испугался. Он снова остался один. Но кумушки на поминках шушукались: «Хороший этот Петр мужик! Найдет себе женщину, куда денется». На поминках Лагутину поскорее хотелось свалить — отец быстро напился и принялся плакать. Сына не отпускал и все причитал:

— Как жить теперь, Леша? Как жить?

Лагутин тогда не сдержался — неправ был, но нервы сдали:

— Да женишься, пап! У тебя ж это быстро!

Навсегда он запомнил взгляд отца после этих слов — тяжелый, мутный, злой. Чужой. Совсем чужой человек.

Коротко бросил:

— Не простил, значит!

И скоро отец объявился, вернулся домой как ни в чем не бывало — в квартиру жены Полины въехала ее дочь от первого брака. Вместе они не ужились, что и следовало ожидать. Кому он нужен, этот чужой дядька?

Лагутин тогда собирался жениться — влюбился, как в последний раз. Оказалось, и правда — так сильно в последний.

На четвертом курсе универа он встретил Дашу, свою будущую жену. Училась она в параллельной группе. Было странно, что легкомысленная на первый взгляд Даша смогла поступить на такой сложный, «мужской» факультет — вычислительной математики и кибернетики, знаменитый на весь мир ВМК. К тому же она была очень хорошенькой. Нет, девицы там, конечно, учились — немного, человек пять. Но, как правило, — и почему, интересно? — были они скучные, слишком заумные и, мягко говоря, несимпатичные. Словно в подтверждение всем известной поговорки, что красота и ум несовместимы.

А тут эта Даша — тоненькая, длинноногая, с переливчатыми, блестящими, почти смоляными волосами, с модной короткой стрижкой «паж», или «Мирей Матье». К тому же светлоглазая, вот как бывает. Оказалось, все просто — осетинская кровь. У осетин часто бывает такая необычная красота — темные волосы, светлые глаза. Одногруппницы ее ненавидели — зависть. А парни, конечно, млели.

Даша была очень живой, смешливой, кокетливой и загадочной. Приехала она из города Урюпинска. Лагутин тогда удивился — он был уверен, что городок этот вымышленный, имя нарицательное для обозначения глухой провинции и всего, что к этому прилагается. Городок этот, кстати, оказался древним, казачьим и стоящим на известной реке Хопер.

Как получилось, что красавица Даша обратила внимание на Алексея Лагутина? Чудеса, да и только.

Он был сдержанным, молчаливым, довольно хмурым, совершенно некомпанейским парнем. Наверное, он тоже показался ей загадочным, этот Лагутин.

Все вились вокруг хорошенькой Даши, отпускали ей комплименты, подкладывали в сумку шоколадки, оставляли записочки с приглашением на свидания. А Лагутин был в стороне. Конечно, и ему она нравилась, да еще как. Но он был несмел и неопытен в отношениях с девушками, суров из-за рано выпавших испытаний, замкнут от одиночества и вообще имел кучу комплексов. К тому же у него совсем не было денег — ни в кафе с девушкой, ни в театр. Нет, он, конечно, подрабатывал, а как же. Разгружал вагоны на Рижском вокзале, позже занимался репетиторством — подтягивал по математике балбесов-школьников. Плюс стипендия. Но все равно было мало — хватало только на скромную жизнь. Его ровесники жили в семьях и не думали о хлебе насущном — получали от родителей «на карман» и были беззаботны, как и положено в этом прекрасном возрасте. Лагутин же на четвертом курсе писал курсовые за лоботрясов и три раза в неделю по ночам разгружал машины в булочной по соседству — таскал тяжелые деревянные поддоны с еще теплым, невозможно вкусно пахнущим хлебом. От помощи отца он отказался сразу. Брать у него деньги? Нет, никогда. Он искренне считал его предателем. Даже на памятник матери деньги не взял — объявил, что справится сам. Так и вышло — скопил. Памятник вышел неважный — невысокий, недорогого серого гранита, с бюджетным керамическим медальоном — смету урезали и экономили на всем. Лагутин мечтал, что, когда встанет на ноги, поставит такой, какой надо.

Закрутилось у них с Дашей случайно — на предновогодней вечеринке в квартире у одногруппника. В большой, просторной и богатой квартире собралась почти вся группа, за исключением самых некрасивых девиц-ботаничек. Кому они нужны, да и зачем? На журнальном столике в гостиной в изобилии стояли заграничные пузатые бутылки с шотландским виски, французским коньяком и итальянским вином. По-студенчески были нарезаны сыр и колбаса, правда, тоже не простые, а заграничные — узенькие палочки перченой салями, камамбер с плотной, словно картонной, корочкой, издающий неаппетитный запах и нежнейший, словно сметана, на вкус. Хозяин квартиры небрежно бросил:

— Да предки привезли из Финляндии.

Конечно, было плотно накурено — хоть вешай топор. Свет был притушен, и сцепившиеся в танце парочки бестолково и забавно, словно нанайские мальчики, толкались на пятачке в середине комнаты.

Гостеприимный хозяин обхаживал Дашу и не думал этого скрывать. Угощал сигаретами с ментолом, немыслимым шоколадом с миндальными орехами и зазывал в свою комнату — продемонстрировать диски.

Даша мотала головой и отсмеивалась — было видно, что этот дешевый понтярщик смертельно ей надоел.

Лагутин курил на кухне и смотрел в окно. Он почти не пил — просто не любил, и всё, это у него от отца — и думал, как поскорее свалить. Надоел выпендреж этот кошмарный, разговоры про джинсы и диски, музыка, страстный шепот, душные запахи крепкого молодого пота от возбуждения, цветочных, душных духов и, конечно, спиртного. Ему было скучно. Даша подошла к нему сзади и тихо сказала в спину:

— Леш, как же мне надоело! Может, уйдем?

Он вздрогнул, обернулся, увидел ее синие бездонные глаза и смущенно забормотал:

— Да-да, конечно.

Он помнил, как у него дрожали руки. Они быстро оделись и незаметно выскочили за дверь.

На улице было чудесно — свежо, морозно, бело, а еще торжественно и тихо. Преддверие Нового года. По тихой улице медленно — гололед — скользили машины.

Даша взяла его за руку, и, ничего не обсуждая, они молча пошли вперед. А руки по-прежнему предательски дрожали, и он страшно боялся, что она это может заметить.

Наконец Даша объявила, что страшно замерзла и ей очень хочется горячего чаю.

— Где? — растерянно пробормотал Лагутин. — Где же найти сейчас этот дурацкий чай? Все же закрыто!

— Не все! — улыбнулась она. — А вокзалы?

Он смутился: болван, недотепа, не сообразил. Недалеко был Белорусский, и они дошли до него минут за двадцать. Там и вправду работали какие-то прилавки, где продавали чай, бутерброды и булочки.

Они сели за столик и поняли, что страшно голодны. Ели чуть подсохшие булочки с изюмом, которые казались им восхитительными, и пили горячий, сладкий, некрепкий чай. И снова молчали. Как хорошо им было молчать!

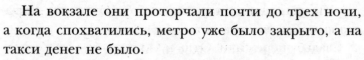

На вокзале они проторчали почти до трех ночи, а когда спохватились, метро уже было закрыто, а на такси денег не было.

Они пошли в зал ожиданий. Совсем скоро Дашу сморило, и она, положив голову Лагутину на плечо, быстро уснула. А он сидел ошарашенный и совершенно счастливый — сидел прямо, с напряженной и затекшей спиной, боясь пошевелиться, чтобы, не дай бог, не потревожить ее крепкий сон. В те минуты, счастливейшие, надо сказать минуты, ему показалось, что вот теперь, с этого дня, он не один на этом неласковом свете — у него есть она.

Встречались они полгода, а потом поженились. Лагутин никак не мог поверить в свое нежданное счастье — эта прекрасная девушка с ним? Ничего в нем особенного, ничего, а вот как сложилось.

Любил он ее до дрожи, до обморока — абсолютное солнечное или лунное затмение. Расставание на пару часов воспринимал как катастрофу вселенского масштаба.

Он так торопился к Даше, как родитель к больному ребенку. Не замечал вокруг никого — какие женщины, о чем вы? Женщин никаких по этой земле не ходило — была одна она, его молодая жена. Все остальные — призраки, миражи, он их не видел.

Свадьбу сыграли не самую скромную. Как Лагутин ни сопротивлялся, будущий тесть настоял на дорогом ресторане. Правда, и расходы взял на себя, что тоже естественно для кавказского человека. Из Владикавказа съехалась родня — человек сорок, не меньше. Даша смеялась:

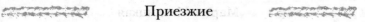

— Лешка, разве у нас есть выбор? Смирись — просто смирись, выхода нет.

Свадьбу пережили. Отца и Полину он, разумеется, пригласил. Но ушли они быстро — у Полины подскочило давление.

А Лагутин только выдохнул, когда они стали прощаться: ну и слава богу. Видеть их вместе по-прежнему было больно. На месте этой чужой женщины должна была быть его мама.

Всю ночь разбирали подарки и смеялись. Особенно веселилась его молодая жена, вытаскивая очередную золотую купеческую цепочку или колечко:

— Что делать? У них принято дарить золото и украшения. Эх, жаль, что такие дурацкие.

Ничего, справились и с «дурацкими»: через месяц оттащили в ломбард и загуляли — рванули в Ригу. Сняли комнатку в Старом городе, под крышей, крошечную, с окном под самым потолком. В открытую форточку проникал запах угля — им еще кое-где отапливались старые дома.

Бродили по городу, слушали в Домском орган, шатались по пустым пляжам Юрмалы, пытаясь найти янтарь. У Даши просто была идея фикс — найти янтарь и сделать кольцо. Янтаря не нашли, а кольцо он ей купил — потихоньку от нее, отправившись в магазин за колбасой и хлебом на ужин. Тоненькое серебряное колечко с прозрачной солнечной каплей. Как она радовалась, господи — просто до слез.

И вот чудеса — она не сняла это колечко, даже когда все закончилось, когда они развелись, когда у нее началась другая жизнь. Не сняла и там, в Барселоне, куда уехала с новым испанским мужем. Лагутин удивлялся: ничего в этом колечке не было примечательного, абсолютно. Он специально разглядывал фотографии из Барселоны — пристально, под лупой. Да, колечко, скромное, с дешевым янтарем, ценой в восемь советских рублей, было на месте. Рядом с новыми, из новой жизни — с крупным ярким изумрудом, довольно большим и чистым бриллиантом.

На последнем курсе, перед дипломом, они ждали дочь. Она родилась в аккурат после защиты. Было нелегко — Настенька, названная в честь Лешиной мамы, росла беспокойной, крикливой, болезненной. Помогала теща — спасибо большое — приехала из Урюпинска. Первое лето проторчали в Москве, а на второе годовалую Настю увезли к родне деда во Владикавказ.

В то лето они почувствовали себя молодоженами — свобода! Это было хорошее лето, очень хорошее, нежное и — последнее.

Почему так случилось? Лагутин отказывался понять. В голове не укладывалось, потому что ничего логичного в этом не было. Ну да, поругивались — так, по ерунде, по мелочам, ничего особенного. Уставали, раздражались, правда нечасто. Но в целом неплохо ведь жили?

Даша объясняла все просто:

— Я влюбилась, прости. Нет, тебя я любила. И даже люблю! Но, Леша, это была другая любовь, понимаешь? Другая! Юношеская, что ли, детская... Первая. Так часто бывает.

Он не понимал, как ни старался.

— Послушай, — взывал он. — Нет, ты просто мне объясни. Ты говоришь, что любила меня. Пусть это,

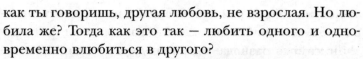

как ты говоришь, другая любовь, не взрослая. Но любила же? Тогда как это так — любить одного и одновременно влюбиться в другого?

Лагутину, максималисту, человеку до глупости прямому, предельно честному, доходящему в своем максимализме до крайностей, было это совсем непонятно. Как так? Он, любя ее, вообще никого не видел вокруг. Даша плакала и ничего не могла объяснить. Только шептала:

— Не мучай меня, умоляю — не мучай!

И ему, дураку, наивному дураку, становилось Дашу страшно жалко — он страдал от того, что страдает она. Выходит, что она мучается, чувствует себя виноватой. Сомневается. Или нет, уже все решила? Он втайне надеялся — а вдруг? Вдруг это пройдет — бывает же так? Она опомнится, придет в себя, и все будет по-прежнему. Он не думал о прощении — вообще не думал. Ему было важно одно: чтобы жена и дочь остались с ним, чтобы как раньше и как прежде — все вместе.

Он не спрашивал ее о том человеке — боялся. Боялся услышать, что он хорош. Боялся сравнить с собой. Будучи уверенным, что он, *тот*, конечно же, окажется лучше — иначе Даша не ушла бы от него. Но вскоре Лагутин все, конечно, узнал: новый возлюбленный его жены оказался испанцем. Ничего себе, а? Зрелый мужчина под сорок, не чета ему, пацану. Хорош он был, этот амиго, что уж там. Хорош, высок, широкоплеч. Улыбчив. Просто сплошной Голливуд: с улыбкой на сорок два зуба, загорелый и мускулистый — понятно, климат, море, страна. Возраст шел ему, тоже понятно. Даша смотрела на него с обожанием — Лагутин это видел. Взрослый красивый мужик из другого мира, с другой планеты. А кто б устоял?

До самого развода она не уходила — говорила, что возвращаться некуда, с родителями она разругалась. Они и вправду с ней не общались долго, лет пять. Первой в Барселону поехала бывшая теща — не выдержала разлуки с внучкой. А отец так и не съездил к своему новому зятю. И дочь не простил — опозорила.

Лагутин все годы после развода с родителями жены общался — звонил, заезжал. Они по-прежнему считали его родным человеком, сыном, и он это ценил.

С бывшей женой отношения были вполне достойные, и их связь не оборвалась — Даша часто писала ему, присылала фотографии дочки, рассказывала обо всем подробно, не упуская мелочей, интересных ему: как Настенька ходит в садик, как пошла в школу, что любит есть, какие ей нравятся книжки. Он и высылал ей эти русские книжки — сказки, былины, стихи, — боялся, что дочь забудет русский язык.

Он знал подробности про дочку, но не видел ее. Проситься в гости было неловко, а Даша находила вечные причины и отговорки, чтобы не приезжать. Скорее всего, боялась отцовского гнева. Приехала она лишь однажды, с Настей, на похороны своего отца. Но Лагутин в то время был на Кубе в командировке. Такая вот неудача.

Тоска по Даше и Насте в какой-то момент сделалась невыносимой.

Невыносимо было в этой квартире — сначала ушла мама, потом уехали его девочки. Не-вы-но-си-мо.

И к тому же туда вернулся отец, от которого Алексей давно отвык.

К этому моменту он отца не то чтобы простил, нет, но почти смирился с его поступком. И все же жить с ним было сплошным кошмаром — Лагутин с трудом мог представить, что этот малознакомый человек, громко кашляющий и невыносимо топающий по коридору, его отец. Тот самый отец, которого он когда-то любил.

Странно и непривычно было все — встречаться с ним по утрам перед работой. Он по привычке вставал рано, и в голову ему не приходило, что надо чуть-чуть переждать, обождать, пока сын соберется на работу, просто чтобы не мешать, не болтаться под ногами, не занимать ванную, туалет, не толкаться на маленькой кухне.

Лагутин раздражался и злился.

И встречаться вечером, после работы, тоже было кошмаром, ноги домой не несли. Отец, кажется, радовался его приходу и тут же бросался на кухню, чтобы что-нибудь приготовить.

Лагутину было смешно — какая забота! Забота, в которой он давно не нуждался. А где был отец, когда ему, шестнадцатилетнему, почти ребенку, было так плохо?

И эти дурацкие хлопоты с ужинами раздражали ужасно — Лагутин давно привык ужинать по-холостяцки, полуфабрикатами из кулинарии. Да и в прежней жизни было примерно так — Даша готовить не любила.

А отец неловко пытался поджарить картошку, и брызги разлетались по кухне, на стены, плиту, пол, или курицу — та же история. Все плавало в жиру, пригорало, выкипало и невыносимо воняло.

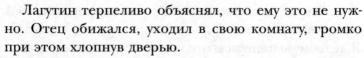

Лагутин терпеливо объяснял, что ему это не нужно. Отец обижался, уходил в свою комнату, громко при этом хлопнув дверью.

На кухне было грязно. В ванной и в туалете тоже. Лагутин был аккуратистом — мама приучила с самого детства.

Отец же всегда был неряшлив. Пару раз взялся гладить лагутинские рубашки — сжег воротники. Запарывал стрелки на брюках. Лагутин умолял его не прикасаться к его вещам — пустое. Тот словно не слышал его. Видимо, считал, что наверстывает упущенное и проявляет отцовские чувства.

Лагутин стал задерживаться на работе. Но не ночевать же там, в конце концов! Да и привыкать надо было, куда деваться? Жить им предстояло вместе — другого выхода не было. Еще Лешу бесило и обижало, что каждую неделю — каждую! — отец ездил на кладбище к Полине, а к маме — раз в год, не чаще. Не простил ему Лагутин маму, так и не простил.

По Полине отец тосковал страшно и не скрывал этого — рассматривал ее фотографии, хлюпал носом, утирал слезы и приговаривал, что страшно осиротел. Лагутин смотрел на него и удивлялся — вот как бывает.

Когда появилась возможность уехать в Академгородок под Новосибирском, он вцепился в нее зубами — не дай бог, не срастется! Но срослось, повезло, и он уехал в новую жизнь. Сбежать, сбежать. Сбежать из этого шумного города, от тоски по маме, от боли и тоски по дочке и бывшей жене. От отца, превратившего его жизнь если не почти в ад, то, во всяком случае, в большую неприятность.

Отец растерялся и очень расстроился:

— Как же так, Алексей? Как я останусь один? Как смогу жить без тебя? А если вдруг что-то случится? Я ведь немолод, Алеша, и у меня никого нет! Некому позвонить. Если бы Полечка меня не оставила, если бы Полечка была жива!

— Выживешь! — резко ответил Лагутин. И не сдержался: — Я тогда тоже остался один, после маминой смерти. Ты думал об этом? О моем одиночестве, например? И ничего, я пережил! А ты... Ты даже год не смог обождать, — с горечью бросил он и вышел из комнаты.

И все-таки сердце сжалось. Но он взял себя в руки. Понимал — если останется, будет все только хуже и хуже. Их уже не переделать.

Конечно, деньги все эти годы он высылал. А когда отец занемог, тут же нашлась помощница — женщина из Украины. Отец воспрял, воскрес, ожил и был ею очень доволен. Без конца повторял: «Ниночка, Ниночка! Ниночка расчудесная, милая такая, расторопная! И все у нее выходит ловко! Ах, какие моя Ниночка варит борщи!»

Лагутин не удержался: «Что, лучше Полины?»

В общем, за отца он был спокоен. Ниночка эта иногда брала трубку и отчитывалась:

— Алексей Петрович, у нас все хорошо! Петр Алексеевич хорошо ест, гуляет во дворе, я, конечно, вместе с ним. Делаю ему витаминные уколы — врач прописал, конечно. Откуда умею? Да я за мамой ухаживала — она у меня двенадцать лет не вставала.

Ну и отлично. Отлично все складывалось — Ниночка эта и хозяйка, и почти медработник. Если что, сразу окажет помощь. Нет, определенно им повезло с этой Ниной! Только бы не ушла — со стариками непросто. Но Ниночка, кажется, была всем довольна — с отцом справлялась, общий язык был найден. Отец был счастлив, что в доме живой человек, уход ему был обеспечен.

Словом, Лагутин был спокоен. И совесть его была чиста.

В Городке все сложилось. Он и сам не ожидал, если честно. Побег его был вынужденным, жизнь *до* была невыносима. Он думал — ну вот, года два-три, пока поднимает свою тему, поживет здесь, а там наверняка придется вернуться, наверняка. Ну что ж, небольшая передышка ему необходима.

Но вышло совсем не так — с темой он закончил через три года, но началась новая работа, еще интереснее прежней. Увлечен он был очень — в Москве этого бы никогда не случилось, он это понимал. Да и Соболевский математический институт — это, знаете ли, имя.

Местная публика, коллеги его восхищали — недаром ведь город ученых. Нет, конечно, и здесь встречались зависть, подхалимаж, подсиживание. Но, как ему казалось, не в такой степени точно. Все-таки люди здесь были другими.

Первый год он жил в общежитии, правда, в отдельной комнате, удобства там же. А через два с половиной года ему дали квартиру.

Окна его однокомнатной берлоги, как он ее называл, выходили на лес — нет, даже не так: в окна третьего этажа стучали по ночам ветки елей, а на балконные перила присаживалась рыжая белка. Лагутину казалось, что она его узнавала.

В Городке было тихо, дышалось легко и свободно.

Он кое-как обставил квартиру — купил диван, кто-то из соседей отдал ему письменный стол, кто-то — кухонный буфет. Лагутин был почти счастлив — здесь ничего не напоминало ему о его прежней жизни.

Иногда ездил в город — так у них говорилось, всего-то за двадцать километров. Но можно было и обойтись — в Городок часто приезжали столичные артисты и привозили прекрасные фильмы. Знаменитый клуб «Под интегралом» и не менее знаменитое кафе «Эврика» были любимыми местами сбора молодежи.

На Новый год собирались компаниями — иногда в клубе, иногда по домам. У него появились приятели — две семейные пары физиков из Питера и холостяк из Ижевска Димка Бобров, биохимик.

На выходные ездили на Обское море, рыбачить или загорать. Иногда забирались на острова, Дикий или Атамановский, там можно было ухватить и редкую ныне нельму и даже муксуна, чира или стерлядь. Но это бывало нечасто — в основном брали щуку, судака и чебака. Этого добра было навалом.

По вечерам, на выходные, часто расписывали пулечку. Ходили в баню, под местную вяленую рыбку и пивко. Сибиряки часто лепили пельмени, привлекая для этого грандиозного дела соседей. Участвовал в этом и Лагутин.

Конечно, у него появилась женщина — лаборантка Тамара, из местных, из старожилов. Молчаливая, спокойная и сдержанная. Не девочка — тогда ей было за тридцать.

Нет, он не влюбился в нее, но понимал — в жизни мужчины должна быть женщина, иначе какая-то ненормальность, патология, нонсенс. Тамара не обременяла его — по негласному договору приходила вечером в пятницу, так уж сложилось. Утром спешила домой, к сыну, в город. И надо сказать, Лагутин был счастлив, когда за ней закрывалась входная дверь.

Ни разу он не подумал, что ему стоит обзавестись семьей в полном смысле этого слова. Бирюк. С бытом он справлялся, да и какой у него быт? Ерунда, он привык. Как привык и к холостяцкому образу жизни — который, кстати, его очень устраивал. Более того — он его полюбил. Полюбил свою свободу, тишину и покой. Да, покой. С годами он стал уверен — семейная жизнь определенно не для него. Его жизнь — наука, его работа, лаборатория, банные посиделки и нечастые встречи с новообретенными друзьями, точнее приятелями.

Тамара ни разу не задала ему вопрос по поводу их совместной дальнейшей жизни и его жизненных планов. Он это ценил. Да и вообще об этом не думал: есть она в его жизни — и отлично! Не будет? Да он, скорее всего, этого и не заметит.

Так и случилось — спустя четыре года Тамара от него ушла. К кому? Ну, тут вообще смешно — просто кино. Тогда веселился весь Городок. Тамара ушла к Димке Боброву, самому близкому Лешиному другу. Спустя месяц — всего-то — Тамара и Димка сыграли шумную свадьбу.

Нет, разумеется, Лагутин туда не пошел — что народ-то смешить? И в гости к Димке больше ни разу. Но обид и страданий не было, нет. Скорее — облегчение. Пару раз он встретил Тамару на улице, она про-

шла, гордо откинув голову, во взгляде читалось: «Вот тебе! Получи!»

Лагутин усмехнулся и вежливо кивнул. Она на кивок не ответила.

Питерские друзья Боброва осуждали — предательство. Знал ведь — твоя женщина, тоже мне, друг! Лагутин отмахивался: «Бросьте, бросьте! Счастливы люди — и хорошо». Он так считал совершенно искренне и радовался за них тоже искренне. Да и к тому же он был страшно занят — взялся за докторскую. Писал по вечерам, до глубокой ночи. В общем, жизнь его ему нравилась — никаких претензий.

И вот звонок. Завтра лететь.

Самолет приземлился в десять утра во Внуково. Было морозно, но не ему, сибиряку с солидным стажем, страдать от московских морозов.

Он взял такси и поехал... домой. Города он почти не видел — такси ехало по Окружной. Но уже понимал — его город изменился до неузнаваемости. Правда, ему было все равно — этот город он давно разлюбил, и никакого сожаления у него не было, равно как и тоски. А вот дом остался прежним — что ему сделается? Даже код в подъезде не поменялся — правда, вспоминал Лагутин его долго, несколько минут. И запах в подъезде все тот же.

Он зашел в лифт, и вот тут накатило. Нахлынуло все, накрыло — разом. Мама. Настя. Дашка. Отец. Отец, который сейчас лежит в этой квартире. Накрытый простыней.

Лагутин начал дышать — глубоко, по системе Бутейко, которую он уважал, — чтобы взять себя в руки,

311

прийти в себя. Иначе негоже — предстоят тяжелые дни.

Наконец он выдохнул — чуть отпустило, — достал из портфеля ключи. Но открыть ими дверь не решился — позвонил. Должны же открыть? Наверняка же там кто-то есть? Ну, Ниночка эта, сиделка отца, она же там?

Он прислушался. Тишина. Наконец раздались шаги, и дверь открылась. На пороге стояла испуганная молодая женщина лет тридцати или чуть больше. Она растерянно и смущенно заправляла за ухо светлые вьющиеся волосы и теребила пуговицу халата. Он подумал, что ни за что бы ее не узнал — такая непримечательная у этой Нины была внешность.

— Добрый день! — кашлянул он. — Ну... или недобрый.

Она вздрогнула, словно очнулась, покраснела и забормотала:

— Да-да, конечно! Вы уж меня извините, не сообразила! Две ночи без сна, простите меня ради бога, такая оплошность!

Она продолжала бормотать, пропуская его в прихожую. Лагутин стал раздеваться. Ему было тоже неловко.

Конечно, отца в доме не было — вернее, не было его тела. Нина объяснила, что его забрали — такие порядки: вскрытие и все остальное. Лагутин кивал:

— Да-да, конечно, я все понимаю, так положено и так у всех.

Но выдохнул. Было время привыкнуть к тому, что отца нет, оттянуть время до их последнего свидания, которого, как ни странно, он все же боялся, хотя и давно отвык от отца.

Нина торопливо и сбивчиво говорила про предстоящие дела — отвезти вещи в морг, дооформить бумаги, заказать похоронные принадлежности — словом, все то, что сопровождает покойного и его родственников в такой ситуации.

Лагутин пил чай и исподволь оглядывал кухню. Было очень опрятно, очень. Чувствовалась женская рука — никакой запущенности и ощущения, что в доме жил неумелый и неловкий старик.

Но странно — у Лагутина не было ощущения, что он оказался дома. Ни грамма. Дом его был сейчас там, в Городке, в Сибири.

Он давил зевки и боролся с искушением завалиться поспать после ночного перелета. Все же взял себя в руки, они оделись и вместе вышли из дома. Взяли такси, и Лагутин с удивлением разглядывал в покрытое изморозью окно незнакомый город.

Это был не его город, это было понятно. И все-таки он признавал — город этот был красив и ухожен. И еще — почти ему незнаком.

На Востряковском лежала мама. Где хотел отец обрести последний дом? Лагутин не знал. Никогда об этом не спрашивал. Потому что боялся услышать ответ: «Конечно, с Полечкой!»

Решил сам — на Востряковское, к маме. В конце концов семейная могила, легче ухаживать.

К трем часам с делами было покончено, и Лагутин, поняв, что страшно проголодался, предложил Нине зайти пообедать.

— Куда? — испуганно спросила она.

— Да куда угодно, мест-то полно. — И он обвел взглядом окрестности.

313

Нина растерянно хлопала глазами:

— Ой, Алексей Петрович. А может, не надо? Дома ж все есть. — И она деловито стала перечислять: — Суп есть гороховый, котлеты куриные — Петр Алексеевич их любил. Кисель есть, черничный. Зачем деньги-то тратить? — осторожно добавила она и покраснела.

— Да бросьте! — махнул рукой Лагутин. — Какие там деньги? Вдвоем пообедать в кафе? Когда еще доберемся до дома! Простите, но очень хочется есть.

Она согласилась, но было понятно, что его идею она не одобрила. Кафе, конечно, нашлось, с очень смешным названием: «Зайди — обалдеешь!»

В гардеробе Нина снова страшно смущалась, одергивала кофточку и приглаживала перед зеркалом волосы.

«Красивые у нее волосы, — равнодушно подумал Лагутин, — легкие такие и пышные. Все из пучка выбиваются. И цвет такой... Необычный. Пепельный, в перламутр. А лицо неприметное, совсем неприметное. Пройдешь мимо — не обернешься. Я вообще бы ее не узнал, если честно».

Он видел ее лишь однажды, когда прилетал к отцу в Москву. Было это года четыре назад. Прилетал, чтобы познакомиться с новой сиделкой, и совсем ее не запомнил. Показали бы фото и спросили, кто это, думал бы долго.

Наконец сели за столик, и Лагутин открыл меню. Нина сидела с прямой спиной и, кажется, боялась дышать. «Кажется, для нее это стресс, — подумал Лагутин. — Так робеет. Меня стесняется или вообще обстановки? Да ладно, сейчас поедим, и все. А завтра вообще все это закончится. Кстати, надо же взять обратный билет! На послезавтра? Или позже?»

Его размышления прервал официант.

— Нина, — обратился к ней Лагутин, — вы что-нибудь выбрали?

Она так отчаянно замотала головой, что он чуть не рассмеялся.

— А можно... вы? — тихо спросила Нина. — Я в этом не разбираюсь, простите.

Лагутин заказал на свой вкус: харчо — хотелось горячего, люля-кебаб, овощной салат и кофе.

«Дикая она какая-то, — подумал он, глядя на Нину. — Правда, на зарплату сиделки по кабакам не походишь. Но все равно — смущается, как девочка. А ведь все-таки в столице живет. Правда, что я про нее знаю? Наверное, из глухого села, где совсем нет работы. Ничего в жизни не видела. И все-таки странная, да».

Только теперь невнимательный к деталям Лагутин разглядел, как она скромно одета — серая старушечья кофточка на мелких пуговицах, простая черная юбка — такую носила еще мама в те времена. Сапоги — практичные, прорезиненные, чтобы не промокнуть. И пальтишко такое... сиротское. Ни колечка, ни сережек. Да уж.

— Послушайте! — сказал Лагутин. — А может, выпьем?

Она как будто испугалась:

— Нет-нет, я не пью!

Он усмехнулся:

— Так я ж вам не пить предлагаю, а выпить! За упокой души Петра Алексеевича.

Нина, робея, согласилась. А как отказать?

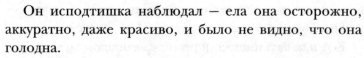

Он исподтишка наблюдал — ела она осторожно, аккуратно, даже красиво, и было не видно, что она голодна.

— Вкусно-то как! — удивилась она. — Не хуже, чем дома!

Он усмехнулся:

— Это у кого как. Бывает, и дома в рот не возьмешь! Разве нет?

— Я не знаю. Наверное. Мне не с чем сравнить.

«Ладно, что я к ней прицепился, — подумал Лагутин. — Девочка, домработница. Понятно, мало что видела. А я тут — вкусно, невкусно, дома, не дома».

Принесли коньяк, и она снова испугалась:

— Крепкий, наверное? Я его никогда не пила. Мы с мамой только кагор пили, и то на праздники. Мама его любила — сладенький, говорила.

Лагутин увидел, как она расстроилась и запечалилась.

— А где мама? — равнодушно спросил он.

Надо было же проявить внимание. Хотя Лагутин был точно не из любопытных и всегда считал, что лишняя информация ему не нужна.

— Нет мамы, — тихо ответила Нина. — Умерла пять лет назад от болезни. А отца у меня не было. В смысле, был, конечно, — она покраснела, — но бросил ее еще беременную, я его ни разу не видела.

«Ну, все понятно, — подумал Лагутин, — обычная история, обычная житейская драма. Папаша сбежал, мать тащила одна. Разумеется, денег не присылал, какие там деньги. Алиментщиков этих у нас полстраны, а может, и больше. Такое мужичье у нас образовалось — ни ответственности, ни чести, ни совести.

— А вы откуда? — поинтересовался он.

Нина удивилась:

— А я ж вам писала, когда к вам устроилась!

Теперь смутился Лагутин:

— Да-да, простите, забыл.

«Сволочь я, — подумал он. — Ничего мне не интересно: ни кто жил с моим отцом четыре года, ни кто ухаживал за ним, ни кто жил в моей квартире. Так, пришел человек, и ладно — лишь бы мне было спокойно».

— Вы, наверное, забыли, — улыбнулась Нина. — Я из Низов.

Лагутин вконец смутился:

— Да будет вам! Мы ведь тоже не из графьев.

Пару минут она смотрела на него почти с ужасом. А потом, когда до нее наконец дошло, громко, в голос, рассмеялась.

— Ой, да вы не поняли! Это поселок такой — Низы! В Сумской области. А вы что подумали?

Теперь смутился Лагутин. Самое умное было посмеяться вместе с ней, он так и сделал.

Напряженная обстановка тут же исчезла. Нина глотнула коньяку, смешно поморщилась и посмотрела на Лагутина.

— Невкусно, простите. И зачем люди пьют?

Лагутин вздохнул:

— По-разному. Кому-то нравится сам процесс, кому-то последствия. А кому-то, представьте, и вкус! А другим это просто помогает, поверьте.

Нина раскраснелась от съеденного и выпитого, и он подумал, что она вполне милая. Нет, ничего особенного, конечно. Глазу, как говорится, зацепиться не за что — совсем обычное, рядовое лицо. Таких лиц в стране — тысячи и миллионы. Обычная женщина из толпы. Пройдет — не заметишь. Увидишь — не вспомнишь. Но краснеет она мило, робеет смешно. Наивная какая-то. Впрочем, может, обман? Где они, эти наивные? Кажется, исчезли как класс.

Да и вообще — кто знает, какая она и что у нее за плечами? И кстати, ему это совсем не интересно. Совсем.

А молчаливая Нина после рюмки коньяка разговорилась — рассказывала про свой поселок, и было видно, что по малой своей родине она тоскует и любит ее.

— Что вы, — горячилась она, — прекрасное место наши Низы! Речка есть, Псел называется. Между прочим, там у нас, в Низах, древнее поселение раскопали! Да-да! Не верите?

Лагутин сделал протестующий жест:

— Что вы, что вы! Конечно же, верю, как не поверить.

И Нина вдохновенно продолжила:

— Поселение железного века, — гордо сказала она, наблюдая его реакцию.

Он изобразил удивление:

— Да что вы? Ну надо же, а?

— А в девятнадцатом веке построили сахарный завод, — гордо объявила она. И тут же грустно добавила: — Правда, сейчас он банкрот. А самое главное, — она таинственно замолчала, словно готовилась предложить необычайный сюрприз, десерт, который непременно приведет Лагутина в изумление, — у нас каждое лето отдыхал Петр Ильич. Представляете?

Почти каждое лето, — с напором повторила она и откинулась на спинку стула.

Взгляд у нее был торжествующий, важный, и Лагутин выдавил:

— Ну ничего себе, а? Сам Петр Ильич!

— Да, — с радостью подхватила Нина, — и музей есть Петра Ильича, в усадьбе Кондратьевых. И пьесы Кондратьевым он посвятил: «Вечерние грезы» и «Салонный вальс» — это супругам. А дочери Дине — «Вальс-безделушку».

Лагутин не нашел что сказать и повторил:

— Ну надо же, а?

А раскрасневшаяся Нина не умолкала:

— А знаете, и Чехов бывал в наших местах. И конечно, заехал в усадьбу! Он обожал музыку Петра Ильича. И у нас построили первый деревянный храм, кстати, Иоанна Богослова. Правда, сейчас он каменный. Но...

— А работы, конечно, нет? — с сарказмом перебил ее Лагутин.

— Нет совсем. А если и есть... — Она махнула рукой.

— Все понятно, — отозвался Лагутин. — Все стремятся в столицу — здесь всегда есть работа. Ну а потом возвращаться уже не хотят — привыкают к большому городу, к столичной жизни, к нормальной зарплате. В общем, вытуривают людей с насиженных мест! Я прав?

Нина посмотрела на него с удивлением:

— Ну за всех я не отвечаю, только за себя. Я за столицу не держусь — ни минуты! — раскрасневшись от возмущения, выпалила она. — И очень хочу вернуться в Низы. Потому что тишину люблю, а суету эту ненавижу. Толпу переношу с трудом, потоки машин, вечный шум за окном. Только спустя три года спать под него научилась. Нет, — твердо добавила она, — я мечтаю вернуться домой. А как сложится, не знаю. Да как сложится, так и сложится! Да и к кому мне туда возвращаться? Там уже никого. Никого у меня нет вообще.

«Надо же! — подумал Лагутин. — Не нужна ей столица. А может, и врет. Черт ее знает. Поди их пойми».

Официант принес кофе, и Лагутин посмотрел на часы:

— Ого! Время-то позднее. Ну что? Поехали? Нужно еще добраться до дома. А завтра у нас день непростой.

Взяли такси, но ехали долго и медленно, пробираясь по пробкам, словно сквозь дикие джунгли.

Лагутин ушел в свою комнату, не раздеваясь и не включая свет, лег на диван и закрыл глаза.

Он был дома и не чувствовал, что вернулся домой. Не то чтобы ему было здесь неуютно или тревожно — совсем нет. И все-таки странные ощущения: дом — не дом, свой — чужой. Где его дом? И почему так сложилось? Теперь его дом был там, в Городке. Здесь — своя родная квартира, в которой он родился и вырос. Где прожил свои самые счастливые и самые горькие дни. А там, в Городке, квартира служебная. Нет, все-таки там! Меня туда по крайней мере тянет. А здесь, здесь мне тяжело, здесь только тянет сердце. Вот так.

Он задремал, но скоро проснулся и чуть не подпрыгнул. Вот ведь болван! А люди? В смысле — народ? Знакомые отца, родственники, соседи, коллеги? Как он не сообразил? Надо ведь обзвонить, ну кому можно успеть или кто еще остался на этом свете.

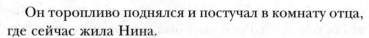

Он торопливо поднялся и постучал в комнату отца, где сейчас жила Нина.

— Войдите! — услышал он.

Она сидела в кресле и читала. Интересно, что? Но спрашивать было неловко. Он объяснил ей суть проблемы, и она тоже всплеснула руками.

С трудом отыскали старую отцовскую записную книжку — помятую, засаленную, с обтрепанными и пожелтевшими краями ветхих страниц. Сели на кухне, и Лагутин принялся ее листать.

Кое-кого припомнил: двух сослуживцев отца, когда-то, в той еще жизни, лет сто назад, еще при жизни мамы, бывавших у них в доме. Позвонили. Один номер глухо молчал. По второму ответили:

— Иван Михалыч? Да что вы! Помер он, помер, еще в десятом году. Я? Я его дочка! Сын Петра Алексеича? Как же, помню! Ох, царствие небесное, соболезную, мой дорогой.

Дальше по книжке — вспомнил про дальних родственников отца, кажется, троюродного брата и племянника. Те оказались живы, но брат был в санатории, а племянник, естественно, тут же назвал причину, по которой прийти не сможет — и это вполне объяснимо. Кто ему этот призрачный, виртуальный дядя Петя? Никто.

Лагутин положил трубку и не обиделся — все понятно. Сто лет не виделись и не надо, все правильно.

Сделали еще пару звонков — соседу по коммунальной квартире, старому другу отца. И того уже не было на этом свете. Дозвонились тетке, тете Кате — Лагутин вспомнил ее, — вдове отцовского двоюродного брата. Лагутин помнил, что мама ее не жаловала, называя сплетницей и хабалкой. Ну и еще одной вдове — Рите Ростовцевой. Ростовцев был отцовским приятелем и коллегой тоже в те далекие и давно забытые времена — в другой жизни. Рита взяла трубку и коротко сказала, что будет. Ну и дядя Леня, школьный друг отца. Лагутин был почему-то уверен, его давно нет в живых. И почему? Сам не понял. Но дядя Леня оказался живой и, услышав Лагутина, тут же заплакал. Конечно, обещал быть. И что получалось? А вот что — две соседки по подъезду, один сосед, Рита Ростовцева, дядя Леня, Нина и он, единственный сын. Такие дела.

А поминки?

— Так сама все и сделаю! — тут же сказала Нина. — Что там, на несколько человек? Блинов напеку, винегрет нарежу. Селедка с картошкой. Ну и курицу можно запечь. А уж вино и водка — это ваша забота.

На том и порешили — Нина готовит с раннего утра, он идет в магазин, а уж потом вместе в морг.

Прощание назначено на двенадцать дня, все можно успеть.

Он валялся на диване и размышлял — да, странная жизнь. Нет, не только у отца и у самого Лагутина, вообще странная жизнь! Первая половина отцовской жизни — семья, любовь, сын, прочие радости — например, эта квартира. Как они ее ждали, как мечтали о ней! Мама все придумывала и советовалась с отцом, даже с сыном, который тогда был маленьким: «Лешка! А как думаешь, желтые шторы пойдут в гостиную? А к тебе, к примеру, синие, а?»

Ему, разумеется, было наплевать на цвет штор и на сами шторы. Ему было скучно рассуждать на эти темы — где достать кухонный гарнитур, купить светиль-

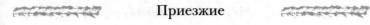

ники. «А ковер? — тревожилась мама. — Нет, я, конечно, не мещанка — на стену вешать не будем, — ловила она испуганный взгляд отца, — а вот на пол... Так же уютнее, Петь? Да, Лешка?»

Леша соглашался — уютнее.

И вот квартира и переезд. Вещей было мало — еле набралось на грузовик с открытым верхом — не обросли они тогда барахлом. Барахлом обрастают во второй половине жизни. Правда, к Лагутину это не относится.

Вошли в квартиру — там еще пахло масляной краской и клеем.

Вошли и остановились на пороге комнаты. Замерли. «Господи, — бормотала мама, — и все это наше?»

И плакала, плакала. Леша даже слегка разозлился.

А отец засмеялся:

— Женщины, Леш!

Сели на кухне отметить — три стула, тумбочка. Мать ловко нарезала колбасы, помидоров и хлеба — вот и угощение.

Достали бутылку водки и тяпнули, как сказал отец. Так, по рюмочке. За новое счастье.

А мама все ходила по дому и причитала.

Первую ночь спали на полу — старые кровати решили с собой не брать: купим новые!

Диваны скоро купили — сначала Леше, а потом уж родителям.

Ну и обрастали потихонечку вещами — необходимыми и разными, для дела и удовольствия, как говорила мама. Вазочки, скатерки, покрывала на диваны. Фиалки в горшках. Телевизор, палас. Коврик в прихожую. И кухню, конечно, достали. Правда, стояли две ночи, дежурили у магазина — сначала мама, потом отец.

Мама все терла и мыла — по вечерам, по выходным. Каждую субботу звали гостей — ее подруги, родня, сослуживцы. Каждые выходные. А какие мать накрывала столы!

Как Леша любил на следующий день, скорее всего в воскресенье, пока родители спали, подкрасться на цыпочках к новенькому пузатому «ЗИЛу» и... стырить оттуда «остатки прежней роскоши», как смеялась мама. Пирожки, селедку под шубой — прямо из салатника, большой ложкой.

Наевшись от пуза, плюхнуться обратно в постель — конечно же, с книжкой, например, с Конан Дойлом.

Воскресные поездки в Сокольники или в Парк культуры. В киношку, в кафе-мороженое. Да просто во двор, с приятелями.

А походы в театр? Он любовался наряженной мамой. А как вкусно пахло ее духами! Он помнил глаза отца — сияющие, счастливые. Семья.

Отец писал кандидатскую, и мама строго следила за этим. «Петя! С твоими мозгами ты должен двигать науку!» Петя и двигал — пока мама была жива. А потом... Потом все закончилось, все.

Как быстро с уходом мамы кончилось счастье.

Скороспелая женитьба отца на этой Полине. Нет, наверное, она была совсем неплохой. И даже вполне хорошей. Но отец? С его тонким юмором, даже сарказмом. С его образованностью, с его книгами и музыкальными пристрастиями: часами слушал джаз. С его интересом к истории и с его глубокими знаниями.

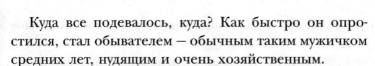

Куда все подевалось, куда? Как быстро он опростился, стал обывателем — обычным таким мужичком средних лет, нудящим и очень хозяйственным.

Если с мамой они ездили отдыхать дикарями — на море или озера, в Карелию или на Волгу, под Ахтубу, где ставили палатку, ловили рыбу, собирали ягоды и грибы, то с Полиной они ездили в санатории или к Полининой родне в деревню — за сто верст, в глухомань, куда-то под Вятку. Ни воды, ни электричества — вот удовольствие.

А их разговоры? Огурцы и клубника на даче, тля, кроты, удобрения. Полинины кусты и цветы. Бесконечные закрутки, подсчет банок с «консервой», как говорила Полина.

И их семейные посиделки — Полинины дети, дочки, зятья. Короткие пьянки — напивались зятья быстро и начинали спорить друг с другом. Громко, по-хамски, противно.

Лагутину видеть и слышать все это было невыносимо, и он быстро смывался.

Да нет, хорошей была эта Полина. Точно, хорошей. Простая, добрая женщина — в прихожей всегда совала Лагутину кульки с чем-нибудь вкусным — куском пирога, курицей, котлетой. Но он не ел это — отдавал дворнику Кольке, горькому пьянице. Вот кто был счастлив! А иногда он Полинину снедь выбрасывал. Плохо, конечно, выбрасывать еду, но... Выбрасывал.

Он помнил Полинину квартиру — в каждой комнате по ковру на стене — красный, зеленый. Да ради бога, у всех свои вкусы! Но отец? Он же смеялся когда-то над мамой: ковер — это мещанство.

Старые приятели отца в его новый дом не ходили — по крайней мере дядю Леню Алексей там не видел. Может, его и не приглашали — наверное, отцу было неловко: после мамы — Полина? Да нет, вряд ли. Полину он, кажется, очень любил. Страдал же по ней после ее ухода.

Или просто уже подходила старость, и он понимал, что все, время уходит, впереди болезни и немощь. На Полину он мог рассчитывать. И был прав — заботливая была женщина, хозяйственная. И еще — очень здоровая. После болезни мамы он стал бояться больных. По всем законам справедливости она должна была уйти позже отца. А как вышло? Ушла первой — крепкая деревенская женщина. Сгорела в два месяца.

Наверное, он понимал, что жениться в третий раз неприлично. А значит, и понимал, что остался один, и ему стало страшно. Не по Полине он выл — по себе.

Лагутин слышал, как на кухне льется вода и тихонько позвякивают кастрюли. Но выходить из комнаты не хотелось. И разговаривать не хотелось — совсем. И видеть кого-то тоже. Даже эту тихую и почти незаметную, молчаливую Нину, которой он был страшно благодарен за все — за сегодняшний день, за отца. И за то, что она так тихо возится на кухне — наверняка готовит на поминки. Как родной и близкий его семье человек. Хотя... Какая у него семья? Нет у него семьи. И вообще никого нет. Он волк-одиночка. Ну или кролик — какой он волк?

Он уснул и спал до утра. А когда проснулся, за окном было довольно светло — значит, утро. Значит, вставать. Значит... Сегодня похороны его отца. Это значит, что сегодня он окончательно простится со

своей прежней жизнью. И никого из нее не останется — теперь уже навсегда.

Нина встретила его на кухне — одетая в черное платье, с широкой черной лентой на волосах.

Она коротко и тревожно глянула на Лагутина и без слов поставила перед ним чай и тарелку с бутербродами. На тарелке стопкой лежали блины, испеченные на поминки.

Быстро глотнув чаю, и, несмотря на протесты Нины, решительно отказавшись от бутербродов, Лагутин быстро оделся, и они вышли из дому.

У больничного морга робко стояла жалкая кучка людей. Он никого не узнавал — узнала Нина, к которой тут же бросилась полная женщина в темном пальто с облезлым меховым воротником и высокой вязаной шапке. «Такие пальто и шапки из мохера носили сто лет назад, — подумал Лагутин, — еще в советские допотопные времена».

Женщина обнялась с Ниной и подошла к Лагутину.

— Ну здравствуй, Алексей! — прищурилась она, внимательно и строго оглядывая его.

Он вспомнил: тетя Катя, вдова дяди Шуры, того самого отцовского брата. Он не видел ее еще с похорон матери — значит, много лет назад. Тогда, на маминых похоронах, мощная, громкая и языкатая Катя была совсем молодой — моложе сегодняшнего Лагутина. Кажется, у нее была дочь. Или нет? Лагутин не вспомнил и спрашивать, естественно, не стал — боялся что-то напутать.

Тетя Катя продолжала буравить Лагутина острым, недобрым взглядом — понятное дело, осуждает: бросил немощного старика. Не сын, а дерьмо.

Но Лагутину было категорически наплевать на тетю Катю и всех остальных. «Поскорее бы все прошло, закончилось, — думал он, — как это тягостно все. И изображать непомерную скорбь — в том числе. Скорби не было, вот в чем дело, как ни горько в этом признаться.

Он увидел женщину, которая спешила к ним, сильно припадая на ногу и опираясь на палку. Она подошла к Лагутину и обняла его.

— Леша, милый! Ну как же так?

Он узнал ее — Рита, жена отцовского сослуживца Андрея Ростовцева. Он вспомнил — тогда, лет двадцать назад, а может, и больше, в отцовском институте был большой скандал — завлаб Ростовцев ушел из семьи, оставив жену и двоих детей. Супруга Ростовцева, дородная и красивая женщина с мощной халой из вытравленных соломенных волос, шла по жизни уверенно — это читалось во взгляде. Ну и отправилась она, — это рассказывал отец, — в парторганизацию, чтобы изменника призвали к ответственности, а заодно и к совести. Но ничего не получилось — не возымели действия ни партсобрание, ни понижение в должности — с завлаба до рядового сотрудника. Только потеря в зарплате, ну и как следствие — алименты уменьшились.

Случилась любовь — это все понимали. Ростовцев был крупным и фактурным мужиком — рано поседевший, но сохранивший роскошную шевелюру сибиряк с тяжелым подбородком, властно сжатым упрямым ртом и стальным блеском в глазах. Бабы, конечно, на него заглядывались. А влюбился он в лаборантку, совсем девочку, так, ничего особенного — маленькая,

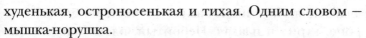

худенькая, остроносенькая и тихая. Одним словом — мышка-норушка.

Так вот, Ростовцев ожил, помолодел, засверкал глазами — и на все ему было наплевать, он был счастлив.

Квартиру, конечно, оставил семье, а сам переехал в коммуналку к молодой жене. Отец тогда посмеивался и рассказывал матери: «Ходят за руку, представляешь? Ну просто как дети».

Однажды Ростовцев с новой женой были у них дома — что-то привезли отцу, кажется, какие-то бумаги. Мать поила мужчин чаем в отцовском кабинете, а «молодуха» сидела на кухне с матерью, они о чем-то шептались.

После их ухода мать задумчиво сказала отцу:

— Знаешь, Петь, а они все правильно сделали. Молодец твой Ростовцев, хвалю. Любовь у них, большая любовь.

А вскоре Ростовцев погиб — лет через пять после этих событий, разбился на машине. Молодая жена тоже здорово пострадала — Лагутин слышал краем уха, что она долго лежала в больнице, что-то с костями таза, с ногами, словом, разбилась здорово — по частям собирали. Мама, кажется, ездила к ней в больницу.

«Надо же, пришла, — удивился Лагутин. — Значит, помнит отца». Он видел, что жена Ростовцева здорово постарела, высохла — просто старушка, ей-богу. И эта палка, и хромота, и седина в волосах. Сколько ей лет, этой Рите? Да за пятьдесят, не больше — она была лет на десять старше Алексея.

Среди присутствующих были два соседа, один с женой, Лагутин их помнил прекрасно. Ну и Леня, еще старинный друг отца, совсем старик, господи! Леня,

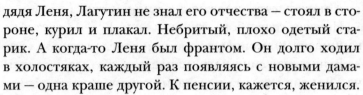

дядя Леня, Лагутин не знал его отчества — стоял в стороне, курил и плакал. Небритый, плохо одетый старик. А когда-то Леня был франтом. Он долго ходил в холостяках, каждый раз появляясь с новыми дамами — одна краше другой. К пенсии, кажется, женился.

И вот зал прощания.

У Лагутина сжалось горло. Отец лежал в гробу — незнакомый, чужой, абсолютно чужой старичок.

Распорядительница монотонно вещала заученные слова и немного позевывала. Покончив со своей краткой речью, она обратилась к присутствующим, предложив сказать пару слов о покойном.

Все растерянно поглядывали друг на друга. Слово взял сосед:

— Прощай, друг, прощай, Алексеич! — Утер слезу. Все были смущены и старались не встречаться взглядами. Кажется, не находился человек, стремящийся сказать что-то доброе о лагутинском отце.

Но тут слово взял Леня. Было видно, что говорить ему невыносимо тяжело.

— Прощай, моя юность. Вот и ты... Ну а следующий — я.

Нина явно робела, страшно смущалась, и это все давалось ей невообразимо тяжело.

— Петр Алексеевич! Земля вам пухом! — сказала она. — Спасибо за все, хорошим вы были человеком. Душевным. И еще — простите, если что не так. — И Нина громко расплакалась.

Подошла Рита Ростовцева и обняла ее.

Лагутин уже не мог сдержать слез. Стоял и плакал. По прежней жизни? По тому, молодому, отцу? По маме? По детству? Да бог его знает.

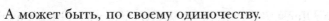

А может быть, по своему одиночеству.

Но все, слава богу, закончилось. Все на свете заканчивается, все.

Вышли на улицу, погрузились в автобус. Ехали молча. Лагутин смотрел на гроб, стоявший в хвосте катафалка. Гроб, в котором лежал его отец.

Последний путь.

На кладбище было пасмурно, мрачно, почти черно. Подтаявшие, опавшие черные сугробы мешали пройти. В небо с громким, резким, невыносимым карканьем взлетела стая ворон.

До места было близко — минут пять, не больше. Могильщики стояли у открытой ямы, поджидая процессию.

Перед тем как опустить гроб, старший кивнул на провожающих:

— Ну, речи будут? В смысле — прощальные? Заколачивать надо!

Лагутин вздрогнул и с удивлением посмотрел на работягу — испитое лицо, хитро прищуренные глаза, папироса в углу узкого рта. Типаж.

Он увидел глаза Нины — она смотрела на него с тревогой. Подошел к гробу, наклонился.

— Прощай, отец. И еще — прости.

Поцеловать отца Алексей почему-то не смог — осторожно погладил по руке и отошел. Он стоял чуть поодаль, отвернувшись. Было неловко — он опять заплакал, слезы лились по щекам, и он оттирал их замерзшей ладонью.

Услышав стук комьев о крышку гроба, обернулся. Все стояли молча, скорбно опустив головы. Плакала только Рита Ростовцева — видимо, о своем. Лагутин расплатился с работягами и быстро, не оглядываясь, пошел догонять своих.

В автобусе все оживились и разговорились — почувствовали, как замерзли и проголодались. Жизнь продолжалась и брала свое, что ж, нормально.

Нина предложила помянуть усопшего:

— Милости просим на поминки.

Лагутин усмехнулся. Это он, родной сын, должен был сказать последние слова на кладбище. И он должен был пригласить к поминальному столу. А все это сделала Нина, по сути, чужой человек.

Он вспоминал ее прощальные слова: «Спасибо за все, хорошим вы были человеком. Душевным». Нет, все правильно — конечно, на кладбище не звучат другие слова: «Спасибо, прости, спи спокойно».

Но, кажется, сказано это было от души, значит...

Да ладно, ничего это не значит! Просто отец зависел от этой Нины. Зависел и страшно боялся, что она уйдет и оставит его. Поэтому и вел себя прилично. Вот в чем правда. «Господи, — подумал Лагутин, — и даже в такой день! И даже в такой день, сто лет спустя, я не простил его за маму, за себя. Не простил его эгоизм».

Краем уха он слышал разговоры — тетя Катя шепталась с Ниной и осторожно поглядывала на Лагутина. Нина мотала головой, видимо, с ней не соглашаясь. Соседи обсуждали свои дела — внуков, футбол, огороды. Дядя Леня дремал, прислонившись головой к холодному стеклу. Только Рита Ростовцева молчала и ни с кем в контакт не вступала. Ну и Лагутин молчал.

 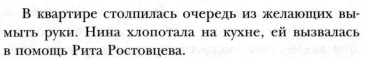

В квартире столпилась очередь из желающих вымыть руки. Нина хлопотала на кухне, ей вызвалась в помощь Рита Ростовцева.

Тетя Катя уселась в кресло и громко говорила с дочерью по телефону — ругалась и спорила. Фрукт эта тетка, ей-богу, недаром мама ее не любила. Да и зачем так громко? Все-таки на поминках.

Уселись. Ели торопливо и жадно — проголодались, подмерзли. Налили по первой.

Встала Нина, сказала коротко:

— Светлая память.

Не чокаясь, выпили.

Лагутин увидел на комоде фотографию отца и рюмку водки, накрытую черной горбушкой. «Тоже Нина, — подумал он, — а я бы не догадался».

Леню быстро развезло, и он начал вспоминать их с отцом детство, школу, родителей, первых девочек. И опять плакал, вытирая лицо огромным несвежим носовым платком.

Все молчали и слушали внимательно, видимо, соотнося все это с собственной жизнью.

Нина хлопотала вокруг стола, и получалось у нее все ловко и четко — понятно, за что отец ее очень ценил. «Славная женщина, — часто повторял отец по телефону, — славная женщина эта Нина».

Лагутин быстро опьянел, и ему хотелось остаться одному. Уйти к себе в комнату, забраться под одеяло и... уснуть.

Все закончилось, думал он. Еще немного — и все разойдутся, оставят его наконец одного. А завтра — завтра домой, в Городок. Как он хочет туда, как он соскучился по дому. Скорее бы, а? Он представлял, как машина привезет его к Городку, а он выйдет за пару кварталов, чтобы пройтись, вздохнуть полной грудью свежий и чистый воздух, взять в ладонь снег, смять его, понюхать, даже лизнуть! И домой, домой, в свою норку — к своей чашке, дивану, письменному столу. А на следующий день — на работу, в лабораторию. К своим ребятам — вот там его место, там его жизнь.

Рита Ростовцева подняла рюмку за память «ближайшего друга моего любимого мужа». Говорила, что именно Петр Алексеевич их поддержал в то тяжелое время, когда отвернулись все остальные. Он и его жена, Анастасия Михайловна.

— Настя, — повторила она и обвела глазами сидящих.

Тетя Катя усмехнулась, но промолчать ума, слава богу, хватило.

Потом Лагутин стоял в прихожей и подавал дамам пальто. Тетка долго пыхтела, упаковываясь в свою доху, с кряхтеньем застегивала сапоги, а поднявшись с табуреточки и оттерев с красного лица испарину, не удержалась:

— Бросил ты отца, Алексей! Совесть не мучила?

Лагутин вздрогнул от неожиданности и замешкался.

Ответила Нина — тихо и мягко, без напора:

— Что вы, Катерина Васильевна! Это Алексей Петрович-то бросил? А деньги? А еженедельные звонки? Нет, вы не правы, простите! И вообще... — Она помолчала. — Мне кажется, это дело семейное.

Ничего себе, а? Лагутин совсем растерялся. «Вот и у меня появился адвокат», — хотел пошутить он, но вовремя удержался. Слава богу, ума хватило.

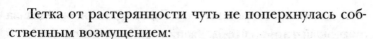

Тетка от растерянности чуть не поперхнулась собственным возмущением:

— А ты-то тут с какого боку, а? Ты, что ли, семья?

Нина связываться не стала, просто ушла на кухню.

Рита Ростовцева надевала у зеркала шарф.

— Алеша, — грустно улыбнулась она, — не обращайте внимания. Вы же все понимаете! Такие вот, — она усмехнулась, — считают всегда себя вправе. А на деле — слоны в посудной лавке! — И повторила: — Не обращайте внимания!

Тетка, пыхнув на прощанье оскорбленным и возмущенным взглядом, наконец выкатилась на лестничную клетку.

Рита погладила Лагутина по руке.

— Держитесь, Алеша! В конце концов, вы привыкли к одиночеству, верно?

Лагутин кивнул. Все ушли, он отправился на кухню, где Нина мыла посуду.

— Простите, ради бога, — пробормотал он, — вот, расслабился. Совсем не помогаю! Сейчас я соберу стол и подмету, да? И что еще нужно? Вы подскажите! Я не очень-то понимаю, если честно. И еще, Нина! Спасибо вам! Огромное спасибо, ей-богу — если бы не вы... — Он махнул рукой и пошел в комнату собирать стол, убирать лишние стулья ну и все остальное, как обычно, как всегда после гостей. Правда, он забыл, как это бывает — после гостей.

Наконец все было сделано. Нина сидела на кухне и пила чай. Лагутин сел напротив. Молчали. Начала она, Нина, и было очевидно, что она страшно волнуется.

— Алексей Петрович, — голос ее дрожал, — я к вам с такой вот просьбой... Ужасно наглой, я понимаю!

— Нина, — удивленно вскинул брови Лагутин, — да с любой, ей-богу! С любой просьбой! Выполню с превеликим удовольствием, правда! Я вообще всем вам обязан.

Она откашлялась.

— Я прошу вас не выгонять меня из квартиры — ну, несколько дней максимум. Хотя бы несколько дней! Самое большое — неделю, дней десять от силы, за это время я точно управлюсь. Мне надо найти новую работу, конечно же, с проживанием. Аренду комнаты, а уж тем более квартиры мне не потянуть. — Густо покраснев, она замолчала.

— Господи, Нина, да вы вообще о чем? Такая ерунда, а вы, я вижу, переживаете! И не ищите, ради бога, работу с проживанием. Найдите что-нибудь... полегче, что ли? И живите здесь. Не надо вам никакой аренды, никакого съема. Знаю я эти квартиры — двадцать человек на пятьдесят метров и нары вдоль стен! Забудьте, умоляю вас. Живите, сколько вам нужно. Мне эта квартира, как вы понимаете, уже ни к чему. Сюда возвращаться я не собираюсь, дом мой давно там. — И он неопределенно махнул рукой. — А если я смогу вас хоть как-то отблагодарить, хоть чем-то помочь, то буду счастлив, поверьте! — Он облегченно выдохнул и повторил: — О чем тут вообще говорить? Все, забыли!

Нина смотрела на него не моргая. Ему так и хотелось сказать ей: «Отомри!» Как в детской игре.

— Я думала, — тихо сказала она, — что вы будете ее сдавать. Зачем ей простаивать, верно?

Лагутин недоуменно пожал плечами.

— Да нет, я об этом не думал совсем. Лишние хлопоты. Да и денег мне вполне хватает — я-то один, без семьи. Какие у меня траты? Смешно. Нет, я бы ее не сдавал. И в голове этого не было. Сдавать ее в таком виде... Здесь вещи и мамы, и отца... Не хочу, чтобы их трогали чужие люди. Да и ремонт здесь нужен. А времени у меня категорически нет — завтра вечером самолет, я взял отгулы всего на три дня. Так что живите, Нина, сколько вам нужно. Да и потом, вы столько для нас сделали. О чем тут вообще говорить? Спокойной ночи. — Он встал со стула. — И еще раз спасибо. Завтра я улечу, и хозяйничайте тут на здоровье.

Он услышал, как она тихо лепетала слова благодарности. Из коридора сказал:

— Забудьте! Ей-богу, не о чем говорить.

Улегшись в постель, Лагутин блаженно вытянул гудящие ноги. «Вот все и закончилось, — думал он. — Все проходит — старая мудрость. Теперь я сирота. Хотя с этим ощущением я давно свыкся, Рита Ростовцева права. Она ведь еще совсем не старая женщина. Ее мужа нет уже столько лет — целая жизнь! Он ушел, когда ей было немного за тридцать, а она так и не устроила свою жизнь. Значит, у них действительно была большая любовь. Ухажеры наверняка у нее были — что-то в ней было, в этой тихой и незаметной Рите. А она выбрала, мягко говоря, очень немолодого мужчину, который после скандального развода остался гол как сокол. А ведь многие им не верили!»

Потом его мысли переключились на дядю Леню. «Совсем старик. Дряхлый и немощный старичок. Жалко его». Лагутин знал, что у дяди Лени есть дочь —

точнее, дочь той женщины, с которой он жил последние лет десять, не меньше. Да, дочь — его падчерица. И с этой падчерицей — как ее звали? — Леня был в замечательных отношениях, гораздо лучших, чем сам Лагутин с родным отцом. Эта падчерица ухаживала за Леней, приезжала, привозила продукты, покупала лекарства, убирала в квартире. Как-то все по-людски у них вышло. Не то что у Лагутина с отцом.

Потом он вспомнил о тетке и Нине: «Катя эта дура. Всегда была дурой — что про нее говорить. Дядя Шура с ней мучился — все это знали. Нина. Без нее бы не получилось как надо. Все было бы скомкано, сжевано, неправильно. Не по-людски — как говорила мама. Хороший человек она, эта Нина, дай ей бог».

Лагутин ворочался с боку на бок и все никак не мог уснуть. Вдруг запищал мобильный. Он дернулся, протянул руку и нашарил его на прикроватной тумбочке. На телефоне вспыхнуло табло времени — полвторого, ничего себе! Кто это, господи? Из Городка? Что-то случилось?

— Да, — хрипло сказал он, — слушаю вас!

Это была Даша.

— Лагутин, — услышал он, — я послезавтра буду в Москве. Мама в больнице. Ну и вообще... — Она замолчала, и ему показалось, что она всхлипнула.

— Можешь прилетать! А то потом опять скажешь, что я тебе не даю увидеть ребенка!

— Ты с Настей? — спросил Лагутин. — Ты летишь с Настей?

— Ну разумеется с ней, иначе чего бы я тебе звонила? Я же понимаю, что по мне ты не соскучился! — Она усмехнулась. — Ну, что молчишь? Прилетишь?

— Да я, собственно, здесь, в Москве, — пробормотал Лагутин, — отца сегодня похоронил. Вот как сложилось. Да, конечно, я сдам билет! — горячо заверил он. — Я так соскучился по Насте! Вот ведь совпало, — в волнении повторял он, — рядом с горем всегда ходит... — Он смутился и осекся, а Даша рассмеялась:

— Вот видишь, свезло.

От этих слов Лагутин вздрогнул и поморщился.

— Да уж, свезло, по-другому не скажешь. Похоронить отца — это, конечно, свезло.

Впрочем, от его бывшей жены услышать подобное неудивительно. Даша всегда была человеком... не очень тактичным.

— Лагутин, — оживилась она, — а ты нас встретишь? В Шереметьево, а?

— Да-да, — быстро ответил он, — конечно, встречу, о чем говорить?

— Номер рейса я вышлю, — кажется, она обрадовалась. — Ну что, значит, до завтра?

— До завтра, — ответил Лагутин, и в трубке раздался отбой.

Сна теперь не дождаться, это ясно. Он резко встал, прошелся по комнате, постоял у окна.

«Вот как бывает, — подумал он. — И вправду, вот горе, а вот радость. Даша ведь права! Она всегда говорила то, что думала».

Лагутин вспомнил, что иногда просто столбенел, застывал от растерянности, изумления и даже шока. А Даша обижалась: «А что тут такого? Ты же тоже так подумал! Но промолчал. А я — я просто озвучила наши общие мысли. Разве не так?»

Ладно, что он о Даше? Кто она ему? А вот дочь... Завтра он увидит свою дочь, и это главное.

Звякнула эсэмэска — Даша прислала номер рейса. «Надо бы поспать, — подумал Лагутин. — Эх, как надо поспать! Но это вряд ли. Слишком много событий. Слишком много волнений. А он от них отвык».

Утром, при встрече с Ниной, он начал разговор — дескать, простите, нарушаю ваши планы, сегодня не улетаю, задерживаюсь на несколько дней, пять-семь, сам пока не знаю.

— Простите великодушно. Получилось все внезапно, и сам не предполагал! Потерпите меня еще немного, ладно?

Нина отчаянно замахала руками:

— Господи, Алексей Петрович! О чем вы? О чем? Это вы здесь хозяин. Вы и так сделали мне такой сказочный, невозможный подарок, и вы еще извиняетесь! Ну как я должна чувствовать себя в этой истории, а? Давайте я уйду на эти дни, чтобы не мешать вам? Зачем вам быть тут с чужим человеком? Я преспокойно уйду, не сомневайтесь! Мне есть куда, честное слово! А когда вы решите свои проблемы и если не передумаете, то я с удовольствием вернусь.

Она продолжала бормотать, а он решительно ее остановил:

— Нина, все. И не думайте уходить, о чем вы? Вы мне совсем не мешаете, честное слово! Даже наоборот, приятно вернуться домой, когда там есть живая душа. Все, все, закончили. Надеюсь, я вас не слишком обременю своим присутствием. И хватит извинений и реверансов, ей-богу!

Нина кивнула и тут же спохватилась:

— Ой, Алексей Петрович! А я же вам в дорогу пирожки напекла! С капустой! Ну, в дорогу и в самолет. — И она покраснела.

— Нина, милая! — застонал он. — Ну зачем же? Какие пирожки, вы о чем? В самолете кормят, а уж до аэропорта я бы доехал, не помер, ей-богу! Зря вы беспокоились, зря.

Она еще больше смутилась — своей неосведомленности, деревенскости, глупости.

— Да не расстраивайтесь вы так! — улыбнулся Лагутин. — Пирожки ваши мы вечером с чаем съедим, ладно?

Она кивнула.

— Ну вот, — улыбнулся он. — Выход найден.

До прилета Даши и Насти оставалось шесть часов. Чем себя занять? Валяться он устал, на улицу не хотелось — погодка была, прямо скажем, паршивая. Он отвык от слякотной, серой и грязной московской зимы — дома, в Городке, зима была снежной, чистой, настоящей.

Нина хлопотала по хозяйству — он слышал, как зажурчала стиральная машина и после заработал пылесос.

Он перебирал фотографии и старые бумаги, среди которых были и его письма из пионерского лагеря: «Мама, папа! Скучаю! Но здесь хорошо. Ходим на речку, играем в «Зарницу». Два раза ходили в лес встречать рассвет. Пекли картошку — вкусно ужасно! Пап, а давай и на даче спечем? Мама! Не присылай мне пряники! Только овсяное печенье! Пожалуйста! Пряники я разлюбил. А вообще питаюсь я хорошо, не волнуйтесь! Манную кашу, конечно, не ем, врать не буду.

А все остальные — пожалуйста! Овсянку там, пшенку. Рисовую — да! В обед съедаю все — суп и второе, хлеб и компот. Фрукты, мамочка, дают! Вечером, на ужин, яблоки, сливы. Один раз был виноград. Но страшно кислючий, никто его не ел. Повариха сказала, что завтра сварит из него компот. Домой, конечно, хочу! Но и здесь хорошо, если честно! Дружу с Витькой Крыловым, Павликом Световым и с Колькой Ершовым немножко. Он все-таки вредный. На танцы, мамочка, не хожу — неохота. Да и что там делать, если честно? А вот в кино — с удовольствием. Правда, возят только старые фильмы — «Неуловимых» и «Корону Российской империи».

Но мы все довольны, это девчонки нудят.

Ну все, кажется. Обо всем доложил. Как ваше здоровье? Что слышно вообще? Скучаю по вам.

Ваш сын Алексей Лагутин, с приветом!»

Как мама тогда смеялась! «Лагутин с приветом!» — говорила она, если он делал что-то не так.

Еще пара писем из лагеря и одно письмо из Бердянска, отцу. Тогда они уехали вдвоем с мамой — отец не смог из-за работы. Он видел, как мама грустила, скучала и все бегала на почту звонить отцу.

Обратно везли здоровую связку вяленых бычков — отец обожает! Три дыньки-колхозницы, сладкие и ароматные, которые залили запахом все купе, груши и помидоры — все, что любил отец.

Он встречал их на вокзале, и было видно, что и он страшно соскучился. Лагутин помнил, как ему было неловко за родителей: прижались друг к другу — не оторвать. До дома не дотерпели бы, что ли?

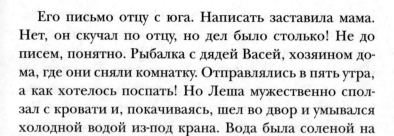

Его письмо отцу с юга. Написать заставила мама. Нет, он скучал по отцу, но дел было столько! Не до писем, понятно. Рыбалка с дядей Васей, хозяином дома, где они сняли комнатку. Отправлялись в пять утра, а как хотелось поспать! Но Леша мужественно сползал с кровати и, покачиваясь, шел во двор и умывался холодной водой из-под крана. Вода была соленой на вкус. Случайно глотнешь и тут же сплюнешь — противно.

Почти не открывая глаз, вяло жевал горбушку серого хлеба — мама, кстати, была от него в полном восторге, — кусал от огромного бледно-розового помидора, запивал квасом и ждал дядю Васю. Скоро выползал и он. Широко зевая, показывая всему миру и ему, квартиранту, как он называл Лешку, стальные страшные зубы, почесывая волосатое голое пузо, он наконец замечал мальчика.

— А, пацан! — удивлялся он. — Надо же, не проспал!

Быстро шли на причал, где стояла дяди-Васина лодка с моторчиком, и уплывали далеко, за волнорез и маяк. Там лодку выключали, «бросали якорь», как говорил дядя Вася, и закидывали удочки. В основном попадались бычки — главная рыба Азовского моря. Маленькие, серые, чуть пятнистые. И большие, головастые, черные — королевские. Лагутин называл их неграми. Иногда попадались и таранька, и мелкая тюлька, и даже средних размеров жирная камбала. Мама ее очень любила.

В девять солнце начинало припекать, и Лагутина страшно клонило в сон. Иногда он засыпал, отчего страшно смущался. Рыба плескалась в ведерке, а дядя Вася доставал из старого рюкзачка завтрак — тот же серый ноздреватый хлеб, колесико краковской колбасы, пахнувшей чесноком, пару вареных яиц и знаменитые помидоры — гордость бердянцев. Так вкусно, как там, в дяди-Васиной лодке, Алексею не было никогда. Ни в одном ресторане, ни в каких гостях. Кажется, он всю жизнь помнил вкус этих завтраков — крупную соль, тающую на языке, сладкую мякоть помидоров и острую мякоть краковской колбасы.

Дядя Вася сушил бычков на продажу. На рынке торговала его жена, Зуля. Зуля шептала, что бычки приносят хороший доход: «Всю зиму держимся на бычках!» Продавали они и абрикосы — мелкие, ярко-рыжие, с розовыми бочками, кисло-сладкие и невозможно ароматные. Абрикосовое дерево росло в их дворе. На крыше низенького сарайчика, в котором жили куры, абрикосы сушили, вялили. Перед отъездом Зуля дала им гостинцы — в белой наволочке с голубыми цветочками эти самые сушеные абрикосы. Всю зиму мама из них варила компот и приговаривала: «Спасибо Зуле. Одни витамины! Лешка, ешь ягоды! Витамин С!»

Он вспоминал все это, застыв в кресле и держа в руках старые письма. А перед глазами проплывала вся жизнь.

Письма матери — оттуда же, из Бердянска, отцу: «Петя, у нас все прекрасно. Лешка поправился и загорел. В общем, стал настоящим красавцем! Ты его не узнаешь — Геркулес, Бамбула! Ест хорошо, даже суп, представляешь? Фрукты тоже ест, правда, не очень охотно — заставляю. С удовольствием только виноград. Ну и то хорошо. Питаемся и в столовых, и дома — по-разному. Он, конечно, обожает в столовой.

Хотя что там хорошего? Ты ж понимаешь. А этот дурила...

Море теплое и мелкое, пляж песчаный и, конечно, не слишком чистый. Но главное — море! Лешку из него не вытащить.

Хозяева очень приличные и не вредные — угощают, не придираются, разрешают пользоваться своей плитой и холодильником. Хорошие люди. У них дочь, Алла. Милая девочка. Наш, кажется, слегка заглядывается. По крайней мере, когда появляется эта Алла, смущается. В общем, Петя, недолго нам осталось — скоро начнется! Ждем.

Я очень скучаю. Очень! Считаю дни. Но при этом все понимаю — ехать было необходимо. Для Лешки в первую очередь, но и для меня тоже, ты прав.

И все-таки очень хочется домой, к тебе, в нашу квартиру.

Как работа? Что ты успел? Как там Ростовцевы? Все немножко угомонились? Обнимаю тебя и люблю. В субботу буду звонить — в девять вечера будь у телефона».

И ответ отца: «Милые мои, дорогие ребята! Как без вас плохо! Как медленно бежит время! Течет как глицерин. Настюша, не волнуйся — питаюсь нормально. Днем в столовой, вечером — чем придется. Но не голодаю, поверь, даже не похудел! А однажды сварил щи! Ну мне медаль, а? Правда, они совершенно несъедобные. На работе все по-прежнему. Ильинский защитился. Но шло все тяжело. Кажется, он и не надеялся. У Ростовцевых по-прежнему — снимают комнату в Замоскворечье, Андрей держится молодцом, а бедная девочка хуже. Хочет уволиться, но он ее отговаривает. Первая жена его все строчит — в партбюро, в райком, Брежневу. Идиотка. Жить не дает — как же, он-то счастлив...

Но они справятся, я уверен! С диссертацией туговато, если честно. Работается плохо, вяло. Казалось бы, никто не мешает, в квартире тихо, как на кладбище, прости за сравнение. А не работается! И вообще без вас не живется. Вот так. Я тоже считаю дни — зачеркиваю на календаре. Но ты, Настюша, не нервничай, отдыхай и расслабляйся! Это главное для тебя и для Лешки! Как с деньгами? Может, немного выслать? Ради бога, не стесняйся — я трачу мало и даже отложил, представляешь? Это ты у нас транжира, Анастасия!

Обнимаю вас и люблю! И очень скучаю!

Ваш муж и отец, Петр Лагутин».

Жизнь. Была жизнь. Была семья. Любовь. Уважение. И ничего нет. И никого уже нет — ни мамы, ни отца.

Странно, ему казалось, что отца тоже давно нет. Да так, собственно, и было — отца давно не было в его жизни. Он сам так решил. А может быть, он был неправ? Может быть, зря он его вычеркнул, от него отказался? Теперь кажется, что да... Но — ничего не попишешь и не исправишь.

Он не должен был, не должен. Он сам обрек себя на сиротство — по доброй воле. А отец был, до вчерашнего дня был! Только сейчас Лагутин остался один.

А мама, впервые задумался он, разве она бы приняла его позицию? Да наверняка нет! Его мудрая мама отца бы поняла — негоже нестарому и полному сил мужику оставаться вдовцом. Он представил: что, если бы мама была жива и подобное случилось бы с их знакомыми? Конечно бы мама не осудила бы, нет! Она вообще никого и никогда не осуждала. Говорила с сожалением: «Ну, это жизнь! Все в ней бывает».

Невыносимые мысли, невыносимые. Он виноват, он, Лагутин! Господи, ведь взрослый мужик — сам нахлебался по полной. У самого не сложилось. Ладно тогда, в юности, а позже, став взрослым, почему он так и не понял отца, почему не простил?

Поздно. Все закончилось, ничего не исправить и никого не вернуть.

Какой же он остолоп! Правильно говорила мама: «Твое упрямство, Леша, до добра не доведет».

Вот и не довело...

Нины дома не было, ушла по делам. Ей надо искать работу, надо на что-то жить. Выживать. Рассчитывать не на кого — она тоже одна. Но он мужик, а она женщина.

На кухонном столе, накрытые салфеткой, лежали пирожки — те самые, которые она напекла ему в дорогу. Он усмехнулся и надкусил один — вкусно, да еще как! Да нет, найдет она работу, конечно, найдет! Милая женщина и такая умелица.

Лагутин посмотрел на часы — надо бы поторопиться. Пока доберешься до аэропорта! Он заказал такси, быстро оделся и вышел во двор. На улице подморозило, но было приятно — никакой слякоти, хотя и опасно — скользко.

Зима. Вовсю сверкали гирлянды — украшены были витрины магазинов, подъезды домов, арки и фонари.

В здании аэропорта он увидел цветочный киоск. Купить цветы? Кому? Даше? Глупости какие. Хотя

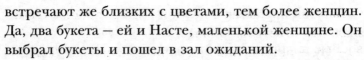

встречают же близких с цветами, тем более женщин. Да, два букета — ей и Насте, маленькой женщине. Он выбрал букеты и пошел в зал ожиданий.

Минут через десять объявили, что самолет из Барселоны приземлился.

Лагутин взмок от волнения.

Он вглядывался в толпу и искал глазами дочь и бывшую жену.

Руки вспотели и дрожали. Во рту пересохло.

Наконец он услышал знакомый голос:

— Лагутин, я тут!

Он увидел стройную фигуру в черном длинном пальто. Даша. Она махала рукой и улыбалась.

Рядом с ней никого не было.

Через минуту она подошла к нему и дежурно чмокнула его в щеку.

— Ну, привет? — спросила она, внимательно и с интересом разглядывая его. — Эй, Лагутин, очнись! — Она рассмеялась.

— Где Настя? — хрипло спросил он. — Почему ты одна?

Даша скривилась:

— Да ну ее к черту! С ней уже и не сладить! Возраст такой — говеный! Упрямая, как... Как ты, Лагутин! — И она вновь засмеялась.

— В смысле? — хмуро спросил он. — С ней все в порядке?

— Да все с ней отлично! — раздраженно ответила Даша. — Просто не захотела поехать, и все! Ослица упрямая, а не девка — так с ней тяжело! Если б ты знал! Да откуда тебе...

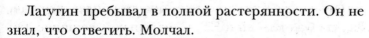

Лагутин пребывал в полной растерянности. Он не знал, что ответить. Молчал.

— Ну, — нетерпеливо и капризно спросила Даша, — долго будем стоять? Может, пойдем?

В ее голосе послышалось раздражение.

— Ты обманула меня? — наконец произнес он. — Настя и не собиралась в Москву? Ты наврала? Хотя чему удивляться? — усмехнулся он и с интересом посмотрел на Дашу, словно видел впервые.

И надо сказать, она была хороша — очень хороша была его бывшая жена. Хороша и молода, словно девочка. «А ведь ей уже сорок два, — подумал Лагутин. — Но время над ней не властно. Кажется, с возрастом она стала еще красивее. Да. Только какое мне до этого дело?»

— Да брось! — воскликнула Даша. — При чем тут я? Зачем мне врать, Лагутин? Я ее уговаривала, умоляла. Но она ни в какую — не поеду, и все. Знаешь, мы так поругались.

— Ладно, — хмуро проговорил Лагутин. — Пошли.

И они двинулись к выходу. Поймали машину — их было море, бери — не хочу.

Лагутин сел впереди — сидеть сзади, рядом с ней, ему не хотелось. Он ей не верил.

— Домой? — спросил он.

Она молчала.

— Ты едешь домой? — повторил он. — На Калужскую, к матери?

Она грустно вздохнула:

— А куда же еще? Только где мой дом... Сама не знаю.

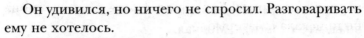

Он удивился, но ничего не спросил. Разговаривать ему не хотелось.

Молчание нарушила она:

— Лагутин, а я развелась! Слышишь?

Не поворачивая головы, он кивнул:

— Да. А что так? Кажется, у тебя было все хорошо.

— Было, но прошло.

— Бывает, — согласился Лагутин, — я помню.

Даша не ответила. Так и доехали молча. Он вышел из машины и достал ее чемодан. Коротко бросил водителю:

— Подождите!

Вошли в подъезд, молча поднялись на лифте. Лагутин поставил Дашин чемодан у знакомой двери.

— Не зайдешь? — тихо спросила она. — Мне... страшновато... одной и так паршиво.

— Нет, не зайду, — твердо сказал он. — Удачи тебе! И нажал кнопку лифта.

«Почему так колотится сердце? — подумал он. — Ведь все давно прошло — столько лет! Мы совершенно чужие люди. Я все про нее знаю. Все. И от этого мне должно быть легко и просто. Я знаю, какая она, и она не изменилась. Люди ведь не меняются».

Он плюхнулся на заднее сиденье, чтобы не общаться с шофером, уткнулся в воротник куртки и стал смотреть в окно.

Новый год. Надо лететь домой. Какой он дурак, что взял билет на следующую неделю. Снова надо менять. Бежать, бежать из Москвы. Только так он спасется.

Завтра он улетит и Новый год будет встречать дома. Новый год все встречают дома, так положено. И у него есть дом, какой-никакой, а дом. Но как же

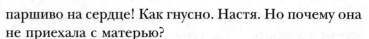

паршиво на сердце! Как гнусно. Настя. Но почему она не приехала с матерью?

Хотя ответ ясен — кто он ей? Отец? Нет. Чужой человек. Вот как сложилось. Плохо сложилось. Точнее — не сложилось. Не получилось. Ничего, ничего не получилось в его жизни. Сам виноват — упрямый дурак. Гордыня заела. Мама была права, как всегда.

Шофер бормотал что-то себе под нос и чертыхался:

— Каток! Блин, ну полный капец! Просто заносит, тормозить не могу! Вообще тормоза не реагируют! Капец, блин, полный капец!

Ну и так далее. Лагутин прикрыл глаза. «Как я устал! — подумал он. — Просто невыносимо, нечеловечески устал за эти несколько дней. Какое счастье, что скоро новогодние каникулы, которые все проклинают, в основном несчастные жены, вынужденные стоять у плиты и видеть помятые рожи мужей. Но только не он, Лагутин. Уж он-то стоять у плиты не обязан. А вот зимний лес, лыжи и просто прогулки ему обеспечены. Можно смотаться в город, сходить, к примеру, в театр. Или просто посидеть в кабаке, например, с Илюшкой Ревзиным. Илюшка молчун, как и он сам, проблемами не грузит, выпивает в меру, правда, любит пожрать. Но это не недостаток. К тому же любит готовить — замутить какой-нибудь сложный плов или лагман. Или шурпу. А еще можно пойти в лес на шашлыки всей честной компанией. Вот это дело! И еще стоять у окна и наблюдать за белками и снегирями. Снегирей в Городке полно — усядутся на голые ветки, словно помидоры из банки. А белки! Прыгают по сосне, что в аккурат возле лагутинского окна.

А самое приятное в этой истории — просто рухнуть на любимый диван и валяться до бесконечности — читать, дремать, слушать музыку. Он представил себе все это и даже слегка улыбнулся: «Домой! Как же я хочу домой, господи!»

Ехали медленно, шофер продолжал чертыхаться. В кармане запищал мобильный. Лагутин вздрогнул от неожиданности и вытащил телефон.

Даша. Не брать? Он медлил. А как не взять?

— Да, — раздраженно сказал он, — что-то случилось?

— Лагутин, мне плохо! — Она захлебывалась в слезах. — Ну пожалуйста, приезжай, умоляю тебя, приезжай! Мне страшно одной в этой квартире! Лагутин, ты меня слышишь? Я тебя умоляю! Я слоняюсь тут и вою волчицей! Ну, что ты молчишь?

— Даша, — не сразу ответил он, — прекрати. Прошу тебя, возьми себя в руки. Ну выпей, в конце концов! Есть что-нибудь из спиртного? Куда я приеду, Даша? Я почти у дома. Мне надо выспаться, я завтра улетаю. У меня были сложные дни, я похоронил отца, ты в курсе. Да и потом... Где ты и где я? И где наша общая жизнь? Что у нас общего?

— Лагутин! — Он услышал ее удивление и возмущение в ее голосе. — Да как ты можешь? Что значит «что у нас общего»? А наша молодость? А дочь, наконец? Что ты такое несешь? Тебе что, совсем на меня наплевать? Мы же с тобой не чужие!

— Это ты несешь, Даша, — устало откликнулся Лагутин. — И это тебе на меня наплевать. Впрочем, тебе на всех наплевать, тоже мне, новость! А про нашу общую дочь... Так ты и здесь меня обманула. И снова удивляться нечему. Все как всегда.

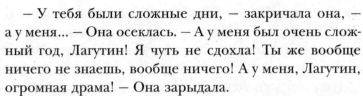

— У тебя были сложные дни, — закричала она, — а у меня... — Она осеклась. — А у меня был очень сложный год, Лагутин! Я чуть не сдохла! Ты же вообще ничего не знаешь, вообще ничего! А у меня, Лагутин, огромная драма! — Она зарыдала.

Драма? Только драм бывшей жены ему не хватает! Что там у нее? А может быть, вправду? Ну, например, со здоровьем? Кажется, она похудела и бледная очень. Может, действительно беда?

— Хорошо, — коротко бросил он, — я сейчас приеду. То есть не сейчас, а как доберусь, дороги кошмарные, гололед.

Даша всхлипнула и жалобным голосом пропищала:

— Лагутин, захвати что-нибудь, ну коньяк, например! Ты прав, мне надо выпить.

Он ничего не ответил и нажал на отбой.

— Шеф, обратно!

Шофер обернулся на него и покачал головой:

— Да ты шутник, мужик! Я вот думаю, как тебя поскорее скинуть и до дома добраться!

— Надо, командир! Обстоятельства, понимаешь? Заплачу, сколько скажешь. Пожалуйста.

Водила крякнул и, качнув головой, резко крутанул баранку. Машина закружилась, как фигуристка на льду. Но, по счастью, вырулили. По дороге заскочили в круглосуточный гастроном, и Лагутин купил бутылку конька, кусок сыра и большой лимон. Принести Даше торт или коробку конфет ему показалось нелепым.

Она открыла дверь — бледная, зареванная, растрепанная и какая-то родная.

Лагутин ужаснулся — бред, бред. Бред! Они давно чужие, сто лет. После была целая жизнь и новые встречи. Да, он любил ее. Очень любил, больше жизни, но она его предала, бросила его. Как он это пережил? Да чуть не сдох! Если бы не работа и не Городок... Они его и спасли.

Нет, Лагутин Дашу не простил. В душе все те же обида и боль — сейчас он это понял. Нет, конечно же, не такие, как раньше. И все-таки он не простил.

Так, возьми себя в руки, Лагутин! Ты же мужик, в конце концов. И тебе все про нее известно, ты знаешь ее до молекул, знаешь цену ее слезам, словам, клятвам. Ты знаешь все — у тебя отличная память. Да, ты ничего не забыл.

Но почему так бухает сердце?

Он шагнул в квартиру и протянул Даше пакет с покупками.

— Молодец, — улыбнулась она, и он почувствовал, как от нее пахнет спиртным. Они прошли на кухню, и он увидел початую бутылку кофейного ликера и стакан.

— Вот, — усмехнулась Даша, — какая же гадость! Но больше ничего не было. — И она жалко улыбнулась.

Лагутин молчал. Сели напротив друг друга. Даша поставила мутноватые рюмки, и он откупорил бутылку коньяка. Она порезала сыр — крупными, неровными, неряшливыми ломтями — его бывшая жена была еще той хозяйкой.

Выпили. Даша всхлипнула:

— Сердишься?

— Да какая разница, сержусь или нет... Уверен, тебя это мало волнует.

Даша скривилась и всхлипнула:

— Лагутин! Я развожусь, кончилась моя семейная жизнь, понимаешь? Все, кранты. Ил финал, как говорят испанцы.

— А что так? — спокойно спросил он. — Не срослось? Вы вроде столько лет прожили. Чего вдруг?

— Чего, — передразнила его она. — Да все банально донельзя — баба у него молодая, вот и все. Как у всех вас: надоела, состарилась — вон!

— У всех? — усмехнулся он. — Думаю, ты ошибаешься.

— Да какая разница, — возмутилась Даша, — у всех или через одного? Лично меня волнует моя жизнь, как ты понимаешь, а на всех мне наплевать!

«Тебе всегда было на всех наплевать, — подумал Лагутин. — На всех, кроме себя».

— Ну и что дальше? — вздохнув, поинтересовался он. — Какие планы на жизнь?

Дежурный вопрос предполагал дежурный ответ: «Ничего, как-нибудь переживу. Страдать из-за вас, мужиков — чести много! Сопли утру и — вперед! К новым достижениям и горизонтам». Это было бы вполне в Дашином стиле — такой вот бодренький и веселый ответ. Но она расплакалась.

— Да ничего! Мне сорок два, Лагутин! Денег — ноль, квартиры своей нет, профессии — тоже. С дочерью отношения кошмарные. Кредитка пустая. Вот я и решила вернуться в Москву. А что мне делать, Лагутин? Что мне еще остается?

— Ну подожди, — разгорячился он, — подожди! Мне кажется, ты сильно преувеличиваешь! Вы столько лет прожили — и у тебя ничего нет? У вас же там, в Европе, закон на стороне жены, женщины. Тем более —

женщины с детьми! Ну не может же он выставить тебя на улицу? А алименты? Он же обязан! Сколько вашему мальчику?

Она глотнула коньяк и безнадежно махнула рукой.

— Да нет, все не так. Я ничего не знала про его финансы. Работу он потерял, с работы его уволили, квартира под банком, в кредит. Выплачивать еще черт-те сколько. А денег нет. Баба эта, в смысле его новая, не из бедных. Я думаю, он с ней и спелся, чтобы поправить свое бедственное положение. У ее родителей три обувных магазина — пропасть зятьку не дадут, не сомневайся.

— Да я о нем, что ли? Я о тебе и о Насте!

— А Настя твоя... — Даша снова зло усмехнулась. — Настя твоя его обожает — я останусь с папой, и точка. Ты представляешь? Вот такая выросла стерва наша с тобой общая дочь.

У него чуть не вырвалось: «Ну я тут вообще ни при чем». Вовремя остановился.

Она налила себе еще и, поморщившись, выпила. Лагутин видел, что она уже здорово набралась — лицо раскраснелось, пошло пятнами, руки дрожали, и она то и дело отбрасывала назад густую и длинную челку.

«А она постарела, — подумал он, — вот сейчас я это увидел: морщинки под глазами, складка у губ, седина в волосах». И все же его не покидало странное, пугающее его самого острое чувство жалости к ней. Не только жалости, но и обиды за нее. А его застарелые и заскорузлые обиды вроде как отошли. Ему хотелось утешить ее, погладить по голове, как свою маленькую дочь. Сказать ей утешительные и банальные слова:

— Да брось ты, Дашка! Ты еще так молода и так хороша! А фигура? И это после двоих-то детей! Не плачь, все у тебя еще сложится! Ты же умная, сама понимаешь!

Но он молчал.

Она закурила.

— Сволочь, да, этот Хосе? Боже, какой же он оказался сволочью! А я его любила. Столько лет безупречной и верной службы — и так со мной обойтись! Оставить меня без копейки! А ведь знает, гад, что деваться мне некуда. Нет, конечно, алименты ему присудят, а как же! Только что с него, с безработного, взять? Вот именно — ничего. Он говорит, пойдешь к адвокату — заберу у тебя сына! Грозится еще, как тебе, а? Нет, ты представляешь? А эта стерва, — она зло глянула на Лагутина, — сама говорит: я с папой останусь — с папой и с этой Кармен! Ну как тебе? Все она понимает: у этой испанской козы дом на море, в Марбелье, прислуга. И деньги, конечно! Они с ней подружки — смешно? Нет, не очень. Короче, выбросили меня за борт, Леша. Как ненужный мешок со старым хламом. И никому я не нужна — даже дочери и сыну. — И она бурно, в голос, разрыдалась.

Лагутин удивился:

— А она и вправду Кармен, тетка эта?

Даша с удивлением подняла на него глаза:

— Какая тетка? А, эта... Да нет, конечно, шучу. Смешно ведь — Хосе, Кармен. Прям до слез, до икоты. — И ее лицо исказила гримаса обиды и отчаяния.

— Подожди! — остановил ее он. — Ну подожди, Даша! Зачем им Настя? Уверен, она им не нужна. Кому нужен чужой ребенок-подросток? А мальчик... Да и мальчик твой вряд ли. Ты говоришь, что она молодая. Ну значит, новенького родят, своего. Зачем ей чужие дети? Подумай! А ты? Зачем тебе возвращаться? Ты ведь давно отвыкла от России, от этого города, климата, этой жизни. Начни там. В конце концов, у тебя же гражданство! Язык, наконец. Сними квартиру, устройся на работу. И — живи!

Даша смотрела на него почти с ненавистью.

— Устроиться на работу? А кем, не скажешь? Официанткой в кафе? Продавщицей? Или уборщицей? Ты забыл, что у меня давно нет профессии? Ты забыл, что я там вообще ни дня не работала? Ты забыл, что мне за сорок? А какая сейчас безработица по всей Европе? На что мне содержать детей? На его жалкие копейки? На что снимать жилье? Нет, ты скажи! И все одним махом, Лагутин! Развод, Настя. Мама. За ней надо ухаживать, понимаешь? А денег нет — ни шиша!

— Ну я не знаю. Должен же быть выход. А здесь? Здесь у тебя есть профессия?

— Здесь, — зло передразнила она его, — здесь у меня мать, родной язык, подруги. Квартира, наконец. Город, где я родилась. А профессия, — она замолчала. — Так помогут, устроят. Здесь все и всегда было по знакомству, верно? Ну, например, пойду к Лильке администратором — у нее свой мебельный салон, она предлагает. Или пойду учителем в частную школу, например. Думаешь, не возьмут?

— Ну, насчет салона не знаю. А в школе, Даша, платят копейки. Да и выдержка там нужна — ого-го! Учительство не для тебя.

Она снова налила себе коньяку и выпила залпом.

— Ну да, Лагутин. Ты всегда знал, как утешить. Не делом помочь, а прочесть нотацию. Здесь ты большой спец, я помню.

Он от отчаяния повысил голос:

— При чем тут я, Даша? Я тут вообще ни при чем! Тебе надо поспать: перелет, нервы, выпивка. Тебе же завтра в больницу. Нужно выспаться, Даша. Силы нужны. Иди отдыхай! А я поеду.

— Хреновый ты утешитель, Лагутин! Очень хреновый. — Она пьяно и хрипло засмеялась. — Ладно, прости. Прости, что дернула тебя, сорвала. Приехать заставила — прости, ради бога! Просто мне так хреново, Лешка! Хоть в петлю... — Она уронила голову на стол и снова расплакалась.

Он видел, как вздрагивают ее худенькие плечи, как дрожат тонкие, беззащитные руки.

Он погладил ее по голове.

— Дашенька! Пойдем спать. Идем, я тебя уложу. Ну, будь умницей, Дашка! Пойдем!

Она покорно кивнула, поднялась, утерла мокрое лицо ладонью, и, обнявшись, как старые и добрые друзья-собутыльники, они, покачиваясь, пошли в комнату.

Лагутин уложил Дашу на кровать и выключил свет. Он помнил эту квартиру — две небольшие комнатки, из маленькой — балкон. Квартирку эту купили ее родители, переехав к дочке в Москву и продав свой большой дом в Урюпинске. Он вспомнил, как после Дашиного отъезда в Испанию горько плакала теща, жалея проданное жилье в маленьком городке.

Лагутин укрыл Дашу одеялом — она всегда была мерзлячкой. И когда в те страшные для него дни она собралась в Испанию, он вспомнил еще один ее аргумент: «Лагутин! Там же тепло!» Даша всхлипнула, открыла глаза и схватила его за руку:

— Только не уезжай, Лагутин! Слышишь, не уезжай! Побудь до утра, а? Мне правда страшно.

Он вынул свою руку из ее горячей и мокрой руки и вышел из комнаты, плотно притворив за собой дверь.

Прибрался на кухне, вымыл рюмки, почистил пепельницу, полную окурков, проветрил и вернулся в комнату. Не раздеваясь, лег на узкий и неудобный, потертый диван, подложив под голову твердую, словно каменную, диванную подушку, укрылся старым пледом, небрежно брошенным на кресло. От пледа пахло собакой — теща всегда держала собак, рыжих, коротконогих и визгливых такс.

Он лег и тут же, почти сразу, уснул.

Проснулся он от Дашиного жаркого шепота:

— Лагутин, подвинься!

Он вздрогнул, покрылся испариной и хотел вскочить на ноги.

Но она уже улеглась рядом, перегородив ему пути к отступлению — узкая, худая, много места не надо. Она вытянулась и прижалась к нему. Он почувствовал жар ее тела — она была не просто горячей, казалось, что она сейчас обожжет его или даже спалит. Заболела, что ли, температура?

— Даша! Не надо! — не узнавая своего голоса, просипел он.

Она тихо и хрипло засмеялась ему в самое ухо:

— Ну почему не надо? Надо, Леша! Ты же хочешь этого, правда?

И медленно и обстоятельно, словно наслаждаясь процессом и получая удовольствие от его страданий, стала расстегивать пуговицы его рубахи. Он застонал, вжался в диванную жесткую спинку. От нее пахло коньяком, горькими духами и большой бедой для Лагутина. Он это знал. Как знал и другое — Дашу невозможно было остановить, если ей чего-нибудь страстно хотелось. Она всегда доказывала себе, что лучшая, самая-самая, что ей все подвластно. А сейчас уж тем более. Он все понимал: брошенная, оставленная, покинутая и преданная мужем Даша — это нонсенс. Она не может в это поверить и не может с этим смириться. Ей надо срочно опровергнуть это, срочно доказать, хотя бы себе, что у нее все прекрасно — ее по-прежнему все хотят и все восторгаются ею. Самое большое горе для нее — утрата своего лица, потеря реноме, крах ее женской истории.

Когда все закончилось, он лежал недвижимо, словно окоченев — раздавленный, уничтоженный, разбитый, опустошенный. Она лежала рядом и гладила его по груди. Потом приподнялась на локте, внимательно посмотрела на него и спросила:

— Слушай, Лагутин! Я вот что придумала. Отдай мне квартиру — она же пустая, да? Я подумала: с матерью жить я не смогу — ты ее знаешь. Мы и тогда, сто лет назад, с ней бывало... до драки. А сейчас... Нет, не смогу. Мы просто друг друга сожрем. Или ты надумал квартиру сдавать? Скажи, не стесняйся! Я все пойму.

Лагутин вздрогнул и почувствовал, как его обдало густым жаром. Язык словно прилип к нему, в горле стало сухо и колко.

— Сдавать? — наконец выдавил он. — Нет, сдавать я ее не буду. Но там живет человек. Я ему обещал и выгнать его не могу.

— Какой человек? — В ее голосе было искреннее, неподдельное удивление. — Кому ты ее обещал?

Он резко сел и кашлянул.

— Женщине. Сиделке отца. Пустил ее пожить на неопределенный срок. Отказать я ей не могу, — решительно добавил он и повторил: — Я обещал.

Даша откинулась на подушку.

— Ну рассмешил! Сиделке! Лагутин, ты что? Кто она тебе, эта сиделка? Ты спятил? И кто я? Ты забыл? А если вернется Настя? Где нам тут разместиться? — И она обвела глазами комнату, в которую уже заползал мутный и жидкий рассвет.

Лагутин встал и стал натягивать джинсы.

— Ты же сказала, что Настя не вернется.

Даша молчала.

— Ну, я пошел, — одевшись, неуверенно сказал он. — Всего тебе... доброго.

Она лежала, отвернувшись к стене, плечи ее подрагивали. Молчала. Не отвечала. Лагутин вышел в коридор и стал надевать ботинки. Вдруг он задумался, вынул из кармана портмоне, отсчитал приличную сумму и положил деньги на тумбочку под вешалкой, на которой лежала красная вязаная шапка и стоял флакончик духов «Красная Москва» — видимо, тещины.

— Я пошел, — выкрикнул он еще раз.

Даша не ответила.

Лагутин толкнул подъездную дверь и зажмурился — в лицо ударил колючий ветер, грубо и нагло швырнув

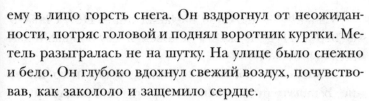

ему в лицо горсть снега. Он вздрогнул от неожиданности, потряс головой и поднял воротник куртки. Метель разыгралась не на шутку. На улице было снежно и бело. Он глубоко вдохнул свежий воздух, почувствовав, как закололо и защемило сердце.

Он был сломлен, почти убит. Растерзан и очень, очень несчастлив.

Часы показывали почти шесть утра.

Спускаться в метро не хотелось — хотелось продышаться, пройтись по морозцу, выдохнуть свою боль и тоску. Поскользнулся он спустя полчаса, когда уже стало чуть легче. Он помнил свое падение, странный звук, как будто сухого хлопка. Тонкий вскрик — неужели его? — и острую, почти невыносимую боль. Где — непонятно.

И все, темнота. И тишина.

Очнулся он уже в машине «Скорой помощи». Лежал на каталке, и напротив него сидела молодая, усталая женщина в форменной ушанке и в синей, со светлой полосой, куртке.

— Что со мной? — спросил Лагутин.

— Перелом ноги. Видимо, ушиб головы. Больше не знаю. У меня нет аппарата, рентген сделают в больнице. В приемном разберутся, не беспокойтесь. Мы почти подъехали. Я вас обезболила. Очень болит?

Это бог его наказал — зачем он поехал туда, к ней? Зачем? Какой он идиот! Лагутин, взрослый, сильный, здоровый мужик, заплакал.

Фельдшерица встрепенулась:

— Что, больно? Ну-ну, все! — Она глянула в окно. — Мы совсем близко, через пять минут будем!

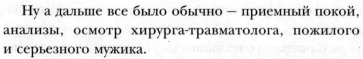

Ну а дальше все было обычно — приемный покой, анализы, осмотр хирурга-травматолога, пожилого и серьезного мужика.

На дребезжащей каталке его долго везли в отделение. В палату не положили — сразу в операционную.

Слепящий свет. Странный тревожный запах. Наркоз.

Глаза он открыл в палате. Белый потолок, лампа дневного света, резь в глазах. Острая боль в ноге. Он застонал. Невыносимое чувство жажды. Невыносимое, нечеловеческое — сильнее, чем боль.

Он вспомнил все и застонал громче. Как ему было жалко себя! И как было стыдно, словно он сделал что-то отвратное, дикое, что-то украл или предал кого-то, и это *ужасное* невозможно исправить.

Невезуха — это совсем не то слово, которое здесь подходит, не то. Ему не просто не везло в последнее время — фатально не везло.

Словно кто-то там, сверху, решил ткнуть его носом: «Смотри! Смотри, Лагутин, как оно может быть! Ты думаешь, что можешь распоряжаться своей жизнью? Ага! Как бы не так».

Зашла медсестра, сделала укол. Лагутин спросил, где его телефон. Она порылась в его тумбочке и достала.

Набрав номер Даши, услышал ее бодрый и веселый голос.

— Дашка! — закричал он. — Я в больнице! Ногу сломал, голову ушиб. Лежу тут... — Он еле сдержался, чтобы не расплакаться.

Она молчала — ни слова.

— Ты меня слышишь? — удивился и испугался Лагутин.

— Слышу, — усмехнулась она. — И что дальше? Что ты мне названиваешь, Лагутин?

— Я? — растерялся он. — Я названиваю тебе? Кажется, я первый раз позвонил... — И тут же промямлил: — Ну... я не знаю. Даш, а ты можешь приехать?

— Тебе что-то нужно, Лагутин? — жестко спросила она.

— Да... Или нет... — растерялся он окончательно. — Нет, но...

— Ну а на нет и суда нет, — четко ответила Даша. — Не болей, поправляйся!

Отбой. Лагутин не мог прийти в себя. Как же так? Даша ведь знает, что она единственный близкий ему человек в этом городе. Как же так? Даже если незнакомый, сосед, просто приятель попросит о помощи? А тут все-таки бывший муж.

— Как же так, — бормотал он, — как же так? Как вообще такое возможно? Ведь столько лет...

— Чё, послала?

Он обернулся — сосед, молодой, чернявый и кучерявый парень. Рука в гипсе, нога тоже.

— Послала? — повторил он и усмехнулся: — Бабы, они такие! Моя вот...

Лагутин перебил его:

— Я понял.

Парень с удивлением посмотрел на него и, кажется, обиделся.

Ну и черт с ним.

С трудом перевернувшись на бок, отвернувшись к стене, Лагутин закрыл глаза.

Как же тошно, господи! Как же отвратно. Лучше бы башкой об этот чертов лед и с концами. Было бы легче, ей-богу.

Утром пришел палатный доктор и все объяснил:

— Если пойдет по плану, выпишем через дней десять. Аккурат к Новому году, — пошутил он. — Дома будете в праздник! За столом, с семьей, все как положено.

Лагутин усмехнулся. Ага, дома. За столом и с семьей. Как и положено, да. Легче от бодрого прогноза не стало.

Три раза в день обезболивающие. Раз в два дня перевязки. Боль утихала — физическая. Душевная — нет, ни на йоту.

На третий день дверь открылась, и в палату вошла Нина. Он обалдел и даже привстал на локте — от неожиданности и смущения.

— Вы? Откуда? Как вы узнали?

Она, кажется, была смущена не меньше, чем он. Что-то залепетала в свое оправдание:

— Я поняла, что-то случилось. Вещи вы не забрали. Паспорт тоже. Не попрощались. Ну я и подумала, не могли вы так просто улететь — не попрощавшись, без документов. — От смущения она опустила глаза. — Ну я и стала обзванивать больницы. Вы быстро нашлись, сразу почти! Я так обрадовалась. Ой, ну в смысле... Не тому, что вы здесь, а что вы так быстро нашлись... Извините.

— Ну вы даете, Нина. И ради бога, простите меня — сволочь я порядочная! Действительно — не позвонил, не предупредил. Простите, так получилось.

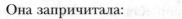

Она запричитала:

— Что вы, о чем вы? Конечно же, вам было не до этого — такое несчастье! Врач сказал, что у вас сильные боли. Сейчас полегче — это так?

Он кивнул:

— А вы говорили с врачом?

— А что тут такого? Ну да, спросила. А что, не надо было? Ой, простите меня, простите! Вы рассердились?

— Нина, хватит реверансов, — строго сказал Лагутин. — Просто я удивился.

Она засуетилась, принялась вытаскивать из сумки продукты.

— Курица вот. Бульон, еще теплый, в термосе. Котлеты. Огурцы. Винегрет.

— Ну что вы, зачем? Такие хлопоты. Мне и вправду неловко.

— Да что вы, какие там хлопоты? Ерунда. Я знаю, как кормят в больницах. Петр Алексеевич лежал, вы помните? Ну, в пятнадцатом году в кардиологии! Так там кормили... Ой, не дай бог! Свиней лучше кормят, правда! Зачем так унижают людей?

Он не помнил. Ни кардиологию, ни что была она в пятнадцатом году. Ничего он не помнил про своего отца, потому что ему это было неинтересно.

Нина расстелила на тумбочке свежее полотенце, принесенное из дома, и разложила еду. Он принялся есть. С каким удовольствием он ел! И винегрет, и котлеты, и курицу эту. Ел и не мог наесться, даже неловко было. А Нина радовалась:

— Вот видите! А вы на меня ругались!

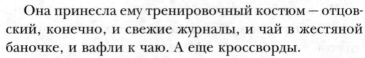

Она принесла ему тренировочный костюм — отцовский, конечно, и свежие журналы, и чай в жестяной баночке, и вафли к чаю. А еще кроссворды.

— Вы разгадываете кроссворды?

Он виновато улыбнулся:

— Нет, извините.

Примерно через час, вымыв грязную посуду и завернув в пакет остатки еды, Нина ушла.

— Жена? — подмигнул ему чернявый. — Чё, простила?

Лагутин коротко бросил:

— Не жена, так, соседка. — И снова отвернулся к стене.

— Соседка тоже баба! — заржал чернявый. — Какая разница? Все они одним миром...

Лагутин покрепче сцепил зубы.

Нина вновь появилась через день, снова с полными сумками еды, с какими-то дурацкими газетами и кроссвордами.

— Зачем вы, Нина? — Лагутину было неловко и радостно одновременно. — Зачем беспокоитесь? Все нормально, я справлюсь. Да и выписать обещали накануне Нового года. Зря вы, ей-богу.

Она, не обращая внимания на его причитания, принялась доставать из сумки банки, судки и свертки. Он стеснялся есть при ней — глупость какая эта ее забота! Кто он ей? Но и прогнать было неловко — старается человек. Это, конечно, можно объяснить — благодарность. Баш на баш. Благодарность за его щедрость. Еще бы не щедрость — бесплатная квартира в столице! Не многим приезжим выпадает такое вот счастье, чистая правда.

Но он устыдился этих мыслей — нет, это не про нее, не про Нину. Она другая, и дело здесь не в корысти.

И все-таки он очень стеснялся — немощи своей, неприкаянности, этой дурацкой сломанной ноги, забинтованной головы, небритости, старой, заношенной больничной пижамы, висящей на нем, как на пугале.

Он почти не смотрел на нее, отвечал односложно, и ему нестерпимо хотелось, чтобы она поскорее ушла. Правды ради, она не задержалась. Но все-таки заставила его поесть:

— Нет, Алексей Петрович! Вы обязательно поешьте при мне, знаю я вас! Вот, винегрет я оставила в холодильнике, а он пропал! Вам же сложно до него доскакать. А медсестру звать не будете — постесняетесь, правильно?

И он послушно жевал — пирожки с капустой, салат витаминный, оладушки с яблоком. Она так и сказала — «оладушки». Она что-то рассказывала ему про новую работу, но он особенно не слушал — неинтересно, да и не до чего, такое поганое настроение. Уловил только, что работа нашлась, кажется, тьфу-тьфу, не сглазить! Хорошие люди, семейная пара — муж и жена. Она совсем лежачая, он ничего, до туалета доходит. Точнее, доползает.

— Ну там, конечно, все — уборка, готовка, уход, магазины, — рассказывала Нина, ловко убирая пустую посуду и подсовывая ему очередную плошку с едой, — трудно, что говорить. Два человека — это вам не один. Но люди хорошие, это же главное, правда?

— Хорошая баба! — прокомментировал чернявый, которого звали Валериком, когда Нина ушла.

К нему, кстати, ходили две девушки, параллельно.

— Жена и любовница, — гордо объяснил он.

— А зачем? — удивился Лагутин. — Хлопотно ведь, разве нет?

— Хлопотно, — подтвердил Валерик. — А что делать? И ту люблю, и эта нравится. Вот такая у меня, брат, беда. — Он погрустнел. — Чё делать-то, а? Не посоветуешь, брат? Запутался я. С женой у нас дочка. А у той своя. Боюсь я чужих детей, если честно. Раздражать будет. Меня и своя раздражает. Выбешивает прям! Как заскулит: «Папа, папа!»

«Раздражает, — с тоской подумал Лагутин. — А если не видеть своего ребенка тысячу лет? А если твой ребенок чужого дядю называет папой? Посмотрел бы я на него. Хотя что на него смотреть? С ним и так все понятно».

Кстати, и жена, и любовница Валерика были «одинаковы с лица» — обе полные блондинки с густо накрашенными лицами и невероятным начесом. Можно и перепутать.

Ох, от безделья и не такая чушь полезет в голову. Лагутин лежал с закрытыми глазами и думал о Городке, о своем доме. Впрочем, каком там доме? Дом — это когда шумно, весело, вкусно. Когда пахнет праздником: елкой, едой. Когда тебя ждут. Когда тоскуют по тебе. Интересуются твоей жизнью. Переживают из-за твоих неудач. Радуются твоим победам. Дом — это там, где *близкие*. А у него? Ну да, приятели. С натягом можно сказать, что друзья. Только с натягом, если по-честному. И виноват в этом только он сам, Алексей Лагутин. Это ему, одинокому волку, никто по большому счету не нужен. Или все-таки нужен? Может, поэтому ему так тоскливо, так муторно на душе, так паршиво? И снова по-честному — там, в Городке, вряд ли его дом. Там — служебная жилплощадь, временное жилье. С неудобным диваном, с чужим столом и окном без занавесок. С разнокалиберными чашками — с миру по нитке, с некрасивыми, серыми, застиранными полотенцами и дешевым, копеечным плафоном вместо люстры. Никакого уюта. И тишина. Вечная тишина. Ему казалось — спасительная, а вышло — убийственная. Холодная и пугающая. Беспросветная.

«Да ладно! Бывают разные дома, — принялся он себя утешать, — разные! И безмолвные тоже. И одинокие, пустынные, когда в них нет отражений, кроме твоего собственного. И когда окна темные, пока именно ты не включишь там свет». Бывают. Например, у него. Так вышло. Значит, такая судьба.

Приезжий. Он приезжий. И там, и здесь, в родном городе. Все приезжие — Дашка, Нина эта и он сам, Лагутин.

Гипс сняли через одиннадцать дней и наложили легкую и удобную лангету. Теперь он почти скакал. Настроение немного улучшилось.

Нина, кстати, не приходила уже дня четыре, чему он был очень рад. Нет, она позвонила и тысячу раз извинилась — подопечные ее, те чудесные бабушка с дедушкой, разболелись, и она была вынуждена уезжать от них поздно вечером, почти в ночь, уложив старичков спать. И появлялась у них рано утром — часам к семи.

Но за два дня до выписки Лагутин все-таки вынужден был ей позвонить, попросил привезти его вещи.

— Заезжать домой не буду, — объяснил он. — Тяжеловато мне разъезжать. Поеду прямиком в аэропорт, а там уж и до дома недалеко. Меня встретят, не беспокойтесь. Встретят и довезут. Билет я уже заказал и такси тоже.

Но получилось все не так — или не совсем так. Нина приехала в день выписки, привезла его вещи и отказалась уходить — вместе с ним стала ждать машину.

— Я вас провожу и не спорьте. Как я вас отпущу одного?

Лагутин безнадежно согласился — а что оставалось? Спорить с ней — себе дороже, это он уже понял. «Ладно, потерплю еще пару часов. В конце концов она права. На ее месте и я бы так поступил. А упрямая какая, — с удивлением подумал он. — С виду тютя тютей. А тут: не спорьте — и все тут. Смешно».

Наконец позвонил водитель, и они пошли вниз. Конечно, перед этим еще была долгая и безуспешная борьба за пакеты и сумку — Нина хватала все подряд, не давая ему нести: тяжело!

— А вам? — раздраженно спросил Лагутин. — Не тяжело?

— Я привыкла, — коротко бросила она, — а вы после больницы.

«Вот ведь ослица», — подумал он.

В машине молчали. Лагутин сидел впереди, Нина сзади. Да и о чем им говорить?

На улице опять мело, и машина ехала медленно, тащась как черепаха, — начинался настоящий буран.

Доползли, выгрузили нехитрый лагутинский скарб, и он уговорил Нину не отпускать машину и побыстрее возвращаться в город.

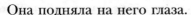

Она подняла на него глаза.

— Алексей Петрович! Вы хоть эсэмэску мне напишите. Два слова: долетел, все нормально. Вам же несложно?

— Это уже три слова, Нина! — отшутился он. — Да, конечно, напишу. Вы за меня не волнуйтесь, я давно большой и самостоятельный мальчик, ей-богу. Ну, будем прощаться?

Она грустно кивнула.

Он приобнял ее за плечи — слегка, чуть-чуть, осторожно, как приобнимают двоюродную сестру или жену друга.

— Большое спасибо вам, Нина! Я вам очень признателен, очень. Без вас бы я точно пропал. — Он подхватил свои вещи и, прихрамывая, вошел в здание аэропорта. Хотелось обернуться и посмотреть, как отъезжает желтое такси, в котором сидела Нина. Но он не обернулся — лишнее, лишнее.

Много было лишнего в его жизни. Лишнего, суетного, ненужного. А уж в последнее время особенно — зачем умножать. Он зарегистрировал билет, медленно дошел до зала ожидания, выпил кофе в кафе — настоящий черный несладкий кофе, какого не пил уже две недели, уселся в кресло и тут же задремал — сказывались и волнение, и нездоровье, и чудовищная усталость. Поскорее бы закончился этот ужасный год. Какое счастье, что осталось около суток. Господи, какая наивность! Нам, наивным и глупым людям, кажется, что вот, пробьют куранты, и начнется другая, новая и счастливая жизнь, а все плохое, ужасное, неприятное останется в прошлом году. Глупость, конечно. Все — включая наши горести, неприятности, беды, страдания, комплексы — мы забираем с собой в новый год, в предстоящую жизнь. Но мы по-прежнему верим, как глупые дети. И усталость свою забираем, и обиды, и одиночество. И даже боль в своей сломанной ноге Лагутин, конечно, прихватит с собой — в новый год и в новую-старую жизнь.

Он очнулся от дурной дремоты — народ, находившийся в зале, суетился, возмущался, даже кипел. Открыв глаза, Лагутин прислушался. Ну все понятно — неприятности продолжаются. Никак не хочет отпустить его с миром старый год и этот чужой и давно нелюбимый город — рейсы откладывались по причине нелетной погоды. Хотя чему удивляться? Он посмотрел в окно — буран или буря, называйте как хотите, казалось, усилился. На улице было темно, серо, мело сильно — зима куролесила от души.

Счастливы те, кому не надо в дорогу, подумал он, кто сидит на своей кухне, понемногу хлопочет, готовясь к празднику. И слышится уже запах — точнее, запахи. Пирогов, запеченного мяса, острого маринада. Запах хвои и счастья. Люди ждут гостей, праздника, подарков, сюрпризов, неожиданностей и обновления. Только не он. Он вспомнил, что сто лет не получал подарков к Новому году — сто лет. С тех пор, как не стало мамы. Подарков он давно не ждал, а ждал одного — поскорее вернуться домой, оказаться дома, в Городке, в своей холостяцкой берлоге. Наедине со своим одиночеством. Он так устал от людей! Разве так много он просил у судьбы?

До чертиков разболелась нога. Он поменял положение, стараясь удачнее ее пристроить, и застонал. Сколько продлится эта чертова метель? Сколько тор-

чать ему здесь, в этом душном и шумном зале? Как хочется лечь, вытянуть ногу.

Лагутин почувствовал, как в глазах закипают слезы. Какой стыд — не дай бог, кто увидит! Хотя разве ему не наплевать на всех?

Так, надо взять себя в руки! Немедленно, слышишь, Лагутин? Не распускаться. В конце концов, что случилось? Что такого случилось, Лагутин? Ну, подумаешь, рейс задержали. Делов-то с копейку! Надо попробовать снять номер в гостинице — он где-то читал, что сейчас это возможно здесь же, рядом, в аэропортовской гостинице. У него заключение, выписка из больницы. Его должны разместить. Хотя... Он оглянулся — женщины с детьми, старики. Вот кого надо размещать в первую очередь. А не его, здорового лба.

«Ничего, ничего, справлюсь — подумаешь! Не на улице же замерзаю, ей-богу. Деньги есть — на еду хватит. Туалет — пожалуйста! Смена белья — имеется. Проживем как-нибудь. К тому же успокоится же вся эта хрень за день или два? Должна же она успокоиться!»

В воздухе отчетливо пахло паникой. Люди метались, кричали, возмущались и — строили прогнозы. Лагутин услышал, что вылеты задерживаются на сутки точно.

«Ну ничего ж себе», — подумал он и поудобнее угнездился в кресло. Сутки. Сутки. Сутки не мыться — и это после больницы. Как он мечтал залезть в душ, под горячую воду. И стоять под горячей водой полчаса, час... А потом бухнуться на свой родимый диван. Конечно же, с кружкой горячего крепкого чая.

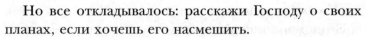

Но все откладывалось: расскажи Господу о своих планах, если хочешь его насмешить.

Лагутин прикрыл глаза. Ничего. Были времена и похуже. И — пережил! Пережил ведь, правда?

В голову стукнуло: позвонить Илюшке, ведь он должен встречать. И еще Нине! Хорошо, что вспомнил — обещал ведь, когда долетит... Не заслужила она такого пренебрежения, точно не заслужила. Нет, звонить неохота — кинет ей эсэмэс: «Рейс задерживается, напишу, когда прилечу».

Так и сделал. А потом он уснул. Разбудил его телефонный звонок. Илюшка? Глянул на дисплей — Нина. Ну да, этого следовало ожидать. А как иначе? Любой бы на ее месте, собственно... Процедил:

— Да, Нина. Слушаю.

— Я внизу, в зале ожидания, — протараторила она очень быстро, словно боялась, что он бросит трубку. — И не спорьте, Алексей Петрович! Глупость какая — оставаться здесь на сутки. А если придется дольше? В вашем-то состоянии! После больницы, в лангете! Нет-нет, не спорьте! Я внизу, на такси. Спускайтесь, пожалуйста! Я узнавала — прогноз плохой, не меньше суток, а то и больше! Ну не упрямьтесь — это же глупо. В конце концов, отлежитесь, помоетесь, поедите нормально. Новый год, между прочим, как ни крути, — печально добавила она.

Кряхтя, Лагутин поднялся, подошел к регистрации, где ему отметили билет и наказали звонить — что, как и когда. Он спустился в зал прилета и увидел Нину. Было видно, что она очень нервничает. Он окликнул ее, и она, встрепенувшись, бросилась к нему навстречу.

Оба смутились.

До дома, конечно, добирались долго — на улице по-прежнему мело. Нина открыла квартиру, и на него обрушились запахи. Невозможные, давно позабытые запахи — пирогов, чего-то жареного, острого, пряного и душистого, кажется, маринованных огурцов. И еще — елки. В комнате стояла елка. Нет, не так — елочка. Маленькая и очень пушистая елочка стояла на табуретке в гостиной, как раньше, в детстве. Отец укреплял ее именно на табуретке. И игрушки на елочке висели знакомые — заяц с морковкой, снегурочка в синем кокошнике, космонавт в блестящем малиновом шлеме. Синий шар, голубой, зеленый и красный.

И в эту минуту ему показалось, что вот сейчас, в это мгновение, из комнаты выйдет отец, в старых трениках и клетчатой домашней рубашке, с газетой в руках. А из кухни появится мама — с бигуди на голове, как инопланетянка, в кухонном переднике и с поварешкой в руке:

— А, это ты, Лешка! Ну давай, раздевайся, что ты застыл? Раздевайся и помоги отцу разложить стол. — Мама посмотрит на настенные часы и нахмурится: — Время-то, а! Через два часа гости! А у вас конь не валялся. — А потом испуганно вскрикнет: — Ой, утка горит! — И тут же исчезнет за дверью.

А отец повторит:

— Ну что застыл? Давай, сын, шевелись! И вправду — время!

Лагутин стоял в коридоре, не в силах снять куртку, ботинки и пройти в комнату. Ему было трудно дышать.

— Алексей Петрович! — услышал он и наконец *вернулся*.

Нина испуганно смотрела на него и лепетала:

— Праздник все-таки! Простите, что я тут... хозяйничаю.

Он вздрогнул, очнулся и, кажется, немного пришел в себя. Улыбнулся:

— Да, праздник. Конечно! И... Спасибо вам, Нина.

Она протянула ему свежее полотенце.

— В душ, Алексей Петрович?

Лагутин счастливо кивнул.

— Ну а потом отдыхать! — продолжила Нина. — Вам обязательно нужно лечь и отдохнуть! Ну а потом... Потом будем ужинать. — И повторила: — Праздник все-таки!

Да. Праздник. А какой праздник без ужина? Новый год, как ни крути. А к празднику прилагаются салат оливье, селедка под шубой, запеченная утка, медовый пирог. И конечно же, елка. Как же без елки? Ну и компания — уж какая есть. Большая или не очень.

Главное, что человек не один. И все как у людей.

И Лагутин страшно огорчился, что у него нет подарка. Подарка для Нины. Ведь полагается же? Все-таки Новый год.

Может быть, после? В смысле — когда-нибудь.

Содержание

Литературно-художественное издание

Метлицкая Мария

САМЫЕ РОДНЫЕ, САМЫЕ БЛИЗКИЕ

Ответственный редактор *Ю. Раутборт*
Младший редактор *Е. Долматова*
Художественный редактор *П. Петров*
Технический редактор *О. Лёвкин*
Компьютерная верстка *И. Ковалева*
Корректор *О. Степанова*

В оформлении фона обложки использованы фотографии:
ESB Professional, Milosz_G / Shutterstock.com
Используется по лицензии от Shutterstock.com

ООО «Издательство «Э»
123308, Москва, ул. Зорге, д. 1. Тел. 8 (495) 411-68-86.
Өндіруші: «Э» АҚБ Баспасы, 123308, Мәскеу, Ресей, Зорге көшесі, 1 үй.
Тел. 8 (495) 411-68-86.
Тауар белгісі: «Э»
Қазақстан Республикасында дистрибьютор және өнім бойынша арыз-талаптарды қабылдаушының өкілі «РДЦ-Алматы» ЖШС, Алматы қ., Домбровский көш., 3«а», литер Б, офис 1.
Тел.: 8 (727) 251-59-89/90/91/92, факс: 8 (727) 251 58 12 вн. 107.
Өнімнің жарамдылық мерзімі шектелмеген.
Сертификация туралы ақпарат сайтта Өндіруші «Э»

Сведения о подтверждении соответствия издания согласно законодательству РФ о техническом регулировании можно получить на сайте Издательства «Э»

Өндірген мемлекет: Ресей
Сертификация қарастырылмаған

Подписано в печать 07.02.2018. Формат 84х108 1/32.
Гарнитура «NewBaskervilleCTT». Печать офсетная. Усл. печ. л. 20,16.
Тираж 30 000 экз. Заказ 1443/18.

Отпечатано в соответствии с предоставленными материалами
в ООО «ИПК Парето-Принт», 170546, Тверская область,
Промышленная зона Боровлево-1, комплекс № 3А,
www.pareto-print.ru

ISBN 978-5-04-092445-5

16+

Оптовая торговля книгами Издательства «Э»:
142700, Московская обл., Ленинский р-н, г. Видное,
Белокаменное ш., д. 1, многоканальный тел.: 411-50-74.

**По вопросам приобретения книг Издательства «Э» зарубежными оптовыми
покупателями обращаться в отдел зарубежных продаж**
*International Sales: International wholesale customers should contact
Foreign Sales Department for their orders.*

**По вопросам заказа книг корпоративным клиентам,
в том числе в специальном оформлении,** *обращаться по тел.:*
+7 (495) 411-68-59, доб. 2261.

**Оптовая торговля бумажно-беловыми
и канцелярскими товарами для школы и офиса:**
142702, Московская обл., Ленинский р-н, г. Видное-2,
Белокаменное ш., д. 1, а/я 5. Тел./факс: +7 (495) 745-28-87 (многоканальный).

Полный ассортимент книг издательства для оптовых покупателей:
Москва. Адрес: 142701, Московская область, Ленинский р-н,
г. Видное, Белокаменное шоссе, д. 1. Телефон: +7 (495) 411-50-74.
Нижний Новгород. Филиал в Нижнем Новгороде. Адрес: 603094,
г. Нижний Новгород, ул. Карпинского, д. 29, бизнес-парк «Грин Плаза».
Телефон: +7 (831) 216-15-91 (92, 93, 94).
Санкт-Петербург. ООО «СЗКО». Адрес: 192029, г. Санкт-Петербург, пр. Обуховской Обороны,
д. 84, лит. «Е». Телефон: +7 (812) 365-46-03 / 04. **E-mail:** server@szko.ru
Екатеринбург. Филиал в г. Екатеринбурге. Адрес: 620024,
г. Екатеринбург, ул. Новинская, д. 2щ. Телефон: +7 (343) 272-72-01 (02/03/04/05/06/08).
Самара. Филиал в г. Самаре. Адрес: 443052, г. Самара, пр-т Кирова, д. 75/1, лит. «Е».
Телефон: +7(846)207-55-50. **E-mail:** RDC-samara@mail.ru
Ростов-на-Дону. Филиал в г. Ростове-на-Дону. Адрес: 344023,
г. Ростов-на-Дону, ул. Страны Советов, д. 44 А. Телефон: +7(863) 303-62-10.
Центр оптово-розничных продаж Cash&Carry в г. Ростове-на-Дону. Адрес: 344023,
г. Ростов-на-Дону, ул. Страны Советов, д. 44 В. Телефон: (863) 303-62-10. Режим работы: с 9-00 до 19-00.
Новосибирск. Филиал в г. Новосибирске. Адрес: 630015,
г. Новосибирск, Комбинатский пер., д. 3. Телефон: +7(383) 289-91-42.
Хабаровск. Филиал РДЦ Новосибирск в Хабаровске. Адрес: 680000, г. Хабаровск,
пер. Дзержинского, д. 24, литера Б, офис 1. Телефон: +7(4212) 910-120.
Тюмень. Филиал в г. Тюмени. Центр оптово-розничных продаж Cash&Carry в г. Тюмени.
Адрес: 625022, г. Тюмень, ул. Алебашевская, д. 9А (ТЦ Перестройка+).
Телефон: +7 (3452) 21-53-96/ 97/ 98.
Краснодар. Обособленное подразделение в г. Краснодаре
Центр оптово-розничных продаж Cash&Carry в г. Краснодаре
Адрес: 350018, г. Краснодар, ул. Сормовская, д. 7, лит. «Г». Телефон: (861) 234-43-01(02).
Республика Беларусь. Центр оптово-розничных продаж Cash&Carry в г. Минске. Адрес: 220014,
Республика Беларусь, г. Минск, пр-т Жукова, д. 44, пом. 1-17, ТЦ «Outleto».
Телефон: +375 17 251-40-23; +375 44 581-81-92. Режим работы: с 10-00 до 22-00.
Казахстан. РДЦ Алматы. Адрес: 050039, г. Алматы, ул. Домбровского, д. 3 «А».
Телефон: +7 (727) 251-58-12, 251-59-90 (91,92,99).
Украина. ООО «Форс Украина». Адрес: 04073 г. Киев, ул. Вербовая, д. 17а.
Телефон: +38 (044) 290-99-44. **E-mail:** sales@forsukraine.com

**Полный ассортимент продукции Издательства «Э»
можно приобрести в магазинах «Новый книжный» и «Читай-город».**
Телефон единой справочной: 8 (800) 444-8-444. Звонок по России бесплатный.

В Санкт-Петербурге: в магазине «Парк Культуры и Чтения БУКВОЕД», Невский пр-т, д. 46.
Тел.: +7(812)601-0-601, www.bookvoed.ru

Розничная продажа книг с доставкой по всему миру. Тел.: +7 (495) 745-89-14.

Книги
Татьяны БУЛАТОВОЙ
для женщин
от 18 до 118 лет

«Книги Татьяны Булатовой заставляют задуматься о тех, кто рядом. О тех, кого мы любим и не всегда, увы, понимаем!»

Мария Метлицкая

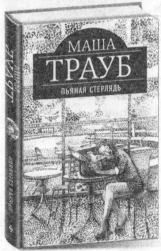

Соединить смешное и грустное, малое и великое, изобразить все как в жизни – большой талант. У Маши Трауб он есть!

Георгий ДАНЕЛИЯ

МАРИЯ ВОРОНОВА

Новая книжная серия
«Большая любовь»

~~~~~~~ ~~~~~

Любовь – невозможность жить без любимого.
Большая любовь – жить ради него.

Мария Воронова — практикующий хирург, а потому о хрупкости человеческой жизни, силе духа, благородстве и преданности она знает, возможно, больше, чем другие люди. Однако не у каждого из хирургов такой писательский талант, как у Марии Вороновой, каждый роман которой о том, что главное исцеление несет только любовь. Большая. Настоящая.

Ледяное сердце Северины
Рандеву на границе дождя
Апельсиновый сок
Уютная душа
Повод для знакомства
Мой бедный богатый мужчина
Любовь в режиме ожидания
Близорукая любовь
и другие...

Книги Марии Вороновой для тех, кто не ждет от жизни чудес, а знает, что счастье в семье дается ежедневной заботой, любовью, верностью и преданностью.

А. Маринина